ELIZABETH HAYES.

LE ROBERT & NATHAN

CONJUGAISON JUNIOR

Paul BENAYCH
Daniel GALLET

NATHAN

Couverture : Patrice CAUMONT

Conception graphique : Jacques LE RIBAULT

Picto : Agnès AUDRAS

Coordination éditoriale : Élina CUAZ,
avec la collaboration de Francine GAUDARD

Coordination artistique : Thierry MÉLÉARD

Fabrication : Jacques LANNOY

~

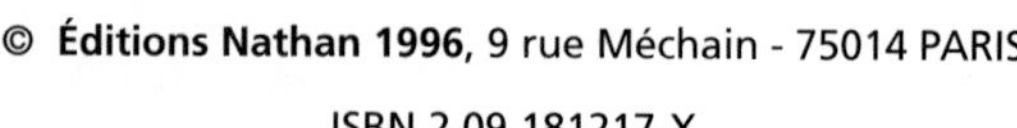

ISBN 2.09.181217-X

AVANT-PROPOS

Cet ouvrage est un outil de référence original, conçu spécifiquement à l'intention des élèves de 8 à 12 ans pour accompagner leur apprentissage des emplois et des formes des verbes du français.

LE ROBERT & NATHAN CONJUGAISON JUNIOR s'est doté de trois atouts spécifiques pour répondre à cet objectif :

1. 33 **fiches** conçues comme des parcours de découverte pour faciliter la maîtrise des grandes régularités de la conjugaison et des difficultés particulières.

   Le lecteur est invité à vivre les trois moments du cheminement d'apprentissage :
   - comprendre le problème à résoudre,
   - utiliser ses connaissances,
   - faire le point sur ce que l'on a découvert.

   On y trouve :
   - l'usage des formes verbales, aux temps et aux modes usuels, dans des situations de communication ;
   - les règles d'accord du verbe, fondées sur les grandes régularités ;
   - les cas particuliers et les exceptions.

2. Plus de 100 **tableaux de conjugaison**, adaptés aux programmes scolaires, présentent les verbes modèles. Ces tableaux sont enrichis d'une carte d'identité du verbe ainsi que de repères pour faciliter le passage du verbe modèle au verbe recherché.

3. Un **répertoire** de 3 300 verbes, issus des corpus du *Robert Junior* et du *Nouveau Petit Robert*, adapté aux lecteurs de 8 à 12 ans.

LE ROBERT & NATHAN CONJUGAISON JUNIOR est un véritable outil d'apprentissage et de consultation, adapté aux compétences de jeunes élèves, et qui aidera efficacement à la consolidation des connaissances en cours d'acquisition. Sa facilité de consultation et sa rigueur en font l'ouvrage indispensable à l'école comme à la maison.

PARCOURS D'UTILISATION

1. Tu veux conjuguer un verbe : tu consultes les tableaux.

Par exemple, comment conjuguer ***balayer*** à l'**imparfait** de l'indicatif.

1. Tu cherches ***balayer*** dans **le répertoire des verbes.**

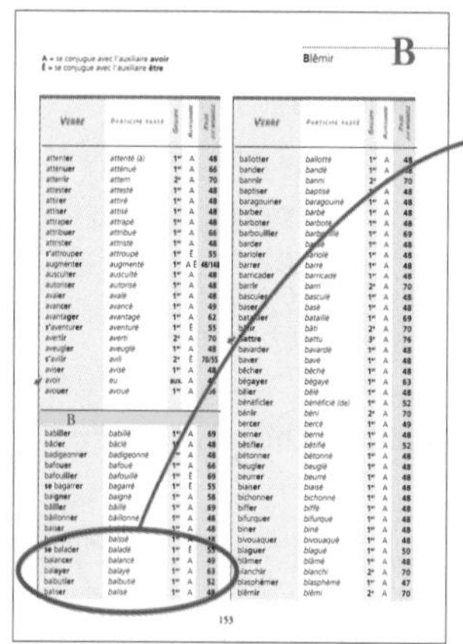

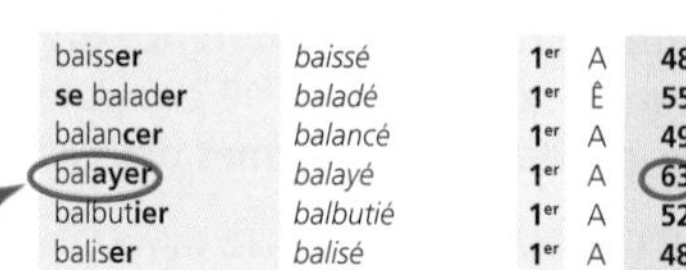

baiss**er**	*baissé*	**1**er	A	**48**
se balad**er**	*baladé*	**1**er	Ê	**55**
balan**cer**	*balancé*	**1**er	A	**49**
bal**ayer**	*balayé*	**1**er	A	**63**
balbut**ier**	*balbutié*	**1**er	A	**52**
balis**er**	*balisé*	**1**er	A	**48**

2. ***Balayer*** n'a pas de tableau particulier. Pour le conjuguer, tu dois te reporter à **un verbe modèle**. Le répertoire te dit que, **page 63**, se trouve le modèle de ***balayer***.

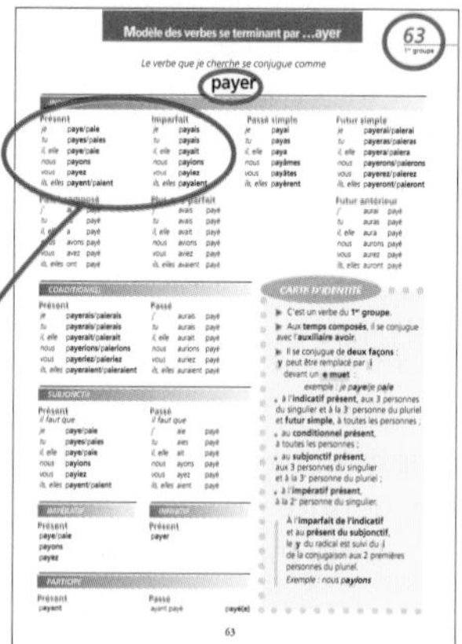

3. Le verbe ***balayer*** se conjugue comme ***payer***. Tu cherches l'**imparfait de l'indicatif** dans le tableau.

4. La partie en gras est commune à tous les verbes se terminant par **...ayer**.

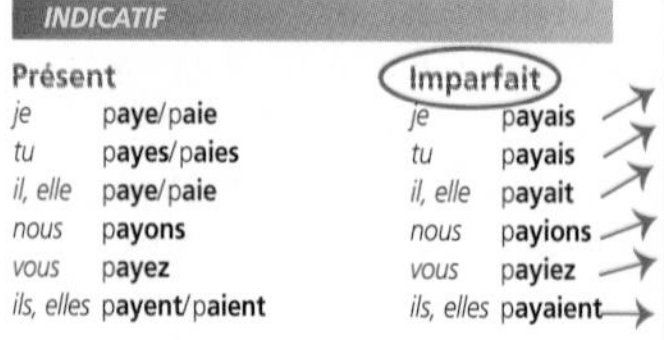

INDICATIF

Présent		Imparfait	
je	pay**e**/pa**ie**	*je*	pay**ais**
tu	pay**es**/pa**ies**	*tu*	pay**ais**
il, elle	pay**e**/pa**ie**	*il, elle*	pay**ait**
nous	pay**ons**	*nous*	pay**ions**
vous	pay**ez**	*vous*	pay**iez**
ils, elles	pay**ent**/pa**ient**	*ils, elles*	pay**aient**

je bal**ayais**
tu bal**ayais**
il, elle bal**ayait**
nous bal**ayions**
vous bal**ayiez**
ils elles bal**ayaient**

Pour conjuguer ***balayer***, il suffit de remplacer le «p» de ***payer*** par le «bal» de ***balayer***.

2. Tu veux connaître les caractéristiques d'un verbe : tu consultes *les cartes d'identité* des tableaux.

Chaque verbe modèle possède **une carte d'identité** qui t'indique :

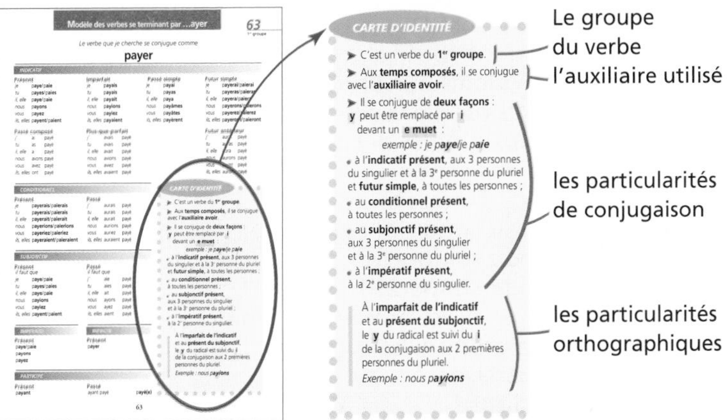

3. Tu veux savoir quand et comment utiliser un verbe : tu consultes les fiches 8 à 40.

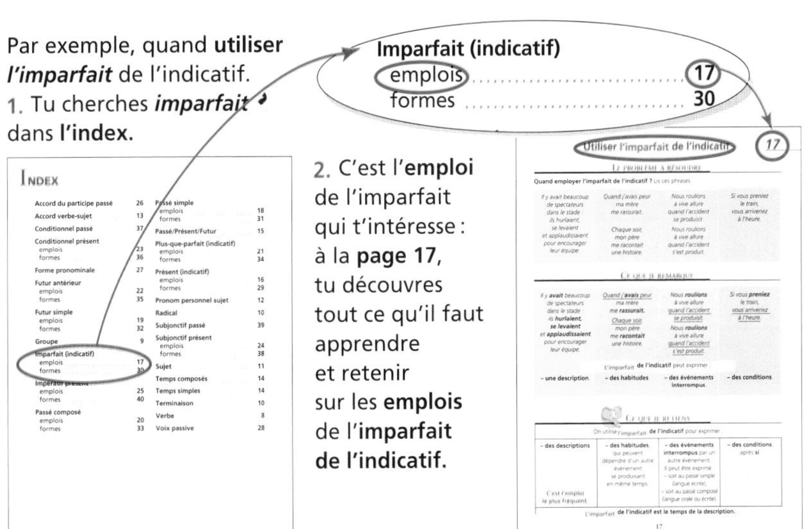

Par exemple, quand **utiliser *l'imparfait*** de l'indicatif.

1. Tu cherches ***imparfait*** dans **l'index.**

2. C'est l'**emploi** de l'imparfait qui t'intéresse : à la **page 17**, tu découvres tout ce qu'il faut apprendre et retenir sur les **emplois** de l'**imparfait de l'indicatif.**

Sommaire

Formes et emplois du verbe

Tableaux de conjugaison

Répertoire des verbes

Formes et emplois du verbe

8 Identifier le verbe dans la phrase

Le problème à résoudre

Où est le verbe dans la phrase ?
Compare la forme des phrases dans chaque colonne.

La victoire de l'équipe de France.	*L'équipe de France a gagné.*
L'arrivée des enfants chez leur grand-mère.	*Les enfants arrivèrent chez leur grand-mère.*
Le chant de la cigale.	*La cigale chantait.*
L'incendie de la forêt.	*La forêt brûle.*
Le retour de Sophie de l'école.	*Sophie rentrera de l'école.*

Ce que je remarque

➤ Chaque couple de phrases présente un événement identique.
Pourtant, il y a **une différence**.

Il n'y a pas de verbe conjugué	**Il y a** – **un verbe conjugué** – **moins de mots** – **une information en plus**
La ***victoire*** *de l'équipe de France.*	*L'équipe de France* ***a gagné****.*
*L'****arrivée*** *des enfants chez leur grand-mère.*	*Les enfants* ***arrivèrent*** *chez leur grand-mère.*
Le ***chant*** *de la cigale.*	*La cigale* ***chantait****.*
*L'****incendie*** *de la forêt.*	*La forêt* ***brûle****.*
Le ***retour*** *de Sophie de l'école.*	*Sophie* ***rentrera*** *de l'école.*

Ce sont des **phrases nominales**, parce qu'il y a **un nom**.
Dans les phrases nominales, on ne peut pas indiquer le moment où se passe l'action.

Ce sont des **phrases verbales**, parce qu'il y a **un verbe**.
Dans les phrases verbales, on peut indiquer **le moment où se passe l'action**.
C'est le verbe qui donne cette information.

Ce que je retiens

Le verbe donne des informations sur **le moment** de l'événement :

passé	présent	futur
a gagné, arrivèrent, chantait	*brûle*	*rentrera*

Identifier le groupe du verbe

Le problème à résoudre

Quel est le groupe du verbe ?
Lis ces phrases.

J'arriverai.	*Finissons !*	*Il viendra.*
Tu rentrerais.	*Ils s'enrichissaient.*	*Sortez ! Il le faut.*
Nous appelions.	*Vous nourrissez vos poissons.*	*Elles pouvaient voir.*
Vous parlez en mangeant.	*Tu accompliras des exploits.*	*Nous savions ce qu'ils voulaient.*
	Les fleurs embellissent un jardin en s'épanouissant.	*Il prit tout son temps en mettant son chapeau.*

Ce que je remarque

➤ À **l'infinitif**, tous ces verbes se terminent par :

...er	**...ir**	**...ir, ...oir, ...re**
J'arriverai. (arriv**er**)	*Finissons !* (fin**ir**)	*Il viendra.* (ven**ir**)
Tu rentrerais. (rentr**er**)	*Ils s'enrichissaient.* (s'enrich**ir**)	*Sortez !* (sort**ir**) *Il le faut.* (fall**oir**)
Nous appelions. (appel**er**)	*Vous nourrissez vos poissons.* (nourr**ir**)	*Elles pouvaient* (pouv**oir**) *voir.* (v**oir**)
Vous parlez (parl**er**) *en mangeant.* (mang**er**)	*Tu accompliras des exploits.* (accompl**ir**)	*Nous savions* (sav**oir**) *ce qu'ils voulaient.* (voul**oir**)
	Les fleurs embellissent (embell**ir**) *un jardin en s'épanouissant.* (s'épanou**ir**)	*Il prit* (prend**re**) *tout son temps en mettant* (mett**re**) *son chapeau.*

Ce que je retiens

Les verbes de la langue française sont classés en **trois groupes** :

le 1er groupe	le 2e groupe	le 3e groupe
terminaison en **...er**	terminaison en **...ir** (participe présent en ...issant)	terminaisons en **...ir** **...oir** **...re**

Quand tu consultes un dictionnaire, tu constates que la plupart des verbes appartiennent au 1er groupe.
Mais quand tu parles, ce sont les verbes du **3e groupe** que tu utilises **le plus souvent**.

10 Distinguer radical et terminaison

Le problème à résoudre

Qu'est-ce qui change dans un verbe quand on le conjugue ?

Changeons le temps	Changeons la personne
L'oiseau chante. → L'oiseau chantait.	*L'oiseau chante. → Nous chantons.*
Je voulus. → Je voulais.	*Je voulus. → Ils voulurent.*

Ce que je remarque

➤ Lorsque je change **le temps**, une partie du verbe ne change pas, l'autre partie change :

Ce qui ne change pas	Ce qui change
L'oiseau ***chant****e. → L'oiseau* ***chant****ait.*	*L'oiseau chant****e****. → L'oiseau chant****ait****.*
Je ***voul****us. → Je* ***voul****ais.*	*Je voul****us****. → Je voul****ais****.*
Je conserve	**Je modifie**
chant-, qui indique le sens du verbe chanter,	**...e**, qui indique le présent, et **...ait** qui indique le passé,
voul-, qui indique le sens du verbe vouloir.	**...us**, qui indique le passé simple et **...ais**, qui indique l'imparfait.

➤ Lorsque je change **la personne**, une partie du verbe ne change pas, l'autre partie change :

Ce qui ne change pas	Ce qui change
L'oiseau ***chant****e. → Nous* ***chant****ons.*	*L'oiseau chant****e****. → Nous chant****ons****.*
Je ***voul****us. → Ils* ***voul****urent.*	*Je voul****us****. → Ils voul****urent****.*
Je conserve	**Je modifie**
chant-, qui indique le sens du verbe chanter,	**...e**, qui marque le singulier et **...ons**, qui marque la 1[er] personne du pluriel,
voul-, qui indique le sens du verbe vouloir.	**...us**, qui marque le singulier et **...urent**, qui marque la 3[e] personne du pluriel.

Ce qui ne change pas s'appelle **le radical** du verbe.

Ce qui change s'appelle **la terminaison** du verbe.

Ce que je retiens

Une forme verbale se compose :
– **d'un élément,** généralement **invariable**, qui indique le sens du verbe, **le radical** ;
– **d'un élément qui varie** en fonction du temps et de la personne choisis, **la terminaison**.

Le radical de certains verbes peut subir **des modifications**.
Exemples : Je ***voul****us. Tu* ***voud****ras. Je* ***boi****s. Nous* ***buv****ons. Je* ***vai****s. Nous* ***all****ons.*

Identifier le sujet du verbe **11**

Le problème à résoudre

Qui fait quoi ?
Compare les phrases de chaque colonne.

L'enfant voit l'oiseau.	*L'oiseau voit l'enfant.*
Le chat mange la souris.	*La souris mange le chat.*
La chèvre mange le chou.	*Le chou mange la chèvre.*

Ce que je remarque

C'est ***l'enfant*** qui **voit** *l'oiseau.*	C'est ***l'oiseau*** qui **voit** *l'enfant.*
C'est ***le chat*** qui **mange** *la souris.*	C'est ***la souris*** qui **mange** *le chat.*
C'est ***la chèvre*** qui **mange** *le chou.*	C'est ***le chou*** qui **mange** *la chèvre.*

l'enfant est **le sujet** du verbe ***voit***.
le chat est **le sujet** du verbe ***mange***.
la chèvre est **le sujet** du verbe ***mange***.

l'oiseau est **le sujet** du verbe ***voit***.
la souris est **le sujet** du verbe ***mange***.
le chou est **le sujet** du verbe ***mange***.

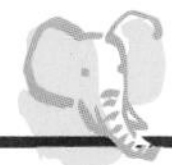

Ce que je retiens

➤ Dans toutes les phrases verbales, il y a un mot (ou un groupe de mots) qui désigne **celui qui fait l'action** : c'est **le sujet**.
Ce mot peut être **un nom** ou **un pronom**.

➤ On identifie **le sujet** en posant la question :
« Qui est-ce qui ... ? » ou **« Qu'est-ce qui ... ? »**

➤ **Le sujet** est presque toujours **placé avant le verbe.**

– Il peut y avoir **plusieurs sujets**. *Exemple : Le chat et la souris (2 sujets) jouent (verbe) ensemble.*

– **Le sujet** peut être **séparé du verbe** par un pronom. *Exemple : L'enfant (sujet) se voit (verbe).*

– **Le sujet** peut être **placé après le verbe**. *Exemple : Sur la colline se trouve (verbe) un château (sujet).*

12 Reconnaître les pronoms personnels sujets

Le problème à résoudre

Par quoi peut-on remplacer le groupe nominal sujet ?
Compare les phrases de chaque colonne.

L'hirondelle passe dans le ciel.	*Elle passe dans le ciel.*
Le moineau passe dans le ciel.	*Il passe dans le ciel.*
Alain et moi jouons aux échecs.	*Nous jouons aux échecs.*
Sophie et toi avez visité la Provence.	*Vous avez visité la Provence.*
L'hirondelle et le moineau passent dans le ciel.	*Ils passent dans le ciel.*

Ce que je remarque

➤ On peut remplacer le groupe nominal sujet par un **pronom personnel sujet.**

Au singulier | **Au singulier**

L'hirondelle passe dans le ciel. — *Elle passe dans le ciel.*

l'hirondelle → elle

Le moineau passe dans le ciel. — *Il passe dans le ciel.*

le moineau → il

Au pluriel | **Au pluriel**

Alain et moi jouons aux échecs. — *Nous jouons aux échecs.*

Alain et moi → nous

Sophie et toi avez visité la Provence. — *Vous avez visité la Provence.*

Sophie et toi → vous

L'hirondelle et le moineau passent dans le ciel. — *Ils passent dans le ciel.*

l'hirondelle et le moineau → ils

Ce que je retiens

Le sujet peut être soit **un nom**, soit **un pronom**.

Pronoms personnels sujets			
singulier		**pluriel**	
1re personne	**je**	1re personne	**nous**
2e personne	**tu**	2e personne	**vous**
3e personne	**il, elle, on**	3e personne	**ils, elles**

Temps simples : accorder le verbe avec le sujet

Le problème à résoudre

Verbe au singulier ou verbe au pluriel ?
Compare les phrases de chaque colonne.

L'enfant chante.	*Les enfants chantent.*
L'oiseau s'envole.	*Les oiseaux s'envolent.*
Le Petit Poucet suit ses parents.	*Le Petit Poucet et ses frères suivent leurs parents.*
Le poisson mord à l'hameçon.	*Les poissons mordent à l'hameçon.*

Ce que je remarque

L'accord au singulier	**L'accord au pluriel**
*L'enfant chant**e**.*	*Les enfant**s** chant**ent**.*
*L'oiseau s'envol**e**.*	*Les oiseau**x** s'envol**ent**.*
*Le Petit Poucet sui**t** ses parents.*	*Le Petit Poucet et ses frère**s** suiv**ent** leurs parents.*
*Le poisson mor**d** à l'hameçon.*	*Les poisson**s** mord**ent** à l'hameçon.*

sujet au singulier → verbe au singulier

sujet au pluriel → verbe au pluriel

Ce que je retiens

Le verbe s'accorde **toujours en nombre** avec le sujet.

➤ Si **le sujet** (nom ou pronom) est **au singulier**, **le verbe** est **au singulier**.
*Exemple : L'enfant chant**e**.*

➤ Si **le sujet** (nom ou pronom) est **au pluriel, le verbe** est **au pluriel**.
*Exemple : Les enfants chant**ent**.*

– Le pluriel du nom (ou du pronom) sujet est en **...s** ou en **...x**, le pluriel du verbe (3e personne) est en **...ent**.
*Exemple : Les enfant**s** chant**ent**.*

– Quelquefois, le pluriel s'entend.
*Exemple : mord/mord**ent**.*

– Quelquefois, le pluriel ne s'entend pas.
*Exemple : s'envole/s'envol**ent**.*

14 Distinguer les temps simples **des** temps composés

Le problème à résoudre

Comment distinguer un temps simple d'un temps composé ?
Dans chaque colonne, observe la forme du verbe.

L'enfant voit l'oiseau.	*L'enfant a vu l'oiseau.*
Demain, à 10 heures, nous corrigerons les exercices.	*Demain, à 10 heures, j'aurai corrigé vos copies.*
L'enfant court.	*L'enfant a couru.*
La semaine dernière, il arrivait en train.	*La semaine dernière, il était arrivé en train.*

Ce que je remarque

Le verbe est formé d'un seul élément	**Le verbe est formé de deux éléments : un auxiliaire + un participe passé**
L'enfant ***voit*** *l'oiseau.*	*L'enfant* ***a vu*** *l'oiseau.*
La semaine dernière, il ***arrivait*** *en train.*	*La semaine dernière, il* ***était arrivé*** *en train.*
Le verbe présente l'action dans son déroulement	**Le verbe présente l'action comme achevée**
Demain, à 10 heures, nous ***corrigerons*** *les exercices.* (Nous serons en train de les corriger.)	*Demain, à 10 heures, j'****aurai corrigé*** *vos copies.* (Ce sera terminé.)
L'enfant ***court***. (Il est en train de courir.)	*L'enfant* ***a couru***. (Il a terminé, il se repose.)
Ces verbes sont employés aux **temps simples**.	Ces verbes sont employés aux **temps composés**.

Ce que je retiens

➤ Les **temps simples** sont formés d'**un seul élément** ; ils présentent l'action **dans son déroulement**.
Exemple : Je mange.

➤ Les **temps composés** sont formés de **deux éléments** ; ils présentent l'action comme **achevée**.
Exemple : J'ai mangé.

➤ **Pour former un temps composé :**

auxiliaire (avoir ou être) + **participe passé** du verbe.

Situer le moment de l'action

Le problème à résoudre

Passé ? présent ? futur ? Comment situer l'action dans le temps ?
Lis ce petit texte.

Les hommes de la Préhistoire avaient déjà découvert le feu lorsqu'ils s'habillaient de peaux de bêtes.

Aujourd'hui, nous nous habillons de tissus en fibres naturelles comme la laine, le coton ou en fibres synthétiques, comme le nylon.

Demain, nous porterons peut-être des vêtements qui auront été fabriqués à partir de matières nouvelles.

Ce que je remarque

Les hommes de la Préhistoire ***avaient*** *déjà* ***découvert*** *le feu.* (plus-que-parfait) *Ils* ***s'habillaient*** *de peaux de bêtes.* (imparfait)	*Aujourd'hui, nous* ***nous habillons*** *de tissus.* (présent)	*Demain, nous* ***porterons*** *peut-être des vêtements…* (futur simple) *Ces vêtements* ***auront été fabriqués*** *à partir de matières nouvelles.* (futur antérieur)

➤ Le moment de l'action :

passé	présent	futur

Ce que je retiens

Le verbe situe l'action **dans le temps**.

L'action est située

- dans **le passé** : *ils* ***avaient*** *déjà* ***découvert*** (temps : plus-que-parfait) ; *ils* ***s'habillaient*** (temps : imparfait)
- dans **le présent** : *nous* ***nous habillons*** (temps : présent)
- dans **le futur** : *ces vêtements* ***auront été fabriqués*** (temps : futur antérieur) ; *nous* ***porterons*** (temps : futur simple)

16 Utiliser le présent de l'indicatif

Le problème à résoudre

Quand employer le présent de l'indicatif ?
Lis ces phrases.

Qui frappe à la porte ? *Maman, Pierre m'embête.*	*Je sors de l'école il y a cinq minutes.* *Pasteur découvre le vaccin contre la rage en 1885.*	*Je pars demain en vacances.* *Mes parents arrivent lundi soir.*	*Chaque jour, je vais à l'école.* *Rien ne sert de courir, il faut partir à point.* (La Fontaine) *L'eau bout à 100 °C.*

Ce que je remarque

*Qui **frappe** à la porte ?* *Maman, Pierre m'**embête**.*	*Je **sors** de l'école il y a cinq minutes.* *Pasteur **découvre** le vaccin contre la rage en 1885.*	*Je **pars** demain en vacances.* *Mes parents **arrivent** lundi soir.*	*Chaque jour, je **vais** à l'école.* *Rien ne **sert** de courir, il **faut** partir à point.* (La Fontaine) *L'eau **bout** à 100 °C.*

Le présent de l'indicatif s'emploie pour exprimer :

– des événements qui se déroulent **au moment où l'on parle**.	– des événements **en relation avec le passé**.	– des événements **en relation avec le futur**.	– des événements **habituels** ou **ce qui est toujours vrai**.

Ce que je retiens

On utilise **le présent de l'indicatif** pour exprimer :

– des événements qui se déroulent **au moment où l'on parle**. **C'est l'emploi le plus fréquent.**	– des événements **en relation avec le passé**. Il s'agit : – d'un passé récent, – d'un fait historique.	– des événements **en relation avec le futur**. Il s'agit : – d'un futur proche.	– des événements **habituels** ou **ce qui est toujours vrai**. Il s'agit : – d'un fait habituel, – d'une morale, d'un proverbe ou d'une vérité scientifique.

Utiliser l'imparfait de l'indicatif **17**

Le problème à résoudre

Quand employer l'imparfait de l'indicatif ? Lis ces phrases.

Il y avait beaucoup de spectateurs dans le stade : ils hurlaient, se levaient et applaudissaient pour encourager leur équipe.	*Quand j'avais peur ma mère me rassurait.* *Chaque soir, mon père me racontait une histoire.*	*Nous roulions à vive allure quand l'accident se produisit.* *Nous roulions à vive allure quand l'accident s'est produit.*	*Si vous preniez le train, vous arriveriez à l'heure.*

Ce que je remarque

*Il y **avait** beaucoup de spectateurs dans le stade : ils **hurlaient, se levaient** et **applaudissaient** pour encourager leur équipe.*	*Quand j'**avais** peur ma mère me **rassurait.*** *Chaque soir, mon père me **racontait** une histoire.*	*Nous **roulions** à vive allure quand l'accident se produisit.* *Nous **roulions** à vive allure quand l'accident s'est produit.*	*Si vous **preniez** le train, vous arriveriez à l'heure.*

L'imparfait de l'indicatif peut exprimer :

– une description.	**– des habitudes**.	**– des événements interrompus**.	**– des conditions**.

Ce que je retiens

On utilise **l'imparfait de l'indicatif** pour exprimer :

– des descriptions. **C'est l'emploi le plus fréquent.**	**– des habitudes**, qui peuvent dépendre d'un autre événement se produisant en même temps.	**– des événements interrompus** par un autre événement. Il peut être exprimé : – soit au passé simple (langue écrite), – soit au passé composé (langue orale ou écrite).	**– des conditions**, après **si**.

L'imparfait de l'indicatif est le temps de la description.

18

Utiliser le passé simple de l'indicatif

Le problème à résoudre

Quand employer le passé simple de l'indicatif ?
Lis ces phrases.

À huit heures, il arriva en vue du village. *Dès 8 heures 30, il entra dans la classe, s'assit, ouvrit son cartable et attendit.*	*Il dormait profondément ; le réveil sonna.* *Il marchait tranquillement. Soudain, une explosion retentit.*

Ce que je remarque

*À huit heures, il **arriva** en vue du village.* *Dès 8 heures 30, il **entra** dans la classe, **s'assit, ouvrit** son cartable et **attendit**.*	*Il dormait profondément ; le réveil **sonna**.* *Il marchait tranquillement. Soudain, une explosion **retentit**.*

Le passé simple **de l'indicatif** s'emploie pour exprimer, **dans un récit** :

– des événements qui se sont produits **à un moment précis du passé**.	– des événements qui se produisent **en interrompant un autre événement**.

Ce que je retiens

On utilise le passé simple **de l'indicatif** pour exprimer, **dans un récit** :

– des événements accomplis **à un moment précis du passé**. **C'est l'emploi le plus fréquent.**	– des événements qui se produisent **en interrompant un autre événement**.

Le passé simple **est le temps du récit.**

Le passé simple est surtout employé dans la langue écrite soutenue :
*Exemple : Il **marcha** trente jours, il **marcha** trente nuits.* (Victor Hugo)

Il a été progressivement remplacé, dans la langue parlée, par le passé composé :
*Exemple : Il **a marché** trente jours.*

Utiliser le futur simple de l'indicatif

Le problème à résoudre

Quand employer le futur simple de l'indicatif ?
Lis ces phrases.

L'année prochaine, je visiterai la tour Eiffel. *Je te téléphonerai demain.*	*Tu feras la vaisselle.* *Tu rangeras ta chambre.*	*Napoléon Ier, couronné empereur en 1804, abdiquera en 1814.* *Le percement du tunnel sous la Manche nécessitera 3 ans de travaux.*

Ce que je remarque

*L'année prochaine, je **visiterai** la tour Eiffel.* *Je te **téléphonerai** demain.*	*Tu **feras** la vaisselle.* *Tu **rangeras** ta chambre.*	*Napoléon Ier, couronné empereur en 1804, **abdiquera** en 1814.* *Le percement du tunnel sous la Manche **nécessitera** 3 ans de travaux.*

Le futur simple **de l'indicatif** s'emploie pour exprimer :

– des projets.	**– des ordres**.	**– des événements historiques**.

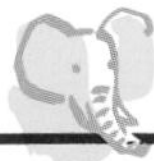

Ce que je retiens

On utilise le futur simple **de l'indicatif** pour exprimer :

– des projets, proches ou lointains, par rapport au présent. **C'est l'emploi le plus fréquent.**	**– des ordres** (de façon moins sèche qu'à l'impératif).	**– des événements historiques**.

20 Utiliser le passé composé de l'indicatif

Le problème à résoudre

Quand employer le passé composé de l'indicatif ? Lis ces phrases.

Quelqu'un a fumé, ça sent le tabac. *Il a plu toute la nuit, regarde cette boue.*	*C'est en 1885 que Pasteur a découvert le vaccin contre la rage.* *L'été dernier, on a visité la Grèce.*	*Nous roulions à vive allure quand l'accident s'est produit.*	*Si demain ton frère est revenu, nous jouerons avec lui.* *Dès que j'ai terminé, je t'appelle.*

Ce que je remarque

Quelqu'un ***a fumé****, ça sent le tabac.* *Il* ***a plu*** *toute la nuit, regarde cette boue.*	*C'est en 1885 que Pasteur* ***a découvert*** *le vaccin contre la rage.* *L'été dernier, on* ***a visité*** *la Grèce.*	*Nous roulions à vive allure quand l'accident* ***s'est produit****.*	*Si demain ton frère* ***est revenu****, nous jouerons avec lui.* *Dès que j'****ai terminé****, je t'appelle.*

Le passé composé **de l'indicatif** s'emploie pour exprimer :

– des événements passés qui expliquent des événements présents.	**– des événements passés que l'on raconte**.	**– des événements qui annoncent des événements futurs**.

Ce que je retiens

On emploie le passé composé **de l'indicatif** pour exprimer :

– des événements passés qui expliquent des événements présents, au moment où l'on parle.	**– des événements passés que l'on raconte**. Ces événements ont eu lieu à un moment précis ou non du passé	Ces événements ont eu lieu soudainement, interrompant un autre événement.	**– des événements qui annoncent des événements futurs** : – après **si**, pour exprimer une condition ; – lorsqu'un fait est sur le point d'être achevé, mais présenté comme certain.

Ce sont les emplois les plus fréquents.

Le passé composé a progressivement remplacé le passé simple dans la langue parlée.
Exemple : Il ***marcha*** *trente jours, il* ***marcha*** *trente nuits.* (Victor Hugo)
Il ***a marché*** *trente jours.*

Utiliser le plus-que-parfait de l'indicatif 21

Le problème à résoudre

Quand employer le plus-que-parfait de l'indicatif ?
Lis ces phrases.

Nous avons retrouvé les photos que nous avions égarées. *Julie sortait du four le gâteau qu'elle avait préparé.*	*Quand nous étions couchés, papa nous racontait une histoire.* *Lorsque mes parents étaient sortis, nous regardions la télévision.*	*Si j'avais su, je ne serais pas resté si longtemps.* *Si j'avais pu te téléphoner, je t'aurais invité.*

Ce que je remarque

*Nous avons retrouvé les photos que nous **avions égarées**.* *Julie sortait du four le gâteau qu'elle **avait préparé**.*	*Quand nous **étions couchés**, papa nous racontait une histoire.* *Lorsque mes parents **étaient sortis**, nous regardions la télévision.*	*Si j'**avais su**, je ne serais pas resté si longtemps.* *Si j'**avais pu** te téléphoner, je t'aurais invité.*

Le plus-que-parfait **de l'indicatif** s'emploi pour exprimer :

– des événements passés qui se sont déroulés **avant un autre événement**.	– des **habitudes** passées.	– des **suppositions** faites dans le passé.

Ce que je retiens

On utilise **le plus-que-parfait de l'indicatif** pour exprimer :

– des événements passés qui se sont déroulés **avant un autre événement.** – Avant un fait au **passé composé.** – Avant un fait à l'**imparfait.** **C'est l'emploi le plus fréquent.**	**– des habitudes passées.** Action au **plus-que-parfait** qui se déroule immédiatement avant une action à l'**imparfait.**	**– des suppositions faites dans le passé**. Après **si.**

22 Utiliser le futur antérieur de l'indicatif

Le problème à résoudre

Quand employer le futur antérieur de l'indicatif ?
Lis ces phrases.

On aura réparé la voiture quand tu reviendras.
Quand tu reviendras, je serai parti.

Je serai parti dans deux minutes.
Nous serons arrivés dans un instant.

Ce que je remarque

*On **aura réparé** la voiture quand tu reviendras.*
*Quand tu reviendras, je **serai parti.***

*Je **serai parti** dans deux minutes.*
*Nous **serons arrivés** dans un instant.*

Le futur antérieur **de l'indicatif** s'emploie pour exprimer :

– un événement qui aura lieu avant qu'un autre ne se passe.

– un événement à venir considéré comme déjà accompli.

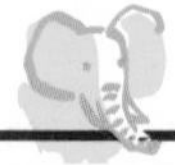

Ce que je retiens

On utilise le futur antérieur **de l'indicatif** pour exprimer :

– un événement qui aura lieu avant qu'un autre ne se passe. Premier événement au futur antérieur, second événement au futur. **C'est l'emploi le plus fréquent.**	**– un événement à venir, considéré comme déjà accompli.** (Comme si c'était déjà fait.)

Utiliser le présent du conditionnel

Le problème à résoudre

Quand employer le présent du conditionnel ?
Lis ces phrases.

Si vous veniez chez moi, je vous présenterais mes parents. *Je pourrais vous présenter mes parents. (Si vous étiez d'accord.)*	*Mes parents souhaiteraient vous rencontrer.* *Je voudrais être riche.* *Je serais la Belle, tu serais la Bête.* *Je jouerais bien avec toi, mais je n'ai pas le temps.*	*Pourriez-vous me dire l'heure, s'il vous plaît ?* *Voudriez-vous m'aider ?*

Ce que je remarque

*Si vous veniez chez moi, je vous **présenterais** mes parents.* *Je pourrais vous présenter mes parents. (Si vous étiez d'accord.)*	*Mes parents **souhaiteraient** vous rencontrer.* *Je **voudrais** être riche.* *Je **serais** la Belle, tu **serais** la Bête.* *Je **jouerais** bien avec toi, mais je n'ai pas le temps.*	***Pourriez**-vous me dire l'heure, s'il vous plaît ?* ***Voudriez**-vous m'aider ?*

Le présent **du conditionnel** s'emploie pour exprimer :

– **un événement soumis à une condition**.	– **un désir** ou **souhait, un rêve** ou **un regret**.	– **une demande** formulée avec **politesse**.

Ce que je retiens

On utilise le présent **du conditionnel** pour exprimer :

– un événement soumis à une condition. La condition est exprimée (ou non) par un verbe à l'**imparfait**. **C'est l'emploi le plus fréquent.**	**– un désir ou souhait, un rêve ou un regret**.	**– une demande formulée avec politesse**.

24

Utiliser le présent du subjonctif

Le problème à résoudre

Quand employer le présent du subjonctif ?
Compare les phrases de chaque colonne.

Indicatif	Subjonctif
Je pars immédiatement. *Vous ne recommencerez pas, je crois.* *Nous camperons s'il fait beau.*	*Il faut que je parte immédiatement.* *Je doute que vous recommenciez.* *Nous camperons à condition qu'il fasse beau.*

Ce que je remarque

L'indicatif exprime généralement **un événement** considéré comme **certain** ou **très probable**.

*Je **pars** immédiatement.*
*Vous ne **recommencerez** pas, je **crois**.*
*Nous **camperons** s'il **fait** beau.*

Le subjonctif est utilisé le plus souvent dans **des propositions subordonnées** ; il exprime une idée de **possibilité** ou d'**incertitude**.

*Il faut que je **parte** immédiatement.*
*Je doute que vous **recommenciez**.*

*Nous camperons à condition qu'il **fasse** beau.*

Le présent du subjonctif s'emploie :

- après certains verbes suivis de **que** comme douter, vouloir, penser…
- après **que** ou certaines autres **conjonctions de subordination**.

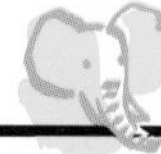

Ce que je retiens

On utilise **le présent du subjonctif** pour exprimer, **dans une proposition subordonnée** :

un **conseil** ou un **ordre**, un **doute**. On l'utilise après certains verbes suivis de **que**. **C'est l'emploi le plus fréquent.**	un **but**, une **condition**. (Après **que** ou certaines autres **conjonctions de subordination** : *pour que, à condition que...*)

Le présent du subjonctif s'emploie aussi, mais plus rarement, dans des propositions indépendantes :
*Exemples : **Vive** le Roi !* (opinion) *Qu'il **sorte** tout de suite !* (ordre)

Utiliser le présent de l'impératif

Le problème à résoudre

Quand employer le présent de l'impératif ?
Lis ces phrases.

Va chercher ton cahier.
Ne réponds pas au téléphone.
Veuillez attacher vos ceintures.

Goûtez ce gâteau, vous vous régalerez.
Mettons la farine dans ce saladier.
Venez donc dîner dimanche.

Ce que je remarque

Va *chercher ton cahier.*
Ne ***réponds*** *pas au téléphone.*
Veuillez *attacher vos ceintures.*

Goûtez *ce gâteau, vous vous régalerez.*
Mettons *la farine dans ce saladier.*
Venez *donc dîner dimanche.*

Le présent de l'impératif s'emploie pour exprimer :

– **un ordre** ou **une défense**.

– **un conseil, une invitation**.

Ce que je retiens

On utilise **le présent de l'impératif** pour exprimer :

– **un ordre ou une défense**. (Avec vouloir, l'ordre est formulé de façon moins sèche.) **C'est l'emploi le plus fréquent.**	– **un conseil** ou une hypothèse *(Si vous goûtez ce gâteau...)* ; – **une invitation**.

26 Accorder le participe passé aux temps composés

Le problème à résoudre

Quand et comment accorder le participe passé aux temps composés ?
Lis ces phrases.

Ma sœur est partie. *Mes amis sont partis.* *Les filles sont parties.*	*Ma sœur a lu ce livre.* *Mes amis ont lu ce livre.* *Les filles ont lu ce livre.*	*Je te rends tes bandes dessinées, je les ai lues.* *Il te rend la bande dessinée, il l'a lue.*

Ce que je remarque

Aux temps composés formés avec l'auxiliaire **être**	Aux temps composés formés avec l'auxiliaire **avoir**	
Ma sœur (S) ***est partie****.* *Mes amis* (S) ***sont partis.*** *Les filles* (S) ***sont parties****.*	*Ma sœur* (S) ***a lu*** *ce livre.* *Mes amis* (S) ***ont lu*** *ce livre.* *Les filles* (S) ***ont lu*** *ce livre.*	*Je te rends tes bandes dessinées, je les* (COD) ***ai lues****.* *Il te rend la bande dessinée, il l'* (COD) ***a lue****.*
▼ Accord en genre et en nombre du participe passé **avec le sujet** (S).	▼ Jamais d'accord du participe passé **avec le sujet** (S).	▼ Accord du participe passé **avec le complément d'objet direct** (COD) **placé avant le verbe**.

Ce que je retiens

Le participe passé aux temps composés		
conjugué avec l'auxiliaire être	**conjugué avec l'auxiliaire avoir**	
Le participe passé s'accorde en genre et en nombre **avec le sujet**.	**Le participe passé ne s'accorde jamais avec le sujet**.	**Le participe passé s'accorde** en genre et en nombre **avec le complément d'objet direct** (COD) **placé avant le verbe**. (Souvent, le COD apparaît sous la forme d'un pronom : *les, la, l', que.*) Le COD répond à la question *Qui ?* ou *Quoi ?* posée après le verbe.

Identifier la forme pronominale 27

Le problème à résoudre

Que représente le pronom complément ? Compare les phrases de chaque colonne.

Je t'ai lavé.	*Tu t'es lavé.*
Elle l'a promené. (l'enfant)	*Elle s'est promenée.*
Il l'a battu.	*Ils se sont battus.*
(Sophie a croisé Agnès.) *Elle l'a regardée.*	(Sophie a regardé Agnès et Agnès a regardé Sophie.) *Elles se sont regardées.*

Ce que je remarque

Le sujet et le complément représentent deux personnes différentes : l'une exerce une action sur l'autre

Je (S) ***t'****ai lavé.* *Elle* (S) ***l'****a promené.*

Aux temps composés, le verbe est conjugué avec l'auxiliaire avoir.

Il (S) *l'****a*** *battu.* *Elle* (S) *l'****a*** *regardé****e****.*

Ces verbes sont à la **forme active**.

Le sujet et le complément représentent la même personne : elle exerce l'action sur elle-même

Tu (S) ***t'****es lavé.* *Elle* (S) ***s'****est promenée.*

Le sujet et le complément représentent deux personnes mais chacune exerce sur l'autre la même action.

Ils (S) ***se*** *sont battus.* *Elles* (S) ***se*** *sont regardées.*

Aux temps composés, le verbe est conjugué avec l'auxiliaire être.

Tu (S) *t'****es*** *lavé.* *Ils* (S) *se* ***sont*** *battu****s****.*

Ces verbes sont employés ici à la **forme pronominale**.

Ce que je retiens

➤ Un verbe employé à la **forme pronominale** est précédé d'un **pronom personnel réfléchi** de la même personne que le sujet.

➤ **Aux temps composés,** un verbe à la **forme pronominale** se conjugue **toujours** avec l'**auxiliaire être**. **Le participe passé s'acorde toujours en** genre et en nombre **avec le sujet**.

		sujet	pronom réfléchi	verbe
1re personne	singulier	je	**me**	lave
2e personne		tu	**te**	laves
3e personne		il, elle, on	**se**	lave
1re personne	pluriel	nous	**nous**	lavons
2e personne		vous	**vous**	lavez
3e personne		ils, elles	**se**	lavent

28 Identifier la voix passive

Le problème à résoudre

Qui fait quoi ? Et quand ? Compare les phrases de chaque colonne.

Le loup mange l'agneau. *Le loup a mangé l'agneau.*	*L'agneau est mangé par le loup.* *L'agneau a été mangé par le loup.*

Ce que je remarque

➤ **Qui fait quoi** ? Ces phrases décrivent la même chose. Pourtant, il y a **une différence.**

Quel est le sujet ?	**Quel est le sujet ?**
Le loup (S) *mange l'agneau.*	***L'agneau*** (S) *est mangé par le loup.*
Qui fait l'action ?	**Qui fait l'action ?**
Le loup *mange l'agneau.* → le loup fait l'action	*L'agneau est mangé par* ***le loup****.* → le loup fait l'action

Le sujet (S) **fait l'action.**
Ce verbe est à **la voix active**.

Le sujet (S) **ne fait pas l'action.**
Ce verbe est à **la voix passive**.

➤ **À quel moment** se passe l'action ?

L'action est en train de se faire	**L'action est en train de se faire**
Le loup ***mange*** *l'agneau.*	*L'agneau* ***est mangé*** *par le loup.*

Le verbe est au **présent de la voix active.**

Le verbe est **au présent de la voix passive** : auxiliaire être au présent + participe passé

L'action est déjà passée	**L'action est déjà passée**
Le loup ***a mangé*** *l'agneau.*	*L'agneau* ***a été mangé*** *par le loup.*

Le verbe est **au passé composé de la voix active**.

Le verbe est **au passé composé de la voix passive** : auxiliaire être au passé composé + participe passé

Ce que je retiens

À la voix active, le sujet fait l'action. **À la voix passive, le sujet subit l'action.**
C'est le temps de l'auxilaire être qui indique le temps du verbe.

Ne confonds pas :
le passé composé à la voix active et **le présent à la voix passive**
Exemple : Le facteur ***est venu*** *ce matin.* — *Exemple : Le facteur* ***est mordu*** *par le chien.*

L'indicatif : les formes du présent

Les grandes régularités

1er groupe		2e groupe		3e groupe	
je	chant**e**	*je*	fin**is**	*je*	cour**s**
tu	chant**es**	*tu*	fin**is**	*tu*	cour**s**
il, elle	chant**e**	*il, elle*	fin**it**	*il, elle*	cour**t**
nous	chant**ons**	*nous*	fin**issons**	*nous*	cour**ons**
vous	chant**ez**	*vous*	fin**issez**	*vous*	cour**ez**
ils, elles	chant**ent**	*ils, elles*	fin**issent**	*ils, elles*	cour**ent**

Les particularités

Certains verbes du 3e groupe

Pour quelques verbes, la conjugaison est identique à celle des verbes du 1er groupe.

je cueill**e**
tu cueill**es**
il, elle, on cueill**e**

Verbes : **cueillir**, **offrir**, **ouvrir**, **souffrir**.

Pour 3 verbes, **s** devient **x**.

je peu**x**
tu peu**x**

Verbes : **pouvoir**, **valoir**, **vouloir** et ceux de la même famille.

Pour certains verbes se terminant par **...dre**, pas de **t** à la 3e personne du singulier

il, elle, on mor**d**
il, elle, on pren**d**

Les exceptions

Verbe **aller**
il, elle va
ils, elles vont

Verbe **faire**
vous faites
ils, elles font

Verbe **dire**
vous dites

On retrouve toujours

(sauf les 3 exceptions et les auxiliaires)

	1er groupe	**2e et 3e groupes**	**3e groupe** *particularités*		
je	**...e**	**...s**	**...e**	**...x**	
tu	**...s**	**...s**		**...x**	
il, elle, on	**...e**	**...t**			**...d**
nous	**...ons**	**...ons**			
vous	**...ez**	**...ez**			
ils, elles	**...ent**	**...ent**			

30 L'indicatif : les formes de l'imparfait

Les grandes régularités

1er groupe		2e groupe		3e groupe	
je	chant**ais**	*je*	fin**issais**	*je*	part**ais**
tu	chant**ais**	*tu*	fin**issais**	*tu*	part**ais**
il, elle	chant**ait**	*il, elle*	fin**issait**	*il, elle*	part**ait**
nous	chant**ions**	*nous*	fin**issions**	*nous*	part**ions**
vous	chant**iez**	*vous*	fin**issiez**	*vous*	part**iez**
ils, elles	chant**aient**	*ils, elles*	fin**issaient**	*ils, elles*	part**aient**

Il ne faut pas confondre

…ais et **…ai**

…ais : c'est la terminaison de la 1re personne du singulier de l'**imparfait**.

*Chaque année, je change**ais** d'école.*
(tu change**ais**)

…ai : c'est la terminaison de la 1re personne du singulier du **passé simple**.

*L'an dernier, je change**ai** d'école.*
(tu change**as**)

On retrouve toujours

	1er, 2e et 3e groupes
je	**…ais**
tu	**…ais**
il, elle, on	**…ait**
nous	**…ions**
vous	**…iez**
ils, elles	**…aient**

L'indicatif : les formes du passé simple

Les grandes régularités

1er groupe		2e groupe		3e groupe	
je	chant**ai**	*je*	fin**is**	*je*	part**is**
tu	chant**as**	*tu*	fin**is**	*tu*	part**is**
il, elle	chant**a**	*il, elle*	fin**it**	*il, elle*	part**it**
nous	chant**âmes**	*nous*	fin**îmes**	*nous*	part**îmes**
vous	chant**âtes**	*vous*	fin**îtes**	*vous*	part**îtes**
ils, elles	chant**èrent**	*ils, elles*	fin**irent**	*ils, elles*	part**irent**

Les particularités

Certains verbes du 3e groupe

Pour quelques verbes, **i** devient **u**.		Pour 2 verbes, **i** devient **in**.	
je	cour**us**	*je*	**tins**
tu	cour**us**	*tu*	**tins**
il, elle, on	cour**ut**	*il, elle, on*	**tint**
nous	cour**ûmes**	*nous*	**tînmes**
vous	cour**ûtes**	*vous*	**tîntes**
ils, elles	cour**urent**	*ils, elles*	**tinrent**

Verbes : **tenir**, **venir** et ceux de la même famille.

Il ne faut pas confondre ...ai et ...ais

...ai : c'est la terminaison de la 1re personne du singulier du passé simple.

*L'an dernier, je change**ai** d'école.* (tu change**as**)

...ais : c'est la terminaison de la 1re personne du singulier de l'**imparfait**.

*Chaque année, je change**ais** d'école.* (tu change**ais**)

On retrouve toujours

	1er groupe	2e et 3e groupes	3e groupe *particularités*
je	**...ai**	**...is**	**...us ...ins**
tu	**...as**	**...is**	**...us ...ins**
il, elle, on	**...a**	**...it**	**...ut ...int**
nous	**...^mes**	**...^mes**	**...înmes**
vous	**...^tes**	**...^tes**	**...întes**
ils, elles	**...rent**	**...rent**	

32 L'indicatif : les formes du futur simple

Les grandes régularités

1er groupe		2e groupe		3e groupe	
je	chant**erai**	*je*	fin**irai**	*je*	part**irai**
tu	chant**eras**	*tu*	fin**iras**	*tu*	part**iras**
il, elle	chant**era**	*il, elle*	fin**ira**	*il, elle*	part**ira**
nous	chant**erons**	*nous*	fin**irons**	*nous*	part**irons**
vous	chant**erez**	*vous*	fin**irez**	*vous*	part**irez**
ils, elles	chant**eront**	*ils, elles*	fin**iront**	*ils, elles*	part**iront**

Les particularités

Pour les verbes **courir** et **mourir**,
...rr... à toutes les personnes.

je	cour**rai**
tu	cour**ras**
il, elle, on	cour**ra**
nous	cour**rons**
vous	cour**rez**
ils, elles	cour**ront**

Il ne faut pas confondre
...rai et ...rais

...rai	...rais
...rai : c'est la terminaison de la 1re personne du singulier du **futur simple de l'indicatif**.	**...rais** : c'est la terminaison de la 1re personne du singulier du **présent du conditionnel**.
*Quand la voiture sera réparée, je parti**rai** en vacances. (tu parti**ras**)*	*Si la voiture était réparée, je parti**rais** en vacances. (tu parti**rais**)*

On retrouve toujours

	1er, 2e et 3e groupes
je	**...rai**
tu	**...ras**
il, elle, on	**...ra**
nous	**...rons**
vous	**...rez**
ils, elles	**...ront**

L'indicatif : les formes du passé composé 33

L'indicatif : formation des temps composés

Voici les **correspondances** entre les **temps simples** et les **temps composés** de l'indicatif.
Pour construire les temps composés, on utilise les temps simples de l'auxiliaire.

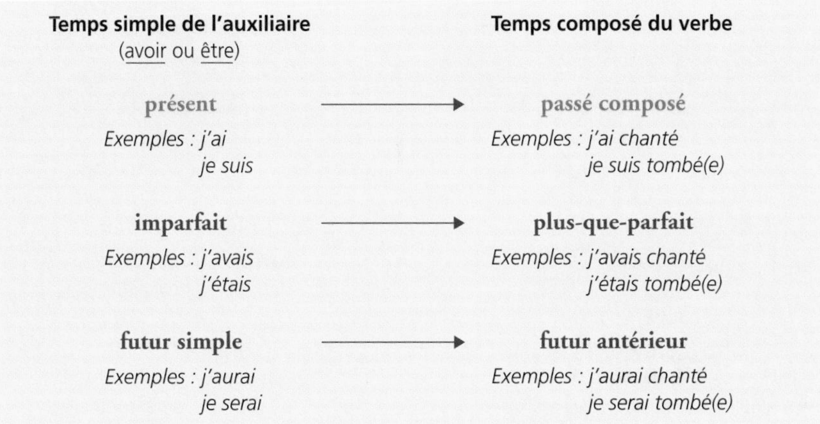

Temps simple de l'auxiliaire (avoir ou être)		**Temps composé du verbe**
présent	→	**passé composé**
Exemples : j'ai *je suis*		*Exemples : j'ai chanté* *je suis tombé(e)*
imparfait	→	**plus-que-parfait**
Exemples : j'avais *j'étais*		*Exemples : j'avais chanté* *j'étais tombé(e)*
futur simple	→	**futur antérieur**
Exemples : j'aurai *je serai*		*Exemples : j'aurai chanté* *je serai tombé(e)*

Les grandes régularités du passé composé

Verbes non pronominaux

Auxiliaire **avoir** au **présent de l'indicatif + participe passé**

j'	ai	chanté / fini / couru
tu	as	chanté / fini / couru
il, elle	a	chanté / fini / couru
nous	avons	chanté / fini / couru
vous	avez	chanté / fini / couru
ils, elles	ont	chanté / fini / couru

Auxiliaire **être** au **présent de l'indicatif + participe passé**

je	suis	tombé(e) / parti(e)
tu	es	tombé(e) / parti(e)
il, elle	est	tombé(e) / parti(e)
nous	sommes	tombé(e)s / parti(e)s
vous	êtes	tombé(e)s / parti(e)s
ils, elles	sont	tombé(e)s / parti(e)s

Verbes pronominaux

Auxiliaire **être** au **présent de l'indicatif + participe passé**

je	me suis	assis(e)
tu	t'es	assis(e)
il, elle	s'est	assis(e)
nous	nous sommes	assis(es)
vous	vous êtes	assis(es)
ils, elles	se sont	assis(es)

34 L'indicatif : les formes du plus-que-parfait

L'indicatif : formation des temps composés

Voici les **correspondances** entre les **temps simples** et les **temps composés** de l'indicatif. Pour construire les temps composés, on utilise les temps simples de l'auxiliaire.

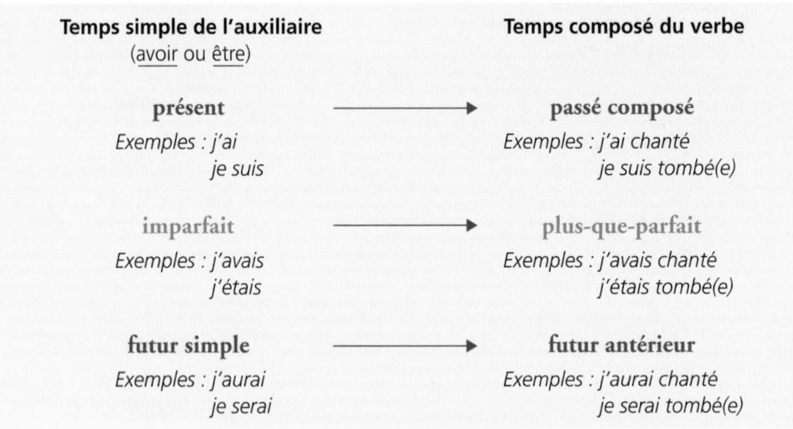

Temps simple de l'auxiliaire (avoir ou être)		**Temps composé du verbe**
présent *Exemples : j'ai* *je suis*	→	**passé composé** *Exemples : j'ai chanté* *je suis tombé(e)*
imparfait *Exemples : j'avais* *j'étais*	→	**plus-que-parfait** *Exemples : j'avais chanté* *j'étais tombé(e)*
futur simple *Exemples : j'aurai* *je serai*	→	**futur antérieur** *Exemples : j'aurai chanté* *je serai tombé(e)*

Les grandes régularités du plus-que-parfait

Verbes non pronominaux

Auxiliaire **avoir** à l'**imparfait de l'indicatif** **+ participe passé**

j'	avais	chanté / fini / couru
tu	avais	chanté / fini / couru
il, elle	avait	chanté / fini / couru
nous	avions	chanté / fini / couru
vous	aviez	chanté / fini / couru
ils, elles	avaient	chanté / fini / couru

Auxiliaire **être** à l'**imparfait de l'indicatif** **+ participe passé**

j'	étais	tombé(e) / parti(e)
tu	étais	tombé(e) / parti(e)
il, elle	était	tombé(e) / parti(e)
nous	étions	tombé(e)s / parti(e)s
vous	étiez	tombé(e)s / parti(e)s
ils, elles	étaient	tombé(e)s / parti(e)s

Verbes pronominaux

Auxiliaire **être** à l'**imparfait de l'indicatif** **+ participe passé**

je	m'étais	assis(e)
tu	t'étais	assis(e)
il, elle	s'était	assis(e)
nous	nous étions	assis(es)
vous	vous étiez	assis(es)
ils, elles	s'étaient	assis(es)

L'indicatif : les formes du futur antérieur 35

L'INDICATIF : FORMATION DES TEMPS COMPOSÉS

Voici les **correspondances** entre les **temps simples** et les **temps composés** de l'indicatif.
Pour construire les temps composés, on utilise les temps simples de l'auxiliaire.

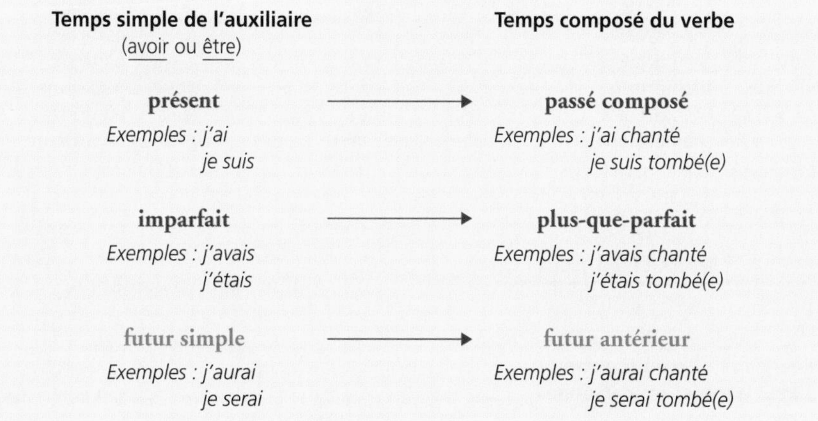

Temps simple de l'auxiliaire (avoir ou être)		Temps composé du verbe
présent	→	**passé composé**
Exemples : j'ai		*Exemples : j'ai chanté*
je suis		*je suis tombé(e)*
imparfait	→	**plus-que-parfait**
Exemples : j'avais		*Exemples : j'avais chanté*
j'étais		*j'étais tombé(e)*
futur simple	→	**futur antérieur**
Exemples : j'aurai		*Exemples : j'aurai chanté*
je serai		*je serai tombé(e)*

LES GRANDES RÉGULARITÉS DU FUTUR ANTÉRIEUR

Verbes non pronominaux

Auxiliaire **avoir** au **futur simple de l'indicatif + participe passé**

j'	aurai	chanté / fini / couru
tu	auras	chanté / fini / couru
il, elle	aura	chanté / fini / couru
nous	aurons	chanté / fini / couru
vous	aurez	chanté / fini / couru
ils, elles	auront	chanté / fini / couru

Auxiliaire **être** au **futur simple de l'indicatif + participe passé**

je	serai	tombé(e) / parti(e)
tu	seras	tombé(e) / parti(e)
il, elle	sera	tombé(e) / parti(e)
nous	serons	tombé(e)s / parti(e)s
vous	serez	tombé(e)s / parti(e)s
ils, elles	seront	tombé(e)s / parti(e)s

Verbes pronominaux

Auxiliaire **être** au **futur simple de l'indicatif + participe passé**

je	me serai	assis(e)
tu	te seras	assis(e)
il, elle	se sera	assis(e)
nous	nous serons	assis(es)
vous	vous serez	assis(es)
ils, elles	se seront	assis(es)

36 Le conditionnel : les formes du présent

Les grandes régularités

1er groupe		2e groupe		3e groupe	
je	chant**erais**	*je*	fin**irais**	*je*	part**irais**
tu	chant**eras**	*tu*	fin**irais**	*tu*	part**irais**
il, elle	chant**erait**	*il, elle*	fin**irait**	*il, elle*	part**irait**
nous	chant**erions**	*nous*	fin**irions**	*nous*	part**irions**
vous	chant**eriez**	*vous*	fin**iriez**	*vous*	part**iriez**
ils, elles	chant**eraient**	*ils, elles*	fin**iraient**	*ils, elles*	part**iraient**

Les particularités

Pour les verbes **courir** et **mourir**, **...rr... à toutes les personnes**.

je	cour**rais**
tu	cour**rais**
il, elle, on	cour**rait**
nous	cour**rions**
vous	cour**riez**
ils, elles	cour**raient**

Il ne faut pas confondre
...rais et ...rai

...rais	...rai
...rais : c'est la terminaison de la 1re personne du singulier du **présent du conditionnel**	**...rai** : c'est la terminaison de la 1re personne du singulier du **futur simple de l'indicatif**.
*Si ma voiture était réparée, je parti**rais** en vacances. (tu parti**rais**)*	*Quand ma voiture sera réparée, je parti**rai** en vacances. (tu parti**ras**)*

On retrouve toujours

	1er, 2e et 3e groupes
je	**...rais**
tu	**...rais**
il, elle, on	**...rait**
nous	**...rions**
vous	**...riez**
ils, elles	**...raient**

Le conditionnel : les formes du passé

Le conditionnel : formation des temps composés

Voici les **correspondances** entre les **temps simples** et les **temps composés** du conditionnel.
Pour construire les temps composés, on utilise les temps simples de l'auxiliaire.

Temps simple de l'auxiliaire (avoir ou être)		Temps composé du verbe
présent	→	**passé**
Exemples : j'aurais		*Exemples : j'aurais chanté*
je serais		*je serais tombé(e)*

Les grandes régularités

Verbes non pronominaux

Auxiliaire **avoir** au **présent du conditionnel + participe passé**

j'	aurais	chanté / fini / couru
tu	aurais	chanté / fini / couru
il, elle	aurait	chanté / fini / couru
nous	aurions	chanté / fini / couru
vous	auriez	chanté / fini / couru
ils, elles	auraient	chanté / fini / couru

Auxiliaire **être** au **présent du conditionnel + participe passé**

je	serais	tombé(e) / parti(e)
tu	serais	tombé(e) / parti(e)
il, elle	serait	tombé(e) / parti(e)
nous	serions	tombé(e)s / parti(e)s
vous	seriez	tombé(e)s / parti(e)s
ils, elles	seraient	tombé(e)s / parti(e)s

Verbes pronominaux

Auxiliaire **être** au **présent du conditionnel + participe passé**

je	me serais	assis(e)
tu	te serais	assis(e)
il, elle	se serait	assis(e)
nous	nous serions	assis(es)
vous	vous seriez	assis(es)
ils, elles	se seraient	assis(es)

38 Le subjonctif : les formes du présent

Les grandes régularités

1er groupe	2e groupe	3e groupe
il faut que	*il faut que*	*il faut que*
je chant**e**	*je* fin**isse**	*je* part**e**
tu chant**es**	*tu* fin**isses**	*tu* part**es**
il, elle chant**e**	*il, elle* fin**isse**	*il, elle* part**e**
nous chant**ions**	*nous* fin**issions**	*nous* part**ions**
vous chant**iez**	*vous* fin**issiez**	*vous* part**iez**
ils, elles chant**ent**	*ils, elles* fin**issent**	*ils, elles* part**ent**

On retrouve toujours

(sauf les auxiliaires)

	1er, 2e et 3e groupes
je	**...e**
tu	**...es**
il, elle, on	**...e**
nous	**...ions**
vous	**...iez**
ils, elles	**...ent**

Les auxiliaires

	avoir	**être**
Il faut que		
(j') je	**aie**	**sois**
tu	**aies**	**sois**
il, elle, on	**ait**	**soit**
nous	**ayons**	**soyons**
vous	**ayez**	**soyez**
ils, elles	**aient**	**soient**

Le subjonctif : les formes du passé

Le subjonctif : formation des temps composés

Voici les **correspondances** entre les **temps simples** et les **temps composés** du subjonctif.
Pour construire les temps composés, on utilise les temps simples de l'auxiliaire.

Temps simple de l'auxiliaire (avoir ou être)		**Temps composé du verbe**
présent	→	**passé**
Exemples : (il faut que) *j'ai* *je sois*		*Exemples : (il faut que)* *j'aie chanté* *je sois tombé(e)*

Les grandes régularités

Verbes non pronominaux

Auxiliaire **avoir** au **présent du subjonctif** **+ participe passé**

Il faut que

j'	aie	chanté / fini / couru
tu	aies	chanté / fini / couru
il, elle	ait	chanté / fini / couru
nous	ayons	chanté / fini / couru
vous	ayez	chanté / fini / couru
ils, elles	aient	chanté / fini / couru

Auxiliaire **être** au **présent du subjonctif** **+ participe passé**

Il faut que

je	sois	tombé(e) / parti(e)
tu	sois	tombé(e) / parti(e)
il, elle	soit	tombé(e) / parti(e)
nous	soyons	tombé(e)s / parti(e)s
vous	soyez	tombé(e)s / parti(e)s
ils, elles	soient	tombé(e)s / parti(e)s

Verbes pronominaux

Auxiliaire **être** au **présent du subjonctif** **+ participe passé**

Il faut que

je	me sois	assis(e)
tu	te sois	assis(e)
il, elle	se soit	assis(e)
nous	nous soyons	assis(es)
vous	vous soyez	assis(es)
ils, elles	se soient	assis(es)

40 L'impératif : les formes du présent

Les grandes régularités

1er groupe	2e groupe	3e groupe
chant**e**	fin**is**	par**s**
chant**ons**	fin**issons**	part**ons**
chant**ez**	fin**issez**	part**ez**

Les particularités

Certains verbes du 3e groupe

Pour quelques verbes, la conjugaison est identique à celle des verbes du 1er groupe.

*cueill***e**

Verbes :
cueillir, **offrir**, **ouvrir**, **souffrir**.

Les exceptions

Verbe **aller**
va

Verbe **dire**
dites

Verbe **faire**
faites

On retrouve toujours

(sauf les 3 exceptions)

	1er groupe	2e et 3e groupes	3e groupe *particularités*
2e personne du singulier	**...e**	**...s**	**...e**
1re personne du pluriel	**...ons**	**...ons**	
2e personne du pluriel	**...ez**	**...ez**	

Tableaux de conjugaison

avoir

INDICATIF

Présent		Imparfait		Passé simple		Futur simple	
j'	ai	*j'*	avais	*j'*	eus	*j'*	aurai
tu	as	*tu*	avais	*tu*	eus	*tu*	auras
il, elle	a	*il, elle*	avait	*il, elle*	eut	*il, elle*	aura
nous	avons	*nous*	avions	*nous*	eûmes	*nous*	aurons
vous	avez	*vous*	aviez	*vous*	eûtes	*vous*	aurez
ils, elles	ont	*ils, elles*	avaient	*ils, elles*	eurent	*ils, elles*	auront

Passé composé		Plus-que-parfait		Futur antérieur	
j'	ai eu	*j'*	avais eu	*j'*	aurai eu
tu	as eu	*tu*	avais eu	*tu*	auras eu
il, elle	a eu	*il, elle*	avait eu	*il, elle*	aura eu
nous	avons eu	*nous*	avions eu	*nous*	aurons eu
vous	avez eu	*vous*	aviez eu	*vous*	aurez eu
ils, elles	ont eu	*ils, elles*	avaient eu	*ils, elles*	auront eu

CONDITIONNEL

Présent		Passé	
j'	aurais	*j'*	aurais eu
tu	aurais	*tu*	aurais eu
il, elle	aurait	*il, elle*	aurait eu
nous	aurions	*nous*	aurions eu
vous	auriez	*vous*	auriez eu
ils, elles	auraient	*ils, elles*	auraient eu

SUBJONCTIF

Présent		Passé	
il faut que		*il faut que*	
j'	aie	*j'*	aie eu
tu	aies	*tu*	aies eu
il, elle	ait	*il, elle*	ait eu
nous	ayons	*nous*	ayons eu
vous	ayez	*vous*	ayez eu
ils, elles	aient	*ils, elles*	aient eu

IMPÉRATIF

Présent

aie
ayons
ayez

INFINITIF

Présent

avoir

PARTICIPE

Présent

ayant

Passé

ayant eu — eu(e)

CARTE D'IDENTITÉ

➤ C'est le verbe **avoir**.

➤ Il est utilisé comme **auxiliaire** dans la **formation des temps composés**.

➤ Aux **temps composés**, il se conjugue avec l'**auxiliaire avoir**.

« La cigale **ayant** chanté
Tout l'été,
Se trouva fort dépourvue
Quand la bise fut venue. »

LA FONTAINE, *La Cigale et la fourmi.*

être

INDICATIF

Présent
je suis
tu es
il, elle est
nous sommes
vous êtes
ils, elles sont

Imparfait
j' étais
tu étais
il, elle était
nous étions
vous étiez
ils, elles étaient

Passé simple
je fus
tu fus
il, elle fut
nous fûmes
vous fûtes
ils, elles furent

Futur simple
je serai
tu seras
il, elle sera
nous serons
vous serez
ils, elles seront

Passé composé
j' ai été
tu as été
il, elle a été
nous avons été
vous avez été
ils, elles ont été

Plus-que-parfait
j' avais été
tu avais été
il, elle avait été
nous avions été
vous aviez été
ils, elles avaient été

Futur antérieur
j' aurai été
tu auras été
il, elle aura été
nous aurons été
vous aurez été
ils, elles auront été

CONDITIONNEL

Présent
je serais
tu serais
il, elle serait
nous serions
vous seriez
ils, elles seraient

Passé
j' aurais été
tu aurais été
il, elle aurait été
nous aurions été
vous auriez été
ils, elles auraient été

SUBJONCTIF

Présent
il faut que
je sois
tu sois
il, elle soit
nous soyons
vous soyez
ils, elles soient

Passé
il faut que
j' aie été
tu aies été
il, elle ait été
nous ayons été
vous ayez été
ils, elles aient été

IMPÉRATIF

Présent
sois
soyons
soyez

INFINITIF

Présent
être

PARTICIPE

Présent
étant

Passé
ayant été

été

CARTE D'IDENTITÉ

➤ C'est le verbe **être**.

➤ Il est utilisé comme **auxiliaire** dans la **formation des temps composés**.

➤ Aux **temps composés**, il se conjugue avec l'**auxiliaire avoir**.

« La nuit tous les chats **sont** gris. »
(Proverbe)

1er groupe

Modèle des verbes se terminant par …éger

Le verbe que je cherche se conjugue comme

abréger

INDICATIF

Présent		Imparfait		Passé simple		Futur simple	
j'	abr**ège**	*j'*	abr**égeais**	*j'*	abr**égeai**	*j'*	abr**égerai**
tu	abr**èges**	*tu*	abr**égeais**	*tu*	abr**égeas**	*tu*	abr**égeras**
il, elle	abr**ège**	*il, elle*	abr**égeait**	*il, elle*	abr**égea**	*il, elle*	abr**égera**
nous	abr**égeons**	*nous*	abr**égions**	*nous*	abr**égeâmes**	*nous*	abr**égerons**
vous	abr**égez**	*vous*	abr**égiez**	*vous*	abr**égeâtes**	*vous*	abr**égerez**
ils, elles	abr**ègent**	*ils, elles*	abr**égeaient**	*ils, elles*	abr**égèrent**	*ils, elles*	abr**égeront**

Passé composé			Plus-que-parfait			Futur antérieur		
j'	ai	abrégé	*j'*	avais	abrégé	*j'*	aurai	abrégé
tu	as	abrégé	*tu*	avais	abrégé	*tu*	auras	abrégé
il, elle	a	abrégé	*il, elle*	avait	abrégé	*il, elle*	aura	abrégé
nous	avons	abrégé	*nous*	avions	abrégé	*nous*	aurons	abrégé
vous	avez	abrégé	*vous*	aviez	abrégé	*vous*	aurez	abrégé
ils, elles	ont	abrégé	*ils, elles*	avaient	abrégé	*ils, elles*	auront	abrégé

CONDITIONNEL

Présent		Passé		
j'	abr**égerais**	*j'*	aurais	abrégé
tu	abr**égerais**	*tu*	aurais	abrégé
il, elle	abr**égerait**	*il, elle*	aurait	abrégé
nous	abr**égerions**	*nous*	aurions	abrégé
vous	abr**égeriez**	*vous*	auriez	abrégé
ils, elles	abr**égeraient**	*ils, elles*	auraient	abrégé

SUBJONCTIF

Présent *il faut que*		Passé *il faut que*		
j'	abr**ège**	*j'*	aie	abrégé
tu	abr**èges**	*tu*	aies	abrégé
il, elle	abr**ège**	*il, elle*	ait	abrégé
nous	abr**égions**	*nous*	ayons	abrégé
vous	abr**égiez**	*vous*	ayez	abrégé
ils, elles	abr**ègent**	*ils, elles*	aient	abrégé

IMPÉRATIF

Présent

abr**ège**
abr**égeons**
abr**égez**

INFINITIF

Présent

abr**éger**

PARTICIPE

Présent

abr**égeant**

Passé

ayant abrégé — abr**égé(e)**

CARTE D'IDENTITÉ

➤ C'est un verbe du **1er groupe**.

➤ Aux **temps composés**, il se conjugue avec l'**auxiliaire avoir**.

➤ Il a deux radicaux : abr**ég…**/abr**èg…**
On emploie abr**èg…** :

*exemple : j'abr**ège***

- à l'**indicatif présent**, aux 3 personnes du singulier et à la 3e personne du pluriel ;
- au **subjonctif présent**, aux 3 personnes du singulier et à la 3e personne du pluriel ;
- à l'**impératif présent**, à la 2e personne du singulier.

➤ **g** devient **ge** devant **a** et **o** :

*exemple : nous abr**égeons***

- à l'**indicatif présent**, à la 1re personne du pluriel, **imparfait**, aux 3 personnes du singulier et à la 3e personne du pluriel et **passé simple**, aux 3 personnes du singulier et aux 2 premières personnes du pluriel ;
- à l'**impératif présent**, à la 1re personne du pluriel ;
- au **participe présent**.

Le verbe que je cherche se conjugue comme

acheter

INDICATIF

Présent
j'	ach**ète**
tu	ach**ètes**
il, elle	ach**ète**
nous	ach**etons**
vous	ach**etez**
ils, elles	ach**ètent**

Imparfait
j'	ach**etais**
tu	ach**etais**
il, elle	ach**etait**
nous	ach**etions**
vous	ach**etiez**
ils, elles	ach**etaient**

Passé simple
j'	ach**etai**
tu	ach**etas**
il, elle	ach**eta**
nous	ach**etâmes**
vous	ach**etâtes**
ils, elles	ach**etèrent**

Futur simple
j'	ach**èterai**
tu	ach**èteras**
il, elle	ach**ètera**
nous	ach**èterons**
vous	ach**èterez**
ils, elles	ach**èteront**

Passé composé
j'	ai	acheté
tu	as	acheté
il, elle	a	acheté
nous	avons	acheté
vous	avez	acheté
ils, elles	ont	acheté

Plus-que-parfait
j'	avais	acheté
tu	avais	acheté
il, elle	avait	acheté
nous	avions	acheté
vous	aviez	acheté
ils, elles	avaient	acheté

Futur antérieur
j'	aurai	acheté
tu	auras	acheté
il, elle	aura	acheté
nous	aurons	acheté
vous	aurez	acheté
ils, elles	auront	acheté

CONDITIONNEL

Présent
j'	ach**èterais**
tu	ach**èterais**
il, elle	ach**èterait**
nous	ach**èterions**
vous	ach**èteriez**
ils, elles	ach**èteraient**

Passé
j'	aurais	acheté
tu	aurais	acheté
il, elle	aurait	acheté
nous	aurions	acheté
vous	auriez	acheté
ils, elles	auraient	acheté

SUBJONCTIF

Présent
il faut que

j'	ach**ète**
tu	ach**ètes**
il, elle	ach**ète**
nous	ach**etions**
vous	ach**etiez**
ils, elles	ach**ètent**

Passé
il faut que

j'	aie	acheté
tu	aies	acheté
il, elle	ait	acheté
nous	ayons	acheté
vous	ayez	acheté
ils, elles	aient	acheté

IMPÉRATIF

Présent
ach**ète**
ach**etons**
ach**etez**

INFINITIF

Présent
ach**eter**

PARTICIPE

Présent
ach**etant**

Passé
ayant acheté

ach**eté(e)**

CARTE D'IDENTITÉ

➤ C'est un verbe du **1er groupe**.

➤ Aux **temps composés**, il se conjugue avec l'**auxiliaire avoir**.

➤ Il a deux radicaux : ach**et...**/ach**èt...**
On emploie ach**èt...** :

*exemple : j'ach***ète**

- à l'**indicatif présent**, aux 3 personnes du singulier et à la 3e personne du pluriel et **futur simple**, à toutes les personnes ;
- au **conditionnel présent**, à toutes les personnes ;
- au **subjonctif présent**, aux 3 personnes du singulier et à la 3e personne du pluriel ;
- à l'**impératif présent**, à la 2e personne du singulier.

Modèle de certains verbes se terminant par …eler

Le verbe que je cherche se conjugue comme

appeler

INDICATIF

Présent		Imparfait		Passé simple		Futur simple	
j'	app**elle**	*j'*	app**elais**	*j'*	app**elai**	*j'*	app**ellerai**
tu	app**elles**	*tu*	app**elais**	*tu*	app**elas**	*tu*	app**elleras**
il, elle	app**elle**	*il, elle*	app**elait**	*il, elle*	app**ela**	*il, elle*	app**ellera**
nous	app**elons**	*nous*	app**elions**	*nous*	app**elâmes**	*nous*	app**ellerons**
vous	app**elez**	*vous*	app**eliez**	*vous*	app**elâtes**	*vous*	app**ellerez**
ils, elles	app**ellent**	*ils, elles*	app**elaient**	*ils, elles*	app**elèrent**	*ils, elles*	app**elleront**

Passé composé			Plus-que-parfait			Futur antérieur		
j'	ai	appelé	*j'*	avais	appelé	*j'*	aurai	appelé
tu	as	appelé	*tu*	avais	appelé	*tu*	auras	appelé
il, elle	a	appelé	*il, elle*	avait	appelé	*il, elle*	aura	appelé
nous	avons	appelé	*nous*	avions	appelé	*nous*	aurons	appelé
vous	avez	appelé	*vous*	aviez	appelé	*vous*	aurez	appelé
ils, elles	ont	appelé	*ils, elles*	avaient	appelé	*ils, elles*	auront	appelé

CONDITIONNEL

Présent		Passé		
j'	app**ellerais**	*j'*	aurais	appelé
tu	app**ellerais**	*tu*	aurais	appelé
il, elle	app**ellerait**	*il, elle*	aurait	appelé
nous	app**ellerions**	*nous*	aurions	appelé
vous	app**elleriez**	*vous*	auriez	appelé
ils, elles	app**elleraient**	*ils, elles*	auraient	appelé

SUBJONCTIF

Présent		Passé		
il faut que		*il faut que*		
j'	app**elle**	*j'*	aie	appelé
tu	app**elles**	*tu*	aies	appelé
il, elle	app**elle**	*il, elle*	ait	appelé
nous	app**elions**	*nous*	ayons	appelé
vous	app**eliez**	*vous*	ayez	appelé
ils, elles	app**ellent**	*ils, elles*	aient	appelé

IMPÉRATIF

Présent
app**elle**
app**elons**
app**elez**

INFINITIF

Présent
app**eler**

PARTICIPE

Présent
app**elant**

Passé
ayant appelé app**elé(e)**

CARTE D'IDENTITÉ

➤ C'est un verbe du **1er groupe**.

➤ Aux **temps composés**, il se conjugue avec l'**auxiliaire avoir**.

➤ Il a deux radicaux : app**el…**/app**ell…**
On emploie app**ell…** :

*exemple : j'app**elle***

- à l'**indicatif présent**, aux 3 personnes du singulier et à la 3e personne du pluriel et **futur simple**, à toutes les personnes ;
- au **conditionnel présent**, à toutes les personnes ;
- au **subjonctif présent**, aux 3 personnes du singulier et à la 3e personne du pluriel ;
- à l'**impératif présent**, à la 2e personne du singulier.

Le verbe que je cherche se conjugue comme

céder

INDICATIF

Présent
je cè**de**
tu cè**des**
il, elle cè**de**
nous cé**dons**
vous cé**dez**
ils, elles cè**dent**

Imparfait
je cé**dais**
tu cé**dais**
il, elle cé**dait**
nous cé**dions**
vous cé**diez**
ils, elles cé**daient**

Passé simple
je cé**dai**
tu cé**das**
il, elle cé**da**
nous cé**dâmes**
vous cé**dâtes**
ils, elles cé**dèrent**

Futur simple
je cé**derai**
tu cé**deras**
il, elle cé**dera**
nous cé**derons**
vous cé**derez**
ils, elles cé**deront**

Passé composé
j' ai cédé
tu as cédé
il, elle a cédé
nous avons cédé
vous avez cédé
ils, elles ont cédé

Plus-que-parfait
j' avais cédé
tu avais cédé
il, elle avait cédé
nous avions cédé
vous aviez cédé
ils, elles avaient cédé

Futur antérieur
j' aurai cédé
tu auras cédé
il, elle aura cédé
nous aurons cédé
vous aurez cédé
ils, elles auront cédé

CONDITIONNEL

Présent
je cé**derais**
tu cé**derais**
il, elle cé**derait**
nous cé**derions**
vous cé**deriez**
ils, elles cé**deraient**

Passé
j' aurais cédé
tu aurais cédé
il, elle aurait cédé
nous aurions cédé
vous auriez cédé
ils, elles auraient cédé

SUBJONCTIF

Présent
il faut que
je cè**de**
tu cè**des**
il, elle cè**de**
nous cé**dions**
vous cé**diez**
ils, elles cè**dent**

Passé
il faut que
j' aie cédé
tu aies cédé
il, elle ait cédé
nous ayons cédé
vous ayez cédé
ils, elles aient cédé

IMPÉRATIF

Présent
cè**de**
cé**dons**
cé**dez**

INFINITIF

Présent
cé**der**

PARTICIPE

Présent
cé**dant**

Passé
ayant cédé
cé**dé(e)**

CARTE D'IDENTITÉ

➤ C'est un verbe du **1er groupe**.

➤ Aux **temps composés**, il se conjugue avec l'**auxiliaire avoir**.

➤ Il a deux radicaux : **céd...**/**cèd...**
On emploie **cèd...** :
*exemple : je cè**de***
- à l'**indicatif présent**, aux 3 personnes du singulier et à la 3e personne du pluriel ;
- au **subjonctif présent**, aux 3 personnes du singulier et à la 3e personne du pluriel ;
- à l'**impératif présent**, à la 2e personne du singulier.

1er groupe

Modèle des verbes réguliers se conjuguant avec **avoir**

Le verbe que je cherche se conjugue comme

chanter

INDICATIF

Présent
je	chant**e**
tu	chant**es**
il, elle	chant**e**
nous	chant**ons**
vous	chant**ez**
ils, elles	chant**ent**

Imparfait
je	chant**ais**
tu	chant**ais**
il, elle	chant**ait**
nous	chant**ions**
vous	chant**iez**
ils, elles	chant**aient**

Passé simple
je	chant**ai**
tu	chant**as**
il, elle	chant**a**
nous	chant**âmes**
vous	chant**âtes**
ils, elles	chant**èrent**

Futur simple
je	chant**erai**
tu	chant**eras**
il, elle	chant**era**
nous	chant**erons**
vous	chant**erez**
ils, elles	chant**eront**

Passé composé
j'	ai	chanté
tu	as	chanté
il, elle	a	chanté
nous	avons	chanté
vous	avez	chanté
ils, elles	ont	chanté

Plus-que-parfait
j'	avais	chanté
tu	avais	chanté
il, elle	avait	chanté
nous	avions	chanté
vous	aviez	chanté
ils, elles	avaient	chanté

Futur antérieur
j'	aurai	chanté
tu	auras	chanté
il, elle	aura	chanté
nous	aurons	chanté
vous	aurez	chanté
ils, elles	auront	chanté

CONDITIONNEL

Présent
je	chant**erais**
tu	chant**erais**
il, elle	chant**erait**
nous	chant**erions**
vous	chant**eriez**
ils, elles	chant**eraient**

Passé
j'	aurais	chanté
tu	aurais	chanté
il, elle	aurait	chanté
nous	aurions	chanté
vous	auriez	chanté
ils, elles	auraient	chanté

SUBJONCTIF

Présent
il faut que

je	chant**e**
tu	chant**es**
il, elle	chant**e**
nous	chant**ions**
vous	chant**iez**
ils, elles	chant**ent**

Passé
il faut que

j'	aie	chanté
tu	aies	chanté
il, elle	ait	chanté
nous	ayons	chanté
vous	ayez	chanté
ils, elles	aient	chanté

IMPÉRATIF

Présent
chant**e**
chant**ons**
chant**ez**

INFINITIF

Présent
chant**er**

PARTICIPE

Présent
chant**ant**

Passé
ayant chanté

chant**é(e)**

CARTE D'IDENTITÉ

➤ C'est un verbe du **1er groupe**.

➤ Aux **temps composés**, il se conjugue avec l'**auxiliaire avoir**.

« Vous **chantiez** ! j'en suis fort aise.
Eh bien ! dansez maintenant. »
LA FONTAINE, *La Cigale et la fourmi.*

Le verbe que je cherche se conjugue comme

commencer

INDICATIF

Présent		Imparfait		Passé simple		Futur simple	
je	commen**ce**	*je*	commen**çais**	*je*	commen**çai**	*je*	commen**cerai**
tu	commen**ces**	*tu*	commen**çais**	*tu*	commen**ças**	*tu*	commen**ceras**
il, elle	commen**ce**	*il, elle*	commen**çait**	*il, elle*	commen**ça**	*il, elle*	commen**cera**
nous	commen**çons**	*nous*	commen**cions**	*nous*	commen**çâmes**	*nous*	commen**cerons**
vous	commen**cez**	*vous*	commen**ciez**	*vous*	commen**çâtes**	*vous*	commen**cerez**
ils, elles	commen**cent**	*ils, elles*	commen**çaient**	*ils, elles*	commen**cèrent**	*ils, elles*	commen**ceront**

Passé composé			Plus-que-parfait			Futur antérieur		
j'	ai	commencé	*j'*	avais	commencé	*j'*	aurai	commencé
tu	as	commencé	*tu*	avais	commencé	*tu*	auras	commencé
il, elle	a	commencé	*il, elle*	avait	commencé	*il, elle*	aura	commencé
nous	avons	commencé	*nous*	avions	commencé	*nous*	aurons	commencé
vous	avez	commencé	*vous*	aviez	commencé	*vous*	aurez	commencé
ils, elles	ont	commencé	*ils, elles*	avaient	commencé	*ils, elles*	auront	commencé

CONDITIONNEL

Présent		Passé		
je	commen**cerais**	*j'*	aurais	commencé
tu	commen**cerais**	*tu*	aurais	commencé
il, elle	commen**cerait**	*il, elle*	aurait	commencé
nous	commen**cerions**	*nous*	aurions	commencé
vous	commen**ceriez**	*vous*	auriez	commencé
ils, elles	commen**ceraient**	*ils, elles*	auraient	commencé

SUBJONCTIF

Présent		Passé		
il faut que		*il faut que*		
je	commen**ce**	*j'*	aie	commencé
tu	commen**ces**	*tu*	aies	commencé
il, elle	commen**ce**	*il, elle*	ait	commencé
nous	commen**cions**	*nous*	ayons	commencé
vous	commen**ciez**	*vous*	ayez	commencé
ils, elles	commen**cent**	*ils, elles*	aient	commencé

IMPÉRATIF

Présent
commen**ce**
commen**çons**
commen**cez**

INFINITIF

Présent
commen**cer**

PARTICIPE

Présent
commen**çant**

Passé
ayant commencé commen**cé(e)**

CARTE D'IDENTITÉ

➤ C'est un verbe du **1er groupe**.

➤ Aux **temps composés**, il se conjugue avec l'**auxiliaire avoir**.

➤ Il a deux radicaux : commen**c...**/commen**ç...**
On emploie commen**ç...** devant **a** et **o** :
*exemple : nous commen**çons***
• à l'**indicatif présent**, à la 1re personne du pluriel, à l'**indicatif imparfait**, aux 3 personnes du singulier et à la 3e personne du pluriel et à l'**indicatif passé simple**, aux 3 personnes du singulier et aux 2 premières personnes du pluriel ;
• à l'**impératif présent**, à la 1re personne du pluriel ;
• au **participe présent**.

Modèle des verbes se terminant par ...guer

Le verbe que je cherche se conjugue comme

conjuguer

INDICATIF

Présent		Imparfait		Passé simple		Futur simple	
je	conju**gue**	*je*	conju**guais**	*je*	conju**guai**	*je*	conju**guerai**
tu	conju**gues**	*tu*	conju**guais**	*tu*	conju**guas**	*tu*	conju**gueras**
il, elle	conju**gue**	*il, elle*	conju**guait**	*il, elle*	conju**gua**	*il, elle*	conju**guera**
nous	conju**guons**	*nous*	conju**guions**	*nous*	conju**guâmes**	*nous*	conju**guerons**
vous	conju**guez**	*vous*	conju**guiez**	*vous*	conju**guâtes**	*vous*	conju**guerez**
ils, elles	conju**guent**	*ils, elles*	conju**guaient**	*ils, elles*	conju**guèrent**	*ils, elles*	conju**gueront**

Passé composé			Plus-que-parfait			Futur antérieur		
j'	ai	conjugué	*j'*	avais	conjugué	*j'*	aurai	conjugué
tu	as	conjugué	*tu*	avais	conjugué	*tu*	auras	conjugué
il, elle	a	conjugué	*il, elle*	avait	conjugué	*il, elle*	aura	conjugué
nous	avons	conjugué	*nous*	avions	conjugué	*nous*	aurons	conjugué
vous	avez	conjugué	*vous*	aviez	conjugué	*vous*	aurez	conjugué
ils, elles	ont	conjugué	*ils, elles*	avaient	conjugué	*ils, elles*	auront	conjugué

CONDITIONNEL

Présent		Passé		
je	conju**guerais**	*j'*	aurais	conjugué
tu	conju**guerais**	*tu*	aurais	conjugué
il, elle	conju**guerait**	*il, elle*	aurait	conjugué
nous	conju**guerions**	*nous*	aurions	conjugué
vous	conju**gueriez**	*vous*	auriez	conjugué
ils, elles	conju**gueraient**	*ils, elles*	auraient	conjugué

SUBJONCTIF

Présent		Passé		
il faut que		*il faut que*		
je	conju**gue**	*j'*	aie	conjugué
tu	conju**gues**	*tu*	aies	conjugué
il, elle	conju**gue**	*il, elle*	ait	conjugué
nous	conju**guions**	*nous*	ayons	conjugué
vous	conju**guiez**	*vous*	ayez	conjugué
ils, elles	conju**guent**	*ils, elles*	aient	conjugué

IMPÉRATIF

Présent
conju**gue**
conju**guons**
conju**guez**

INFINITIF

Présent
conju**guer**

PARTICIPE

Présent
conju**guant**

Passé
ayant conjugué conju**gué(e)**

CARTE D'IDENTITÉ

➤ C'est un verbe du **1er groupe**.

➤ Aux **temps composés**, il se conjugue avec l'**auxiliaire avoir**.

➤ **gu** reste **gu** même devant **o** et **a** :
*exemple : nous conju**guons***

- à l'**indicatif présent**, à la 1re personne du pluriel, à l'**indicatif imparfait**, aux 3 personnes du singulier et à la 3e personne du pluriel et à l'**indicatif passé simple**, aux 3 personnes du singulier et aux 2 premières personnes du pluriel ;
- à l'**impératif présent**, à la 1re personne du pluriel ;
- au **participe présent**.

Le verbe que je cherche se conjugue comme

créer

INDICATIF

Présent

je	cr**ée**
tu	cr**ées**
il, elle	cr**ée**
nous	cr**éons**
vous	cr**éez**
ils, elles	cr**éent**

Imparfait

je	cr**éais**
tu	cr**éais**
il, elle	cr**éait**
nous	cr**éions**
vous	cr**éiez**
ils, elles	cr**éaient**

Passé simple

je	cr**éai**
tu	cr**éas**
il, elle	cr**éa**
nous	cr**éâmes**
vous	cr**éâtes**
ils, elles	cr**éèrent**

Futur simple

je	cr**éerai**
tu	cr**éeras**
il, elle	cr**éera**
nous	cr**éerons**
vous	cr**éerez**
ils, elles	cr**éeront**

Passé composé

j'	ai	créé
tu	as	créé
il, elle	a	créé
nous	avons	créé
vous	avez	créé
ils, elles	ont	créé

Plus-que-parfait

j'	avais	créé
tu	avais	créé
il, elle	avait	créé
nous	avions	créé
vous	aviez	créé
ils, elles	avaient	créé

Futur antérieur

j'	aurai	créé
tu	auras	créé
il, elle	aura	créé
nous	aurons	créé
vous	aurez	créé
ils, elles	auront	créé

CONDITIONNEL

Présent

je	cr**éerais**
tu	cr**éerais**
il, elle	cr**éerait**
nous	cr**éerions**
vous	cr**éeriez**
ils, elles	cr**éeraient**

Passé

j'	aurais	créé
tu	aurais	créé
il, elle	aurait	créé
nous	aurions	créé
vous	auriez	créé
ils, elles	auraient	créé

SUBJONCTIF

Présent

il faut que

je	cr**ée**
tu	cr**ées**
il, elle	cr**ée**
nous	cr**éions**
vous	cr**éiez**
ils, elles	cr**éent**

Passé

il faut que

j'	aie	créé
tu	aies	créé
il, elle	ait	créé
nous	ayons	créé
vous	ayez	créé
ils, elles	aient	créé

IMPÉRATIF

Présent

cr**ée**
cr**éons**
cr**éez**

INFINITIF

Présent

cr**éer**

PARTICIPE

Présent

cr**éant**

Passé

ayant créé

cr**éé(e)**

CARTE D'IDENTITÉ

➤ C'est un verbe du **1er groupe**.

➤ Aux **temps composés**, il se conjugue avec l'**auxiliaire avoir**.

➤ **é** est suivi d'un **e muet** :
*exemple : je cr**ée***

- à l'**indicatif présent**, aux 3 personnes du singulier et à la 3e personne du pluriel et **futur simple**, à toutes les personnes ;
- au **conditionnel présent**, à toutes les personnes ;
- au **subjonctif présent**, aux 3 personnes du singulier et à la 3e personne du pluriel ;
- à l'**impératif présent**, à la 2e personne du singulier.

1er groupe

Modèle des verbes se terminant par …ier

Le verbe que je cherche se conjugue comme

crier

INDICATIF

Présent		Imparfait		Passé simple		Futur simple	
je	cr**ie**	*je*	cr**iais**	*je*	cr**iai**	*je*	cr**ierai**
tu	cr**ies**	*tu*	cr**iais**	*tu*	cr**ias**	*tu*	cr**ieras**
il, elle	cr**ie**	*il, elle*	cr**iait**	*il, elle*	cr**ia**	*il, elle*	cr**iera**
nous	cr**ions**	*nous*	cr**iions**	*nous*	cr**iâmes**	*nous*	cr**ierons**
vous	cr**iez**	*vous*	cr**iiez**	*vous*	cr**iâtes**	*vous*	cr**ierez**
ils, elles	cr**ient**	*ils, elles*	cr**iaient**	*ils, elles*	cr**ièrent**	*ils, elles*	cr**ieront**

Passé composé			Plus-que-parfait			Futur antérieur		
j'	ai	crié	*j'*	avais	crié	*j'*	aurai	crié
tu	as	crié	*tu*	avais	crié	*tu*	auras	crié
il, elle	a	crié	*il, elle*	avait	crié	*il, elle*	aura	crié
nous	avons	crié	*nous*	avions	crié	*nous*	aurons	crié
vous	avez	crié	*vous*	aviez	crié	*vous*	aurez	crié
ils, elles	ont	crié	*ils, elles*	avaient	crié	*ils, elles*	auront	crié

CONDITIONNEL

Présent		Passé		
je	cr**ierais**	*j'*	aurais	crié
tu	cr**ierais**	*tu*	aurais	crié
il, elle	cr**ierait**	*il, elle*	aurait	crié
nous	cr**ierions**	*nous*	aurions	crié
vous	cr**ieriez**	*vous*	auriez	crié
ils, elles	cr**ieraient**	*ils, elles*	auraient	crié

SUBJONCTIF

Présent		Passé		
il faut que		*il faut que*		
je	cr**ie**	*j'*	aie	crié
tu	cr**ies**	*tu*	aies	crié
il, elle	cr**ie**	*il, elle*	ait	crié
nous	cr**iions**	*nous*	ayons	crié
vous	cr**iiez**	*vous*	ayez	crié
ils, elles	cr**ient**	*ils, elles*	aient	crié

IMPÉRATIF

Présent

cr**ie**
cr**ions**
cr**iez**

INFINITIF

Présent

cr**ier**

PARTICIPE

Présent	Passé	
cr**iant**	ayant crié	cr**ié(e)**

CARTE D'IDENTITÉ

➤ C'est un verbe du **1er groupe**.

➤ Aux **temps composés**, il se conjugue avec l'**auxiliaire avoir**.

➤ **i** est suivi d'un **e muet** :

*exemple : je cr**ie***

• à l'**indicatif présent**, aux 3 personnes du singulier et à la 3e personne du pluriel et **futur simple**, à toutes les personnes ;

• au **conditionnel présent**, à toutes les personnes ;

• au **subjonctif présent**, aux 3 personnes du singulier et à la 3e personne du pluriel ;

• à l'**impératif présent**, à la 2e personne du singulier.

À l'**imparfait de l'indicatif** et au **présent du subjonctif**, le **i** du radical est suivi du **i** de la conjugaison aux 2 premières personnes du pluriel.
*Exemple : nous cr**iions***

Le verbe que je cherche se conjugue comme

déléguer

INDICATIF

Présent	Imparfait	Passé simple	Futur simple
je dél**ègue**	*je* dél**éguais**	*je* dél**éguai**	*je* dél**éguerai**
tu dél**ègues**	*tu* dél**éguais**	*tu* dél**éguas**	*tu* dél**égueras**
il, elle dél**ègue**	*il, elle* dél**éguait**	*il, elle* dél**égua**	*il, elle* dél**éguera**
nous dél**éguons**	*nous* dél**éguions**	*nous* dél**éguâmes**	*nous* dél**éguerons**
vous dél**éguez**	*vous* dél**éguiez**	*vous* dél**éguâtes**	*vous* dél**éguerez**
ils, elles dél**èguent**	*ils, elles* dél**éguaient**	*ils, elles* dél**éguèrent**	*ils, elles* dél**égueront**

Passé composé	Plus-que-parfait	Futur antérieur
j' ai délégué	*j'* avais délégué	*j'* aurai délégué
tu as délégué	*tu* avais délégué	*tu* auras délégué
il, elle a délégué	*il, elle* avait délégué	*il, elle* aura délégué
nous avons délégué	*nous* avions délégué	*nous* aurons délégué
vous avez délégué	*vous* aviez délégué	*vous* aurez délégué
ils, elles ont délégué	*ils, elles* avaient délégué	*ils, elles* auront délégué

CONDITIONNEL

Présent	Passé
je dél**éguerais**	*j'* aurais délégué
tu dél**éguerais**	*tu* aurais délégué
il, elle dél**éguerait**	*il, elle* aurait délégué
nous dél**éguerions**	*nous* aurions délégué
vous dél**égueriez**	*vous* auriez délégué
ils, elles dél**égueraient**	*ils, elles* auraient délégué

SUBJONCTIF

Présent	Passé
il faut que	*il faut que*
je dél**ègue**	*j'* aie délégué
tu dél**ègues**	*tu* aies délégué
il, elle dél**ègue**	*il, elle* ait délégué
nous dél**éguions**	*nous* ayons délégué
vous dél**éguiez**	*vous* ayez délégué
ils, elles dél**èguent**	*ils, elles* aient délégué

IMPÉRATIF

Présent

dél**ègue**
dél**éguons**
dél**éguez**

INFINITIF

Présent

dél**éguer**

PARTICIPE

Présent	Passé	
dél**éguant**	ayant délégué	dél**égué(e)**

CARTE D'IDENTITÉ

➤ C'est un verbe du **1er groupe**.

➤ Aux **temps composés**, il se conjugue avec l'**auxiliaire avoir**.

➤ Il a deux radicaux :
dél**égu…**/ dél**ègu…**
On emploie dél**ègu…** :
*exemple : je dél**ègue***
- à l'**indicatif présent**, aux 3 personnes du singulier et à la 3e personne du pluriel ;
- au **subjonctif présent**, aux 3 personnes du singulier et à la 3e personne du pluriel ;
- à l'**impératif présent**, à la 2e personne du singulier.

➤ **gu** reste **gu** même devant **o** et **a** :
*exemple : nous dél**éguons***
- à l'**indicatif présent**, à la 1re personne du pluriel, **imparfait**, aux 3 personnes du singulier et à la 3e personne du pluriel et **passé simple**, aux 3 personnes du singulier et aux 2 premières personnes du pluriel ;
- à l'**impératif présent**, à la 1re personne du pluriel ;
- au **participe présent**.

Modèle des verbes se terminant par ...oyer

Le verbe que je cherche se conjugue comme

employer

INDICATIF

Présent		Imparfait		Passé simple		Futur simple	
j'	empl**oie**	*j'*	empl**oyais**	*j'*	empl**oyai**	*j'*	empl**oierai**
tu	empl**oies**	*tu*	empl**oyais**	*tu*	empl**oyas**	*tu*	empl**oieras**
il, elle	empl**oie**	*il, elle*	empl**oyait**	*il, elle*	empl**oya**	*il, elle*	empl**oiera**
nous	empl**oyons**	*nous*	empl**oyions**	*nous*	empl**oyâmes**	*nous*	empl**oierons**
vous	empl**oyez**	*vous*	empl**oyiez**	*vous*	empl**oyâtes**	*vous*	empl**oierez**
ils, elles	empl**oient**	*ils, elles*	empl**oyaient**	*ils, elles*	empl**oyèrent**	*ils, elles*	empl**oieront**

Passé composé			Plus-que-parfait			Futur antérieur		
j'	ai	employé	*j'*	avais	employé	*j'*	aurai	employé
tu	as	employé	*tu*	avais	employé	*tu*	auras	employé
il, elle	a	employé	*il, elle*	avait	employé	*il, elle*	aura	employé
nous	avons	employé	*nous*	avions	employé	*nous*	aurons	employé
vous	avez	employé	*vous*	aviez	employé	*vous*	aurez	employé
ils, elles	ont	employé	*ils, elles*	avaient	employé	*ils, elles*	auront	employé

CONDITIONNEL

Présent		Passé		
j'	empl**oierais**	*j'*	aurais	employé
tu	empl**oierais**	*tu*	aurais	employé
il, elle	empl**oierait**	*il, elle*	aurait	employé
nous	empl**oierions**	*nous*	aurions	employé
vous	empl**oieriez**	*vous*	auriez	employé
ils, elles	empl**oieraient**	*ils, elles*	auraient	employé

SUBJONCTIF

Présent		Passé		
il faut que		*il faut que*		
j'	empl**oie**	*j'*	aie	employé
tu	empl**oies**	*tu*	aies	employé
il, elle	empl**oie**	*il, elle*	ait	employé
nous	empl**oyions**	*nous*	ayons	employé
vous	empl**oyiez**	*vous*	ayez	employé
ils, elles	empl**oient**	*ils, elles*	aient	employé

IMPÉRATIF

Présent
empl**oie**
empl**oyons**
empl**oyez**

INFINITIF

Présent
empl**oyer**

PARTICIPE

Présent
empl**oyant**

Passé
ayant employé   empl**oyé(e)**

CARTE D'IDENTITÉ

➤ C'est un verbe du **1er groupe**.

➤ Aux **temps composés**, il se conjugue avec l'**auxiliaire avoir**.

➤ Il a deux radicaux : empl**oy...**/empl**oi...**
On utilise empl**oi...** devant un **e muet** :
*exemple : j'empl**oie***

- à l'**indicatif présent**, aux 3 personnes du singulier et à la 3e personne du pluriel et **futur simple**, à toutes les personnes ;
- au **conditionnel présent**, à toutes les personnes ;
- au **subjonctif présent**, aux 3 personnes du singulier et à la 3e personne du pluriel ;
- à l'**impératif présent**, à la 2e personne du singulier.

À l'**imparfait de l'indicatif** et au **présent du subjonctif**, le **y** du radical est suivi du **i** de la conjugaison aux 2 premières personnes du pluriel.
*Exemple : nous empl**oyions***

Modèle des verbes pronominaux réguliers

Le verbe que je cherche se conjugue comme

s'envoler

INDICATIF

Présent
je **m'**envol**e**
tu **t'**envol**es**
il, elle **s'**envol**e**
nous **nous** envol**ons**
vous **vous** envol**ez**
ils, elles **s'**envol**ent**

Imparfait
je **m'**envol**ais**
tu **t'**envol**ais**
il, elle **s'**envol**ait**
nous **nous** envol**ions**
vous **vous** envol**iez**
ils, elles **s'**envol**aient**

Passé simple
je **m'**envol**ais**
tu **t'**envol**as**
il, elle **s'**envol**a**
nous **nous** envol**âmes**
vous **vous** envol**âtes**
ils, elles **s'**envol**èrent**

Futur simple
je **m'**envol**erai**
tu **t'**envol**eras**
il, elle **s'**envol**era**
nous **nous** envol**erons**
vous **vous** envol**erez**
ils, elles **s'**envol**eront**

Passé composé
je **me** suis envolé(e)
tu **t'**es envolé(e)
il, elle **s'**est envolé(e)
nous **nous** sommes envolé(e)s
vous **vous** êtes envolé(e)s
ils, elles **se** sont envolé(e)s

Plus-que-parfait
je **m'**étais envolé(e)
tu **t'**étais envolé(e)
il, elle **s'**était envolé(e)
nous **nous** étions envolé(e)s
vous **vous** étiez envolé(e)s
ils, elles **s'**étaient envolé(e)s

Futur antérieur
je **me** serai envolé(e)
tu **te** seras envolé(e)
il, elle **se** sera envolé(e)
nous **nous** serons envolé(e)s
vous **vous** serez envolé(e)s
ils, elles **se** seront envolé(e)s

CONDITIONNEL

Présent
je **m'**envol**erais**
tu **t'**envol**erais**
il, elle **s'**envol**erait**
nous **nous** envol**erions**
vous **vous** envol**eriez**
ils, elles **s'**envol**eraient**

Passé
je **me** serais envolé(e)
tu **te** serais envolé(e)
il, elle **se** serait envolé(e)
nous **nous** serions envolé(e)s
vous **vous** seriez envolé(e)s
ils, elles **se** seraient envolé(e)s

SUBJONCTIF

Présent
il faut que
je **m'**envol**e**
tu **t'**envol**es**
il, elle **s'**envol**e**
nous **nous** envol**ions**
vous **vous** envol**iez**
ils, elles **s'**envol**ent**

Passé
il faut que
je **me** sois envolé(e)
tu **te** sois envolé(e)
il, elle **se** soit envolé(e)
nous **nous** soyons envolé(e)s
vous **vous** soyez envolé(e)s
ils, elles **se** soient envolé(e)s

IMPÉRATIF

Présent
envol**e-*toi***
envol**ons-*nous***
envol**ez-*vous***

INFINITIF

Présent
s'envol**er**

PARTICIPE

Présent
s'envol**ant**

Passé
s'étant envolé(e) envol**é(e)**

CARTE D'IDENTITÉ

➤ C'est un **verbe pronominal** du **1er groupe**.

➤ Aux **temps composés**, il se conjugue **toujours** avec l'**auxiliaire être**. Il **s'accorde toujours** en genre et en nombre **avec le sujet**.

Ce verbe aide aussi à conjuguer les **verbes pronominaux** des **2e** et **3e groupes**.

« Des cris variés, agréables comme des chants, **s'envolent** par les fenêtres, tourbillonnent dans la spirale de l'escalier, comme des fleurs éclatantes. »
COLETTE, *Paix chez les bêtes.*

Modèle des verbes se terminant par ...envoyer

Le verbe que je cherche se conjugue comme

envoyer

INDICATIF

Présent		Imparfait		Passé simple		Futur simple	
j'	**envoie**	*j'*	**envoyais**	*j'*	**envoyai**	*j'*	**enverrai**
tu	**envoies**	*tu*	**envoyais**	*tu*	**envoyas**	*tu*	**enverras**
il, elle	**envoie**	*il, elle*	**envoyait**	*il, elle*	**envoya**	*il, elle*	**enverra**
nous	**envoyons**	*nous*	**envoyions**	*nous*	**envoyâmes**	*nous*	**enverrons**
vous	**envoyez**	*vous*	**envoyiez**	*vous*	**envoyâtes**	*vous*	**enverrez**
ils, elles	**envoient**	*ils, elles*	**envoyaient**	*ils, elles*	**envoyèrent**	*ils, elles*	**enverront**

Passé composé		Plus-que-parfait		Futur antérieur	
j'	ai envoyé	*j'*	avais envoyé	*j'*	aurai envoyé
tu	as envoyé	*tu*	avais envoyé	*tu*	auras envoyé
il, elle	a envoyé	*il, elle*	avait envoyé	*il, elle*	aura envoyé
nous	avons envoyé	*nous*	avions envoyé	*nous*	aurons envoyé
vous	avez envoyé	*vous*	aviez envoyé	*vous*	aurez envoyé
ils, elles	ont envoyé	*ils, elles*	avaient envoyé	*ils, elles*	auront envoyé

CONDITIONNEL

Présent		Passé	
j'	**enverrais**	*j'*	aurais envoyé
tu	**enverrais**	*tu*	aurais envoyé
il, elle	**enverrait**	*il, elle*	aurait envoyé
nous	**enverrions**	*nous*	aurions envoyé
vous	**enverriez**	*vous*	auriez envoyé
ils, elles	**enverraient**	*ils, elles*	auraient envoyé

SUBJONCTIF

Présent *il faut que*		Passé *il faut que*	
j'	**envoie**	*j'*	aie envoyé
tu	**envoies**	*tu*	aies envoyé
il, elle	**envoie**	*il, elle*	ait envoyé
nous	**envoyions**	*nous*	ayons envoyé
vous	**envoyiez**	*vous*	ayez envoyé
ils, elles	**envoient**	*ils, elles*	aient envoyé

IMPÉRATIF

Présent
envoie
envoyons
envoyez

INFINITIF

Présent
envoyer

PARTICIPE

Présent
envoyant

Passé
ayant envoyé **envoyé(e)**

CARTE D'IDENTITÉ

➤ C'est un verbe du **1er groupe**.

➤ Aux **temps composés**, il se conjugue avec l'**auxiliaire avoir**.

➤ Il a trois radicaux :
envoy.../envoi.../ enverr...

➤ On emploie **envoi...** :

*exemple : j'**envoie***

- à l'**indicatif présent**, aux 3 personnes du singulier et à la 3e personne du pluriel ;
- au **subjonctif présent**, aux 3 personnes du singulier et à la 3e personne du pluriel ;
- à l'**impératif présent**, à la 2e personne du singulier.

➤ On emploie **enver...** :

*exemple : j'**enverrai***

- à l'**indicatif futur simple** ;
- au **conditionnel présent**.

À l'**imparfait de l'indicatif** et au **présent du subjonctif**, **y** est suivi de **i** aux 2 premières personnes du pluriel.
*Exemple : nous **envoyions***

Le verbe que je cherche se conjugue comme

essuyer

INDICATIF

Présent
j' ess**uie**
tu ess**uies**
il, elle ess**uie**
nous ess**uyons**
vous ess**uyez**
ils, elles ess**uient**

Imparfait
j' ess**uyais**
tu ess**uyais**
il, elle ess**uyait**
nous ess**uyions**
vous ess**uyiez**
ils, elles ess**uyaient**

Passé simple
j' ess**uyai**
tu ess**uyas**
il, elle ess**uya**
nous ess**uyâmes**
vous ess**uyâtes**
ils, elles ess**uyèrent**

Futur simple
j' ess**uierai**
tu ess**uieras**
il, elle ess**uiera**
nous ess**uierons**
vous ess**uierez**
ils, elles ess**uieront**

Passé composé
j' ai essuyé
tu as essuyé
il, elle a essuyé
nous avons essuyé
vous avez essuyé
ils, elles ont essuyé

Plus-que-parfait
j' avais essuyé
tu avais essuyé
il, elle avait essuyé
nous avions essuyé
vous aviez essuyé
ils, elles avaient essuyé

Futur antérieur
j' aurai essuyé
tu auras essuyé
il, elle aura essuyé
nous aurons essuyé
vous aurez essuyé
ils, elles auront essuyé

CONDITIONNEL

Présent
j' ess**uierais**
tu ess**uierais**
il, elle ess**uierait**
nous ess**uierions**
vous ess**uieriez**
ils, elles ess**uieraient**

Passé
j' aurais essuyé
tu aurais essuyé
il, elle aurait essuyé
nous aurions essuyé
vous auriez essuyé
ils, elles auraient essuyé

SUBJONCTIF

Présent
il faut que
j' ess**uie**
tu ess**uies**
il, elle ess**uie**
nous ess**uyions**
vous ess**uyiez**
ils, elles ess**uient**

Passé
il faut que
j' aie essuyé
tu aies essuyé
il, elle ait essuyé
nous ayons essuyé
vous ayez essuyé
ils, elles aient essuyé

IMPÉRATIF

Présent
ess**uie**
ess**uyons**
ess**uyez**

INFINITIF

Présent
ess**uyer**

PARTICIPE

Présent
ess**uyant**

Passé
ayant essuyé
ess**uyé(e)**

CARTE D'IDENTITÉ

➤ C'est un verbe du **1er groupe**.

➤ Aux **temps composés**, il se conjugue avec l'**auxiliaire avoir**.

➤ Il a deux radicaux : ess**uy...**/ess**ui...**
On emploie ess**ui...** devant un **e muet** :
*exemple : j'ess**uie***
• à l'**indicatif présent**, aux 3 personnes du singulier et à la 3e personne du pluriel et **futur simple**, à toutes les personnes ;
• au **conditionnel présent**, à toutes les personnes ;
• au **subjonctif présent**, aux 3 personnes du singulier et à la 3e personne du pluriel ;
• à l'**impératif présent**, à la 2e personne du singulier.

À l'**imparfait de l'indicatif** et au **présent du subjonctif**, le **y** du radical est suivi du **i** de la conjugaison aux 2 premières personnes du pluriel.
*Exemple : nous ess**uyions***

Modèle des verbes se terminant par …gner

Le verbe que je cherche se conjugue comme

gagner

INDICATIF

Présent		Imparfait		Passé simple		Futur simple	
je	ga**gne**	*je*	ga**gnais**	*je*	ga**gnai**	*je*	ga**gnerai**
tu	ga**gnes**	*tu*	ga**gnais**	*tu*	ga**gnas**	*tu*	ga**gneras**
il, elle	ga**gne**	*il, elle*	ga**gnait**	*il, elle*	ga**gna**	*il, elle*	ga**gnera**
nous	ga**gnons**	*nous*	ga**gnions**	*nous*	ga**gnâmes**	*nous*	ga**gnerons**
vous	ga**gnez**	*vous*	ga**gniez**	*vous*	ga**gnâtes**	*vous*	ga**gnerez**
ils, elles	ga**gnent**	*ils, elles*	ga**gnaient**	*ils, elles*	ga**gnèrent**	*ils, elles*	ga**gneront**

Passé composé			Plus-que-parfait			Futur antérieur		
j'	ai	gagné	*j'*	avais	gagné	*j'*	aurai	gagné
tu	as	gagné	*tu*	avais	gagné	*tu*	auras	gagné
il, elle	a	gagné	*il, elle*	avait	gagné	*il, elle*	aura	gagné
nous	avons	gagné	*nous*	avions	gagné	*nous*	aurons	gagné
vous	avez	gagné	*vous*	aviez	gagné	*vous*	aurez	gagné
ils, elles	ont	gagné	*ils, elles*	avaient	gagné	*ils, elles*	auront	gagné

CONDITIONNEL

Présent		Passé		
je	ga**gnerais**	*j'*	aurais	gagné
tu	ga**gnerais**	*tu*	aurais	gagné
il, elle	ga**gnerait**	*il, elle*	aurait	gagné
nous	ga**gnerions**	*nous*	aurions	gagné
vous	ga**gneriez**	*vous*	auriez	gagné
ils, elles	ga**gneraient**	*ils, elles*	auraient	gagné

SUBJONCTIF

Présent		Passé		
il faut que		*il faut que*		
je	ga**gne**	*j'*	aie	gagné
tu	ga**gnes**	*tu*	aies	gagné
il, elle	ga**gne**	*il, elle*	ait	gagné
nous	ga**gnions**	*nous*	ayons	gagné
vous	ga**gniez**	*vous*	ayez	gagné
ils, elles	ga**gnent**	*ils, elles*	aient	gagné

IMPÉRATIF

Présent

ga**gne**
ga**gnons**
ga**gnez**

INFINITIF

Présent

ga**gner**

PARTICIPE

Présent

ga**gnant**

Passé

ayant gagné ga**gné(e)**

CARTE D'IDENTITÉ

➤ C'est un verbe du **1er groupe**.

➤ Aux **temps composés**, il se conjugue avec l'**auxiliaire avoir**.

À l'**imparfait de l'indicatif** et au **présent du subjonctif**, le **gn** du radical est suivi du **i** de la conjugaison aux 2 premières personnes du pluriel.
*Exemple : nous ga**gnions***

« Il faut **gagner** son pain à la sueur de son front. »
(Proverbe)

Le verbe que je cherche se conjugue comme

geler

INDICATIF

Présent		Imparfait		Passé simple		Futur simple	
je	g**èle**	*je*	g**elais**	*je*	g**elai**	*je*	g**èlerai**
tu	g**èles**	*tu*	g**elais**	*tu*	g**elas**	*tu*	g**èleras**
il, elle	g**èle**	*il, elle*	g**elait**	*il, elle*	g**ela**	*il, elle*	g**èlera**
nous	g**elons**	*nous*	g**elions**	*nous*	g**elâmes**	*nous*	g**èlerons**
vous	g**elez**	*vous*	g**eliez**	*vous*	g**elâtes**	*vous*	g**èlerez**
ils, elles	g**èlent**	*ils, elles*	g**elaient**	*ils, elles*	g**elèrent**	*ils, elles*	g**èleront**

Passé composé			Plus-que-parfait			Futur antérieur		
j'	ai	gelé	*j'*	avais	gelé	*j'*	aurai	gelé
tu	as	gelé	*tu*	avais	gelé	*tu*	auras	gelé
il, elle	a	gelé	*il, elle*	avait	gelé	*il, elle*	aura	gelé
nous	avons	gelé	*nous*	avions	gelé	*nous*	aurons	gelé
vous	avez	gelé	*vous*	aviez	gelé	*vous*	aurez	gelé
ils, elles	ont	gelé	*ils, elles*	avaient	gelé	*ils, elles*	auront	gelé

CONDITIONNEL

Présent		Passé		
je	g**èlerais**	*j'*	aurais	gelé
tu	g**èlerais**	*tu*	aurais	gelé
il, elle	g**èlerait**	*il, elle*	aurait	gelé
nous	g**èlerions**	*nous*	aurions	gelé
vous	g**èleriez**	*vous*	auriez	gelé
ils, elles	g**èleraient**	*ils, elles*	auraient	gelé

SUBJONCTIF

Présent		Passé		
il faut que		*il faut que*		
je	g**èle**	*j'*	aie	gelé
tu	g**èle**	*tu*	aies	gelé
il, elle	g**èle**	*il, elle*	ait	gelé
nous	g**elions**	*nous*	ayons	gelé
vous	g**eliez**	*vous*	ayez	gelé
ils, elles	g**èlent**	*ils, elles*	aient	gelé

IMPÉRATIF

Présent

g**èle**
g**elons**
g**elez**

INFINITIF

Présent

g**eler**

PARTICIPE

Présent

g**elant**

Passé

ayant gelé — g**elé(e)**

CARTE D'IDENTITÉ

➤ C'est un verbe du **1er groupe**.

➤ Aux **temps composés**, il se conjugue avec l'**auxiliaire avoir**.

➤ Il a deux radicaux : g**el...**/g**èl...**
On emploie g**èl...** :

exemple : je gèle

- à l'**indicatif présent**, aux 3 personnes du singulier et à la 3e personne du pluriel et **futur simple**, à toutes les personnes ;
- au **conditionnel présent**, à toutes les personnes ;
- au **subjonctif présent**, aux 3 personnes du singulier et à la 3e personne du pluriel ;
- à l'**impératif présent**, à la 2e personne du singulier.

Modèle des verbes se terminant par ...eller

Le verbe que je cherche se conjugue comme

interpeller

INDICATIF

Présent		Imparfait		Passé simple		Futur simple	
j'	interp**elle**	*j'*	interp**ellais**	*j'*	interp**ellai**	*j'*	interp**ellerai**
tu	interp**elles**	*tu*	interp**ellais**	*tu*	interp**ellas**	*tu*	interp**elleras**
il, elle	interp**elle**	*il, elle*	interp**ellait**	*il, elle*	interp**ella**	*il, elle*	interp**ellera**
nous	interp**ellons**	*nous*	interp**ellions**	*nous*	interp**ellâmes**	*nous*	interp**ellerons**
vous	interp**ellez**	*vous*	interp**elliez**	*vous*	interp**ellâtes**	*vous*	interp**ellerez**
ils, elles	interp**ellent**	*ils, elles*	interp**ellaient**	*ils, elles*	interp**ellèrent**	*ils, elles*	interp**elleront**

Passé composé			Plus-que-parfait			Futur antérieur		
j'	ai	interpellé	*j'*	avais	interpellé	*j'*	aurai	interpellé
tu	as	interpellé	*tu*	avais	interpellé	*tu*	auras	interpellé
il, elle	a	interpellé	*il, elle*	avait	interpellé	*il, elle*	aura	interpellé
nous	avons	interpellé	*nous*	avions	interpellé	*nous*	aurons	interpellé
vous	avez	interpellé	*vous*	aviez	interpellé	*vous*	aurez	interpellé
ils, elles	ont	interpellé	*ils, elles*	avaient	interpellé	*ils, elles*	auront	interpellé

CONDITIONNEL

Présent		Passé		
j'	interp**ellerais**	*j'*	aurais	interpellé
tu	interp**ellerais**	*tu*	aurais	interpellé
il, elle	interp**ellerait**	*il, elle*	aurait	interpellé
nous	interp**ellerions**	*nous*	aurions	interpellé
vous	interp**elleriez**	*vous*	auriez	interpellé
ils, elles	interp**elleraient**	*ils, elles*	auraient	interpellé

SUBJONCTIF

Présent		Passé		
il faut que		*il faut que*		
j'	interp**elle**	*j'*	aie	interpellé
tu	interp**elles**	*tu*	aies	interpellé
il, elle	interp**elle**	*il, elle*	ait	interpellé
nous	interp**ellions**	*nous*	ayons	interpellé
vous	interp**elliez**	*vous*	ayez	interpellé
ils, elles	interp**ellent**	*ils, elles*	aient	interpellé

IMPÉRATIF

Présent
interp**elle**
interp**ellons**
interp**ellez**

INFINITIF

Présent
interp**eller**

PARTICIPE

Présent
interp**ellant**

Passé
ayant interpellé interp**ellé(e)**

CARTE D'IDENTITÉ

➤ C'est un verbe du **1er groupe**.

➤ Aux **temps composés**, il se conjugue avec l'**auxiliaire avoir**.

➤ Il garde ses **ll** tout au long de la conjugaison.
*Exemple : nous interp**ell**ons*

À l'**imparfait de l'indicatif** et au **présent du subjonctif**, les **ll** du radical sont suivis du **i** de la conjugaison aux 2 premières personnes du pluriel.
*Exemple : nous interpe**lli**ons*

Le verbe que je cherche se conjugue comme

jeter

INDICATIF

Présent		Imparfait		Passé simple		Futur simple	
je	**jette**	*je*	**jetais**	*je*	**jetai**	*je*	**jetterai**
tu	**jettes**	*tu*	**jetais**	*tu*	**jetas**	*tu*	**jetteras**
il, elle	**jette**	*il, elle*	**jetait**	*il, elle*	**jeta**	*il, elle*	**jettera**
nous	**jetons**	*nous*	**jetions**	*nous*	**jetâmes**	*nous*	**jetterons**
vous	**jetez**	*vous*	**jetiez**	*vous*	**jetâtes**	*vous*	**jetterez**
ils, elles	**jettent**	*ils, elles*	**jetaient**	*ils, elles*	**jetèrent**	*ils, elles*	**jetteront**

Passé composé			Plus-que-parfait			Futur antérieur		
j'	ai	jeté	*j'*	avais	jeté	*j'*	aurai	jeté
tu	as	jeté	*tu*	avais	jeté	*tu*	auras	jeté
il, elle	a	jeté	*il, elle*	avait	jeté	*il, elle*	aura	jeté
nous	avons	jeté	*nous*	avions	jeté	*nous*	aurons	jeté
vous	avez	jeté	*vous*	aviez	jeté	*vous*	aurez	jeté
ils, elles	ont	jeté	*ils, elles*	avaient	jeté	*ils, elles*	auront	jeté

CONDITIONNEL

Présent		Passé		
je	**jetterais**	*j'*	aurais	jeté
tu	**jetterais**	*tu*	aurais	jeté
il, elle	**jetterait**	*il, elle*	aurait	jeté
nous	**jetterions**	*nous*	aurions	jeté
vous	**jetteriez**	*vous*	auriez	jeté
ils, elles	**jetteraient**	*ils, elles*	auraient	jeté

SUBJONCTIF

Présent		Passé		
il faut que		*il faut que*		
je	**jette**	*j'*	aie	jeté
tu	**jettes**	*tu*	aies	jeté
il, elle	**jette**	*il, elle*	ait	jeté
nous	**jetions**	*nous*	ayons	jeté
vous	**jetiez**	*vous*	ayez	jeté
ils, elles	**jettent**	*ils, elles*	aient	jeté

IMPÉRATIF

Présent
jette
jetons
jetez

INFINITIF

Présent
jeter

PARTICIPE

Présent
jetant

Passé
ayant jeté **jeté(e)**

CARTE D'IDENTITÉ

➤ C'est un verbe du **1er groupe**.

➤ Aux **temps composés**, il se conjugue avec l'**auxiliaire avoir**.

➤ Il a deux radicaux : **jet…/jett…**
On emploie **jett…** :

*exemple : je **jette***

• à l'**indicatif présent**, aux 3 personnes du singulier et à la 3e personne du pluriel et **futur simple**, à toutes les personnes ;

• au **conditionnel présent**, à toutes les personnes ;

• au **subjonctif présent**, aux 3 personnes du singulier et à la 3e personne du pluriel ;

• à l'**impératif présent**, à la 2e personne du singulier.

1er groupe

Modèle des verbes se terminant par …ger

Le verbe que je cherche se conjugue comme

manger

INDICATIF

Présent		Imparfait		Passé simple		Futur simple	
je	man**ge**	*je*	man**geais**	*je*	man**geai**	*je*	man**gerai**
tu	man**ges**	*tu*	man**geais**	*tu*	man**geas**	*tu*	man**geras**
il, elle	man**ge**	*il, elle*	man**geait**	*il, elle*	man**gea**	*il, elle*	man**gera**
nous	man**geons**	*nous*	man**gions**	*nous*	man**geâmes**	*nous*	man**gerons**
vous	man**gez**	*vous*	man**giez**	*vous*	man**geâtes**	*vous*	man**gerez**
ils, elles	man**gent**	*ils, elles*	man**geaient**	*ils, elles*	man**gèrent**	*ils, elles*	man**geront**

Passé composé			Plus-que-parfait			Futur antérieur		
j'	ai	mangé	*j'*	avais	mangé	*j'*	aurai	mangé
tu	as	mangé	*tu*	avais	mangé	*tu*	auras	mangé
il, elle	a	mangé	*il, elle*	avait	mangé	*il, elle*	aura	mangé
nous	avons	mangé	*nous*	avions	mangé	*nous*	aurons	mangé
vous	avez	mangé	*vous*	aviez	mangé	*vous*	aurez	mangé
ils, elles	ont	mangé	*ils, elles*	avaient	mangé	*ils, elles*	auront	mangé

CONDITIONNEL

Présent		Passé		
je	man**gerais**	*j'*	aurais	mangé
tu	man**gerais**	*tu*	aurais	mangé
il, elle	man**gerait**	*il, elle*	aurait	mangé
nous	man**gerions**	*nous*	aurions	mangé
vous	man**geriez**	*vous*	auriez	mangé
ils, elles	man**geraient**	*ils, elles*	auraient	mangé

SUBJONCTIF

Présent		Passé		
il faut que		*il faut que*		
je	man**ge**	*j'*	aie	mangé
tu	man**ges**	*tu*	aies	mangé
il, elle	man**ge**	*il, elle*	ait	mangé
nous	man**gions**	*nous*	ayons	mangé
vous	man**giez**	*vous*	ayez	mangé
ils, elles	man**gent**	*ils, elles*	aient	mangé

IMPÉRATIF

Présent

man**ge**
man**geons**
man**gez**

INFINITIF

Présent

man**ger**

PARTICIPE

Présent

man**geant**

Passé

ayant mangé — man**gé(e)**

CARTE D'IDENTITÉ

➤ C'est un verbe du **1er groupe**.

➤ Aux **temps composés**, il se conjugue avec l'**auxiliaire avoir**.

➤ **g** devient **ge** devant **o** et **a** :
*exemple : nous man**geons***

- à l'**indicatif présent**, à la 1re personne du pluriel, à l'**indicatif imparfait**, aux 3 personnes du singulier et à la 3e personne du pluriel et à l'**indicatif passé simple**, aux 3 personnes du singulier et aux 2 premières personnes du pluriel ;
- à l'**impératif présent**, à la 1re personne du pluriel ;
- au **participe présent**.

Modèle des verbes se terminant par ...ayer

Le verbe que je cherche se conjugue comme

payer

INDICATIF

Présent
je **paye/paie**
tu **payes/paies**
il, elle **paye/paie**
nous **payons**
vous **payez**
ils, elles **payent/paient**

Imparfait
je **payais**
tu **payais**
il, elle **payait**
nous **payions**
vous **payiez**
ils, elles **payaient**

Passé simple
je **payai**
tu **payas**
il, elle **paya**
nous **payâmes**
vous **payâtes**
ils, elles **payèrent**

Futur simple
je **payerai/paierai**
tu **payeras/paieras**
il, elle **payera/paiera**
nous **payerons/paierons**
vous **payerez/paierez**
ils, elles **payeront/paieront**

Passé composé
j' ai payé
tu as payé
il, elle a payé
nous avons payé
vous avez payé
ils, elles ont payé

Plus-que-parfait
j' avais payé
tu avais payé
il, elle avait payé
nous avions payé
vous aviez payé
ils, elles avaient payé

Futur antérieur
j' aurai payé
tu auras payé
il, elle aura payé
nous aurons payé
vous aurez payé
ils, elles auront payé

CONDITIONNEL

Présent
je **payerais/paierais**
tu **payerais/paierais**
il, elle **payerait/paierait**
nous **payerions/paierions**
vous **payeriez/paieriez**
ils, elles **payeraient/paieraient**

Passé
j' aurais payé
tu aurais payé
il, elle aurait payé
nous aurions payé
vous auriez payé
ils, elles auraient payé

SUBJONCTIF

Présent
il faut que
je **paye/paie**
tu **payes/paies**
il, elle **paye/paie**
nous **payions**
vous **payiez**
ils, elles **payent/paient**

Passé
il faut que
j' aie payé
tu aies payé
il, elle ait payé
nous ayons payé
vous ayez payé
ils, elles aient payé

IMPÉRATIF

Présent
paye/paie
payons
payez

INFINITIF

Présent
payer

PARTICIPE

Présent
payant

Passé
ayant payé
payé(e)

CARTE D'IDENTITÉ

➤ C'est un verbe du **1er groupe**.

➤ Aux **temps composés**, il se conjugue avec l'**auxiliaire avoir**.

➤ Il se conjugue de **deux façons** :
y peut être remplacé par **i**
devant un **e muet** :
*exemple : je **paye**/je **paie***

- à l'**indicatif présent**, aux 3 personnes du singulier et à la 3e personne du pluriel et **futur simple**, à toutes les personnes ;
- au **conditionnel présent**, à toutes les personnes ;
- au **subjonctif présent**, aux 3 personnes du singulier et à la 3e personne du pluriel ;
- à l'**impératif présent**, à la 2e personne du singulier.

À l'**imparfait de l'indicatif** et au **présent du subjonctif**, le **y** du radical est suivi du **i** de la conjugaison aux 2 premières personnes du pluriel.
*Exemple : nous **payions***

rapiécer

INDICATIF

Présent		Imparfait		Passé simple		Futur simple	
je	rapièce	*je*	rapiéçais	*je*	rapiéçai	*je*	rapiécerai
tu	rapièces	*tu*	rapiéçais	*tu*	rapiéças	*tu*	rapiéceras
il, elle	rapièce	*il, elle*	rapiéçait	*il, elle*	rapiéça	*il, elle*	rapiécera
nous	rapiéçons	*nous*	rapiécions	*nous*	rapiéçâmes	*nous*	rapiécerons
vous	rapiécez	*vous*	rapiéciez	*vous*	rapiéçâtes	*vous*	rapiécerez
ils, elles	rapiècent	*ils, elles*	rapiéçaient	*ils, elles*	rapiécèrent	*ils, elles*	rapiéceront

Passé composé			Plus-que-parfait			Futur antérieur		
j'	ai	rapiécé	*j'*	avais	rapiécé	*j'*	aurai	rapiécé
tu	as	rapiécé	*tu*	avais	rapiécé	*tu*	auras	rapiécé
il, elle	a	rapiécé	*il, elle*	avait	rapiécé	*il, elle*	aura	rapiécé
nous	avons	rapiécé	*nous*	avions	rapiécé	*nous*	aurons	rapiécé
vous	avez	rapiécé	*vous*	aviez	rapiécé	*vous*	aurez	rapiécé
ils, elles	ont	rapiécé	*ils, elles*	avaient	rapiécé	*ils, elles*	auront	rapiécé

CONDITIONNEL

Présent		Passé		
je	rapiécerais	*j'*	aurais	rapiécé
tu	rapiécerais	*tu*	aurais	rapiécé
il, elle	rapiécerait	*il, elle*	aurait	rapiécé
nous	rapiécerions	*nous*	aurions	rapiécé
vous	rapiéceriez	*vous*	auriez	rapiécé
ils, elles	rapiéceraient	*ils, elles*	auraient	rapiécé

SUBJONCTIF

Présent		Passé		
il faut que		*il faut que*		
je	rapièce	*j'*	aie	rapiécé
tu	rapièces	*tu*	aies	rapiécé
il, elle	rapièce	*il, elle*	ait	rapiécé
nous	rapiécions	*nous*	ayons	rapiécé
vous	rapiéciez	*vous*	ayez	rapiécé
ils, elles	rapiècent	*ils, elles*	aient	rapiécé

IMPÉRATIF

Présent
rapièce
rapiéçons
rapiécez

INFINITIF

Présent
rapiécer

PARTICIPE

Présent
rapiéçant

Passé
ayant rapiécé
rapiécé(e)

CARTE D'IDENTITÉ

➤ C'est un verbe du **1er groupe**.

➤ Aux **temps composés**, il se conjugue avec l'**auxiliaire avoir**.

➤ Il a deux radicaux : rapiéc…/rapièc…
On emploie rapièc… :

exemple : je rapièce

- à l'**indicatif présent**, aux 3 personnes du singulier et à la 3e personne du pluriel ;
- au **subjonctif présent**, aux 3 personnes du singulier et à la 3e personne du pluriel ;
- à l'**impératif présent**, à la 2e personne du singulier.

➤ **c** devient **ç** devant **o** et **a** :

exemple : nous rapiéçons

- à l'**indicatif présent**, à la 1re personne du pluriel, **imparfait**, aux 3 personnes du singulier et à la 3e personne du pluriel et **passé simple**, aux 3 personnes du singulier et aux 2 premières personnes du pluriel ;
- à l'**impératif présent**, à la 1re personne du pluriel ;
- au **participe présent**.

Le verbe que je cherche se conjugue comme

régner

INDICATIF

Présent

je	**règne**
tu	**règnes**
il, elle	**règne**
nous	**régnons**
vous	**régnez**
ils, elles	**règnent**

Imparfait

je	**régnais**
tu	**régnais**
il, elle	**régnait**
nous	**régnions**
vous	**régniez**
ils, elles	**régnaient**

Passé simple

je	**régnai**
tu	**régnas**
il, elle	**régna**
nous	**régnâmes**
vous	**régnâtes**
ils, elles	**régnèrent**

Futur simple

je	**régnerai**
tu	**régneras**
il, elle	**régnera**
nous	**régnerons**
vous	**régnerez**
ils, elles	**régneront**

Passé composé

j'	ai	régné
tu	as	régné
il, elle	a	régné
nous	avons	régné
vous	avez	régné
ils, elles	ont	régné

Plus-que-parfait

j'	avais	régné
tu	avais	régné
il, elle	avait	régné
nous	avions	régné
vous	aviez	régné
ils, elles	avaient	régné

Futur antérieur

j'	aurai	régné
tu	auras	régné
il, elle	aura	régné
nous	aurons	régné
vous	aurez	régné
ils, elles	auront	régné

CONDITIONNEL

Présent

je	**régnerais**
tu	**régnerais**
il, elle	**régnerait**
nous	**régnerions**
vous	**régneriez**
ils, elles	**régneraient**

Passé

j'	aurais	régné
tu	aurais	régné
il, elle	aurait	régné
nous	aurions	régné
vous	auriez	régné
ils, elles	auraient	régné

SUBJONCTIF

Présent

il faut que

je	**règne**
tu	**règnes**
il, elle	**règne**
nous	**régnions**
vous	**régniez**
ils, elles	**règnent**

Passé

il faut que

j'	aie	régné
tu	aies	régné
il, elle	ait	régné
nous	ayons	régné
vous	ayez	régné
ils, elles	aient	régné

IMPÉRATIF

Présent

règne
régnons
régnez

INFINITIF

Présent

régner

PARTICIPE

Présent

régnant

Passé

ayant régné **régné**

CARTE D'IDENTITÉ

➤ C'est un verbe du **1er groupe**.

➤ Aux **temps composés**, il se conjugue avec l'**auxiliaire avoir**.

➤ Il a deux radicaux : **régn.../règn...**
On emploie **règn...** :

*exemple : je **règne***

- à l'**indicatif présent**, aux 3 personnes du singulier et à la 3e personne du pluriel ;
- au **subjonctif présent**, aux 3 personnes du singulier et à la 3e personne du pluriel ;
- à l'**impératif présent**, à la 2e personne du singulier.

À l'**imparfait de l'indicatif** et au **présent du subjonctif**, le **gn** du radical est suivi du **i** de la conjugaison aux 2 premières personnes du pluriel.
*Exemple : nous **régnions***

Modèle des verbes se terminant par …uer

Le verbe que je cherche se conjugue comme

remuer

INDICATIF

Présent		Imparfait		Passé simple		Futur simple	
je	rem**ue**	*je*	rem**uais**	*je*	rem**uai**	*je*	rem**uerai**
tu	rem**ues**	*tu*	rem**uais**	*tu*	rem**uas**	*tu*	rem**ueras**
il, elle	rem**ue**	*il, elle*	rem**uait**	*il, elle*	rem**ua**	*il, elle*	rem**uera**
nous	rem**uons**	*nous*	rem**uions**	*nous*	rem**uâmes**	*nous*	rem**uerons**
vous	rem**uez**	*vous*	rem**uiez**	*vous*	rem**uâtes**	*vous*	rem**uerez**
ils, elles	rem**uent**	*ils, elles*	rem**uaient**	*ils, elles*	rem**uèrent**	*ils, elles*	rem**ueront**

Passé composé			Plus-que-parfait			Futur antérieur		
j'	ai	remué	*j'*	avais	remué	*j'*	aurai	remué
tu	as	remué	*tu*	avais	remué	*tu*	auras	remué
il, elle	a	remué	*il, elle*	avait	remué	*il, elle*	aura	remué
nous	avons	remué	*nous*	avions	remué	*nous*	aurons	remué
vous	avez	remué	*vous*	aviez	remué	*vous*	aurez	remué
ils, elles	ont	remué	*ils, elles*	avaient	remué	*ils, elles*	auront	remué

CONDITIONNEL

Présent		Passé		
je	rem**uerais**	*j'*	aurais	remué
tu	rem**uerais**	*tu*	aurais	remué
il, elle	rem**uerait**	*il, elle*	aurait	remué
nous	rem**uerions**	*nous*	aurions	remué
vous	rem**ueriez**	*vous*	auriez	remué
ils, elles	rem**ueraient**	*ils, elles*	auraient	remué

SUBJONCTIF

Présent		Passé		
il faut que		*il faut que*		
je	rem**ue**	*j'*	aie	remué
tu	rem**ues**	*tu*	aies	remué
il, elle	rem**ue**	*il, elle*	ait	remué
nous	rem**uions**	*nous*	ayons	remué
vous	rem**uiez**	*vous*	ayez	remué
ils, elles	rem**uent**	*ils, elles*	aient	remué

IMPÉRATIF

Présent
rem**ue**
rem**uons**
rem**uez**

INFINITIF

Présent
rem**uer**

PARTICIPE

Présent
rem**uant**

Passé
ayant remué — rem**ué(e)**

CARTE D'IDENTITÉ

➤ C'est un verbe du **1er groupe**.

➤ Aux **temps composés**, il se conjugue avec l'**auxiliaire avoir**.

➤ **u** est suivi d'un **e muet** :

*exemple : je rem**uerai***

- à l'**indicatif présent**, aux 3 personnes du singulier et à la 3e personne du pluriel et **futur simple**, à toutes les personnes ;
- au **conditionnel présent**, à toutes les personnes ;
- au **subjonctif présent**, aux 3 personnes du singulier et à la 3e personne du pluriel ;
- à l'**impératif présent**, à la 2e personne du singulier.

Le verbe que je cherche se conjugue comme

semer

INDICATIF

Présent
je s**è**m**e**
tu s**è**m**es**
il, elle s**è**m**e**
nous sem**ons**
vous sem**ez**
ils, elles s**è**m**ent**

Imparfait
je sem**ais**
tu sem**ais**
il, elle sem**ait**
nous sem**ions**
vous sem**iez**
ils, elles sem**aient**

Passé simple
je sem**ai**
tu sem**as**
il, elle sem**a**
nous sem**âmes**
vous sem**âtes**
ils, elles sem**èrent**

Futur simple
je s**è**m**erai**
tu s**è**m**eras**
il, elle s**è**m**era**
nous s**è**m**erons**
vous s**è**m**erez**
ils, elles s**è**m**eront**

Passé composé
j' ai semé
tu as semé
il, elle a semé
nous avons semé
vous avez semé
ils, elles ont semé

Plus-que-parfait
j' avais semé
tu avais semé
il, elle avait semé
nous avions semé
vous aviez semé
ils, elles avaient semé

Futur antérieur
j' aurai semé
tu auras semé
il, elle aura semé
nous aurons semé
vous aurez semé
ils, elles auront semé

CONDITIONNEL

Présent
je s**è**m**erais**
tu s**è**m**erais**
il, elle s**è**m**erait**
nous s**è**m**erions**
vous s**è**m**eriez**
ils, elles s**è**m**eraient**

Passé
j' aurais semé
tu aurais semé
il, elle aurait semé
nous aurions semé
vous auriez semé
ils, elles auraient semé

SUBJONCTIF

Présent
il faut que
je s**è**m**e**
tu s**è**m**es**
il, elle s**è**m**e**
nous sem**ions**
vous sem**iez**
ils, elles s**è**m**ent**

Passé
il faut que
j' aie semé
tu aies semé
il, elle ait semé
nous ayons semé
vous ayez semé
ils, elles aient semé

IMPÉRATIF

Présent
s**è**m**e**
sem**ons**
sem**ez**

INFINITIF

Présent
sem**er**

PARTICIPE

Présent
sem**ant**

Passé
ayant semé
sem**é(e)**

CARTE D'IDENTITÉ

➤ C'est un verbe du **1er groupe**.

➤ Aux **temps composés**, il se conjugue avec l'**auxiliaire avoir**.

➤ Il a deux radicaux : sem**...**/sèm**...**
On emploie sèm**...** :
*exemple : je s***è***m***e**

- à l'**indicatif présent**, aux 3 personnes du singulier et à la 3e personne du pluriel et **futur simple**, à toutes les personnes ;
- au **conditionnel présent**, à toutes les personnes ;
- au **subjonctif présent**, aux 3 personnes du singulier et à la 3e personne du pluriel ;
- à l'**impératif présent**, à la 2e personne du singulier.

Modèle des verbes réguliers se conjuguant avec être

Le verbe que je cherche se conjugue comme

tomber

INDICATIF

Présent
je tomb**e**
tu tomb**es**
il, elle tomb**e**
nous tomb**ons**
vous tomb**ez**
ils, elles tomb**ent**

Imparfait
je tomb**ais**
tu tomb**ais**
il, elle tomb**ait**
nous tomb**ions**
vous tomb**iez**
ils, elles tomb**aient**

Passé simple
je tomb**ai**
tu tomb**as**
il, elle tomb**a**
nous tomb**âmes**
vous tomb**âtes**
ils, elles tomb**èrent**

Futur simple
je tomb**erai**
tu tomb**eras**
il, elle tomb**era**
nous tomb**erons**
vous tomb**erez**
ils, elles tomb**eront**

Passé composé
je suis tombé(e)
tu es tombé(e)
il, elle est tombé(e)
nous sommes tombé(e)s
vous êtes tombé(e)s
ils, elles sont tombé(e)s

Plus-que-parfait
j' étais tombé(e)
tu étais tombé(e)
il, elle était tombé(e)
nous étions tombé(e)s
vous étiez tombé(e)s
ils, elles étaient tombé(e)s

Futur antérieur
je serai tombé(e)
tu seras tombé(e)
il, elle sera tombé(e)
nous serons tombé(e)s
vous serez tombé(e)s
ils, elles seront tombé(e)s

CONDITIONNEL

Présent
je tomb**erais**
tu tomb**erais**
il, elle tomb**erait**
nous tomb**erions**
vous tomb**eriez**
ils, elles tomb**eraient**

Passé
je serais tombé(e)
tu serais tombé(e)
il, elle serait tombé(e)
nous serions tombé(e)s
vous seriez tombé(e)s
ils, elles seraient tombé(e)s

SUBJONCTIF

Présent
il faut que
je tomb**e**
tu tomb**es**
il, elle tomb**e**
nous tomb**ions**
vous tomb**iez**
ils, elles tomb**ent**

Passé
il faut que
je sois tombé(e)
tu sois tombé(e)
il, elle soit tombé(e)
nous soyons tombé(e)s
vous soyez tombé(e)s
ils, elles soient tombé(e)s

IMPÉRATIF

Présent
tomb**e**
tomb**ons**
tomb**ez**

INFINITIF

Présent
tomb**er**

PARTICIPE

Présent
tomb**ant**

Passé
étant tombé(e) tomb**é(e)**

CARTE D'IDENTITÉ

➤ C'est un verbe du **1er groupe**.

➤ Aux **temps composés**, il se conjugue avec l'**auxiliaire être**.

« Perrette là-dessus saute aussi, transportée.
Le lait **tombe** ; adieu veau, vache, cochon, couvée ; »
LA FONTAINE, *La Laitière et le pot au lait.*

Le verbe que je cherche se conjugue comme

travailler

INDICATIF

Présent
je trava**ille**
tu trava**illes**
il, elle trava**ille**
nous trava**illons**
vous trava**illez**
ils, elles trava**illent**

Imparfait
je trava**illais**
tu trava**illais**
il, elle trava**illait**
nous trava**illions**
vous trava**illiez**
ils, elles trava**illaient**

Passé simple
je trava**illai**
tu trava**illas**
il, elle trava**illa**
nous trava**illâmes**
vous trava**illâtes**
ils, elles trava**illèrent**

Futur simple
je trava**illerai**
tu trava**illeras**
il, elle trava**illera**
nous trava**illerons**
vous trava**illerez**
ils, elles trava**illeront**

Passé composé
j' ai travaillé
tu as travaillé
il, elle a travaillé
nous avons travaillé
vous avez travaillé
ils, elles ont travaillé

Plus-que-parfait
j' avais travaillé
tu avais travaillé
il, elle avait travaillé
nous avions travaillé
vous aviez travaillé
ils, elles avaient travaillé

Futur antérieur
j' aurai travaillé
tu auras travaillé
il, elle aura travaillé
nous aurons travaillé
vous aurez travaillé
ils, elles auront travaillé

CONDITIONNEL

Présent
je trava**illerais**
tu trava**illerais**
il, elle trava**illerait**
nous trava**illerions**
vous trava**illeriez**
ils, elles trava**illeraient**

Passé
j' aurais travaillé
tu aurais travaillé
il, elle aurait travaillé
nous aurions travaillé
vous auriez travaillé
ils, elles auraient travaillé

SUBJONCTIF

Présent
il faut que
je trava**ille**
tu trava**illes**
il, elle trava**ille**
nous trava**illions**
vous trava**illiez**
ils, elles trava**illent**

Passé
il faut que
j' aie travaillé
tu aies travaillé
il, elle ait travaillé
nous ayons travaillé
vous ayez travaillé
ils, elles aient travaillé

IMPÉRATIF

Présent
trava**ille**
trava**illons**
trava**illez**

INFINITIF

Présent
trava**iller**

PARTICIPE

Présent
trava**illant**

Passé
ayant travaillé trava**illé(e)**

CARTE D'IDENTITÉ

➤ C'est un verbe du **1er groupe**.

➤ Aux **temps composés**, il se conjugue avec l'**auxiliaire avoir**.

À l'**imparfait de l'indicatif** et au **présent du subjonctif**, les **ll** du radical sont suivis du **i** de la conjugaison aux 2 premières personnes du pluriel.
*Exemple : nous trava**illions***

« **Travaillez**, prenez de la peine : c'est le fonds qui manque le moins. »
LA FONTAINE, *Le Laboureur et ses enfants.*

Modèle des verbes réguliers

Le verbe que je cherche se conjugue comme

finir

INDICATIF

Présent

je	fin**is**
tu	fin**is**
il, elle	fin**it**
nous	fin**issons**
vous	fin**issez**
ils, elles	fin**issent**

Imparfait

je	fin**issais**
tu	fin**issais**
il, elle	fin**issait**
nous	fin**issions**
vous	fin**issiez**
ils, elles	fin**issaient**

Passé simple

je	fin**is**
tu	fin**is**
il, elle	fin**it**
nous	fin**îmes**
vous	fin**îtes**
ils, elles	fin**irent**

Futur simple

je	fin**irai**
tu	fin**iras**
il, elle	fin**ira**
nous	fin**irons**
vous	fin**irez**
ils, elles	fin**iront**

Passé composé

j'	ai	fini
tu	as	fini
il, elle	a	fini
nous	avons	fini
vous	avez	fini
ils, elles	ont	fini

Plus-que-parfait

j'	avais	fini
tu	avais	fini
il, elle	avait	fini
nous	avions	fini
vous	aviez	fini
ils, elles	avaient	fini

Futur antérieur

j'	aurai	fini
tu	auras	fini
il, elle	aura	fini
nous	aurons	fini
vous	aurez	fini
ils, elles	auront	fini

CONDITIONNEL

Présent

je	fin**irais**
tu	fin**irais**
il, elle	fin**irait**
nous	fin**irions**
vous	fin**iriez**
ils, elles	fin**iraient**

Passé

j'	aurais	fini
tu	aurais	fini
il, elle	aurait	fini
nous	aurions	fini
vous	auriez	fini
ils, elles	auraient	fini

SUBJONCTIF

Présent

il faut que

je	fin**isse**
tu	fin**isses**
il, elle	fin**isse**
nous	fin**issons**
vous	fin**issez**
ils, elles	fin**issent**

Passé

il faut que

j'	aie	fini
tu	aies	fini
il, elle	aie	fini
nous	ayons	fini
vous	ayez	fini
ils, elles	aient	fini

IMPÉRATIF

Présent

fin**is**
fin**issons**
fin**issez**

INFINITIF

Présent

fin**ir**

PARTICIPE

Présent

fin**issant**

Passé

ayant fini fin**i(e)**

CARTE D'IDENTITÉ

➤ C'est un verbe du **2e groupe**.

➤ Aux **temps composés**, il se conjugue avec l'**auxiliaire avoir**.

➤ Il a deux radicaux : fin**...**fin**iss...**
On emploie fin**iss...** :
*exemple : nous fin**iss**ons*

- à l'**indicatif présent**, aux 3 personnes du pluriel et **imparfait**, à toutes les personnes ;
- au **subjonctif présent**, à toutes les personnes ;
- à l'**impératif présent**, aux 2 personnes du pluriel ;
- au **participe présent**.

➤ Il présente les **mêmes formes** aux 3 personnes du singulier du **présent** et du **passé simple** de **l'indicatif**. Pour déterminer le **temps employé**, il faut s'appuyer sur le **sens** de la phrase ou du texte.

*Exemples : Il **finit** son exercice et il va jouer.* (présent)
*Après mon départ, elle **finit** son repas.* (passé simple)

haïr

INDICATIF

Présent
je hais
tu hais
il, elle hait
nous haïssons
vous haïssez
ils, elles haïssent

Imparfait
je haïssais
tu haïssais
il, elle haïssait
nous haïssions
vous haïssiez
ils, elles haïssaient

Passé simple
je haïs
tu haïs
il, elle haït
nous haïmes
vous haïtes
ils, elles haïrent

Futur simple
je haïrai
tu haïras
il, elle haïra
nous haïrons
vous haïrez
ils, elles haïront

Passé composé
j' ai haï
tu as haï
il, elle a haï
nous avons haï
vous avez haï
ils, elles ont haï

Plus-que-parfait
j' avais haï
tu avais haï
il, elle avait haï
nous avions haï
vous aviez haï
ils, elles avaient haï

Futur antérieur
j' aurai haï
tu auras haï
il, elle aura haï
nous aurons haï
vous aurez haï
ils, elles auront haï

CONDITIONNEL

Présent
je haïrais
tu haïrais
il, elle haïrait
nous haïrions
vous haïriez
ils, elles haïraient

Passé
j' aurais haï
tu aurais haï
il, elle aurait haï
nous aurions haï
vous auriez haï
ils, elles auraient haï

SUBJONCTIF

Présent
il faut que
j' haïsse
tu haïsses
il, elle haïsse
nous haïssons
vous haïssez
ils, elles haïssent

Passé
il faut que
j' aie haï
tu aies haï
il, elle aie haï
nous ayons haï
vous ayez haï
ils, elles aient haï

IMPÉRATIF

Présent
hais
haïssons
haïssez

INFINITIF

Présent
haïr

PARTICIPE

Présent
haïssant

Passé
ayant haï
haï(e)

CARTE D'IDENTITÉ

➤ C'est un verbe du **2e groupe**.

➤ Aux **temps composés**, il se conjugue avec l'**auxiliaire avoir**.

➤ Il a deux radicaux : haï.../hai...
On emploie hai... :

exemple : je hais

- à l'**indicatif présent**, aux 3 personnes du singulier ;
- à l'**impératif présent**, à la 2e personne du singulier.

➤ î devient ï :

exemple : nous haïmes

- à l'**indicatif passé simple**, aux 2 premières personnes du pluriel.

« Va, je ne te **hais** point. »
CORNEILLE, *Le Cid*.

Le verbe que je cherche se conjugue comme

accroître

INDICATIF

Présent		**Imparfait**		**Passé simple**		**Futur simple**	
j'	ac**crois**	*j'*	ac**croissais**	*j'*	ac**crus**	*j'*	ac**croîtrai**
tu	ac**crois**	*tu*	ac**croissais**	*tu*	ac**crus**	*tu*	ac**croîtras**
il, elle	ac**croît**	*il, elle*	ac**croissait**	*il, elle*	ac**crut**	*il, elle*	ac**croîtra**
nous	ac**croissons**	*nous*	ac**croissions**	*nous*	ac**crûmes**	*nous*	ac**croîtrons**
vous	ac**croissez**	*vous*	ac**croissiez**	*vous*	ac**crûtes**	*vous*	ac**croîtrez**
ils, elles	ac**croissent**	*ils, elles*	ac**croissaient**	*ils, elles*	ac**crurent**	*ils, elles*	ac**croîtront**

Passé composé			**Plus-que-parfait**			**Futur antérieur**		
j'	ai	accru	*j'*	avais	accru	*j'*	aurai	accru
tu	as	accru	*tu*	avais	accru	*tu*	auras	accru
il, elle	a	accru	*il, elle*	avait	accru	*il, elle*	aura	accru
nous	avons	accru	*nous*	avions	accru	*nous*	aurons	accru
vous	avez	accru	*vous*	aviez	accru	*vous*	aurez	accru
ils, elles	ont	accru	*ils, elles*	avaient	accru	*ils, elles*	auront	accru

CONDITIONNEL

Présent		**Passé**		
j'	ac**croîtrais**	*j'*	aurais	accru
tu	ac**croîtrais**	*tu*	aurais	accru
il, elle	ac**croîtrait**	*il, elle*	aurait	accru
nous	ac**croîtrions**	*nous*	aurions	accru
vous	ac**croîtriez**	*vous*	auriez	accru
ils, elles	ac**croîtraient**	*ils, elles*	auraient	accru

SUBJONCTIF

Présent *il faut que*		**Passé** *il faut que*		
j'	ac**croisse**	*j'*	aie	accru
tu	ac**croisses**	*tu*	aies	accru
il, elle	ac**croisse**	*il, elle*	ait	accru
nous	ac**croissions**	*nous*	ayons	accru
vous	ac**croissiez**	*vous*	ayez	accru
ils, elles	ac**croissent**	*ils, elles*	aient	accru

IMPÉRATIF

Présent

ac**crois**
ac**croissons**
ac**croissez**

INFINITIF

Présent

ac**croître**

PARTICIPE

Présent

ac**croissant**

Passé

ayant accru ac**cru(e)**

CARTE D'IDENTITÉ

➤ C'est un verbe du **3e groupe**.

➤ Aux **temps composés**, il se conjugue avec l'**auxiliaire avoir**.

➤ Il a plusieurs radicaux.
On emploie ac**croî…** :

*exemple : il ac**croît***

- à l'**indicatif présent**, à la 3e personne du singulier et **futur simple**, à toutes les personnes ;
- au **conditionnel présent**, à toutes les personnes.

Le verbe que je cherche se conjugue comme

acquérir

INDICATIF

Présent
j' ac**quiers**
tu ac**quiers**
il, elle ac**quiert**
nous ac**quérons**
vous ac**quérez**
ils, elles ac**quièrent**

Imparfait
j' ac**quérais**
tu ac**quérais**
il, elle ac**quérait**
nous ac**quérions**
vous ac**quériez**
ils, elles ac**quéraient**

Passé simple
j' ac**quis**
tu ac**quis**
il, elle ac**quit**
nous ac**quîmes**
vous ac**quîtes**
ils, elles ac**quirent**

Futur simple
j' ac**querrai**
tu ac**querras**
il, elle ac**querra**
nous ac**querrons**
vous ac**querrez**
ils, elles ac**querront**

Passé composé
j' ai acquis
tu as acquis
il, elle a acquis
nous avons acquis
vous avez acquis
ils, elles ont acquis

Plus-que-parfait
j' avais acquis
tu avais acquis
il, elle avait acquis
nous avions acquis
vous aviez acquis
ils, elles avaient acquis

Futur antérieur
j' aurai acquis
tu auras acquis
il, elle aura acquis
nous aurons acquis
vous aurez acquis
ils, elles auront acquis

CONDITIONNEL

Présent
j' ac**querrais**
tu ac**querrais**
il, elle ac**querrait**
nous ac**querrions**
vous ac**querriez**
ils, elles ac**querraient**

Passé
j' aurais acquis
tu aurais acquis
il, elle aurait acquis
nous aurions acquis
vous auriez acquis
ils, elles auraient acquis

SUBJONCTIF

Présent
il faut que
j' ac**quière**
tu ac**quières**
il, elle ac**quière**
nous ac**quiérions**
vous ac**quiériez**
ils, elles ac**quièrent**

Passé
il faut que
j' aie acquis
tu aies acquis
il, elle ait acquis
nous ayons acquis
vous ayez acquis
ils, elles aient acquis

IMPÉRATIF

Présent
ac**quiers**
ac**quiérons**
ac**quiérez**

INFINITIF

Présent
ac**quérir**

PARTICIPE

Présent
ac**quérant**

Passé
ayant acquis ac**quis(e)**

CARTE D'IDENTITÉ

➤ C'est un verbe du **3e groupe**.

➤ Aux **temps composés**, il se conjugue avec l'**auxiliaire avoir**.

➤ Il a plusieurs radicaux.

« Bien mal **acquis** ne profite jamais. »
(Dicton)

aller

INDICATIF

Présent
je	vais
tu	vas
il, elle	va
nous	allons
vous	allez
ils, elles	vont

Imparfait
j'	allais
tu	allais
il, elle	allait
nous	allions
vous	alliez
ils, elles	allaient

Passé simple
j'	allai
tu	allas
il, elle	alla
nous	allâmes
vous	allâtes
ils, elles	allèrent

Futur simple
j'	irai
tu	iras
il, elle	ira
nous	irons
vous	irez
ils, elles	iront

Passé composé
je	suis	allé(e)
tu	es	allé(e)
il, elle	est	allé(e)
nous	sommes	allé(e)s
vous	êtes	allé(e)s
ils, elles	sont	allé(e)s

Plus-que-parfait
j'	étais	allé(e)
tu	étais	allé(e)
il, elle	était	allé(e)
nous	étions	allé(e)s
vous	étiez	allé(e)s
ils, elles	étaient	allé(e)s

Futur antérieur
je	serai	allé(e)
tu	seras	allé(e)
il, elle	sera	allé(e)
nous	serons	allé(e)s
vous	serez	allé(e)s
ils, elles	seront	allé(e)s

CONDITIONNEL

Présent
j'	irais
tu	irais
il, elle	irait
nous	irions
vous	iriez
ils, elles	iraient

Passé
je	serais	allé(e)
tu	serais	allé(e)
il, elle	serait	allé(e)
nous	serions	allé(e)s
vous	seriez	allé(e)s
ils, elles	seraient	allé(e)s

SUBJONCTIF

Présent
il faut que

j'	aille
tu	ailles
il, elle	aille
nous	allions
vous	alliez
ils, elles	aillent

Passé
il faut que

je	sois	allé(e)
tu	sois	allé(e)
il, elle	soit	allé(e)
nous	soyons	allé(e)s
vous	soyez	allé(e)s
ils, elles	soient	allé(e)s

IMPÉRATIF

Présent
va
allons
allez

INFINITIF

Présent
aller

PARTICIPE

Présent
allant

Passé
étant allé(e) allé(e)

CARTE D'IDENTITÉ

➤ C'est un verbe du **3e groupe**.

➤ Aux **temps composés**, il se conjugue avec l'**auxiliaire être**.

➤ Il a plusieurs radicaux.

« Légère et court vêtue, elle **allait** à grands pas ;
Ayant mis ce jour-là, pour être plus agile,
Cotillon simple et souliers plats. »
LA FONTAINE, *La Laitière et le pot au lait.*

Le verbe que je cherche se conjugue comme

s'asseoir

INDICATIF

Présent
je *m'***assois/assieds**
tu *t'***assois/assieds**
il, elle *s'***assoit/assied**
nous *nous* **assoyons/asseyons**
vous *vous* **assoyez/asseyez**
ils, elles *s'***assoient/asseyent**

Passé composé
je *me* suis assis(e)
tu *t'*es assis(e)
il, elle *s'*est assis(e)
nous *nous* sommes assis(es)
vous *vous* êtes assis(es)
ils, elles *se* sont assis(es)

Imparfait
je *m'***assoyais/asseyais**
tu *t'***assoyais/asseyais**
il, elle *s'***assoyait/asseyait**
nous *nous* **assoyions/asseyions**
vous *vous* **assoyiez/asseyiez**
ils, elles *s'***assoyaient/asseyaient**

Plus-que-parfait
je *m'*étais assis(e)
tu *t'*étais assis(e)
il, elle *s'*était assis(e)
nous *nous* étions assis(es)
vous *vous* étiez assis(es)
ils, elles *s'*étaient assis(es)

Passé simple
je *m'*ass**is**
tu *t'*ass**is**
il, elle *s'*ass**it**
nous *nous* ass**îmes**
vous *vous* ass**îtes**
ils, elles *s'*ass**irent**

Futur simple
je *m'***assoirai/assiérai**
tu *t'***assoiras/assiéras**
il, elle *s'***assoira/assiéra**
nous *nous* **assoirons/assiérons**
vous *vous* **assoirez/assiérez**
ils, elles *s'***assoiront/assiéront**

Futur antérieur
je *me* serai assis(e)
tu *te* seras assis(e)
il, elle *se* sera assis(e)
nous *nous* serons assis(es)
vous *vous* serez assis(es)
ils, elles *se* seront assis(es)

CONDITIONNEL

Présent
je *m'***assoirais/assiérais**
tu *t'***assoirais/assiérais**
il, elle *s'***assoirait/assiérait**
nous *nous* **assoirions/assiérions**
vous *vous* **assoiriez/assiériez**
ils, elles *s'***assoiraient/assiéraient**

Passé
je *me* serais assis(e)
tu *te* serais assis(e)
il, elle *se* serait assis(e)
nous *nous* serions assis(es)
vous *vous* seriez assis(es)
ils, elles *se* seraient assis(es)

SUBJONCTIF

Présent
il faut que
je *m'***assoie/asseye**
tu *t'***assoies/asseyes**
il, elle *s'***assoie/asseye**
nous *nous* **assoyions/asseyions**
vous *vous* **assoyiez/asseyiez**
ils, elles *s'***assoient/asseyent**

Passé
il faut que
je *me* sois assis(e)
tu *te* sois assis(e)
il, elle *se* soit assis(e)
nous *nous* soyons assis(es)
vous *vous* soyez assis(es)
ils, elles *se* soient assis(es)

IMPÉRATIF

Présent
assois-*toi*/**assieds**-*toi*
assoyons-*nous*/**asseyons**-*nous*
assoyez-*vous*/**asseyez**-*vous*

INFINITIF

Présent
*s'***asseoir**

PARTICIPE

Présent
*s'***assoyant**/*s'***asseyant**

Passé
*s'*étant assis(e) **assis(e)**

CARTE D'IDENTITÉ

➤ C'est un verbe pronominal du **3e groupe**.

➤ Aux **temps composés**, il se conjugue avec l'**auxiliaire être**.

➤ Il peut se conjuguer de deux façons :
*exemple : je m'**assois**/je m'**assieds***
- à l'**indicatif présent**, **imparfait** et **futur simple**, à toutes les personnes ;
- au **conditionnel présent**, à toutes les personnes ;
- au **subjonctif présent**, à toutes les personnes ;
- à l'**impératif présent**, à toutes les personnes ;
- au **participe présent**.

À l'**imparfait de l'indicatif** et au **présent du subjonctif**, le **y** du radical est suivi du **i** de la terminaison aux 2 premières personnes du pluriel.
*Exemple : nous nous **assoyions**/ nous nous **asseyions***

Modèle des verbes se terminant par …battre

Le verbe que je cherche se conjugue comme

battre

INDICATIF

Présent

je	**bats**
tu	**bats**
il, elle	**bat**
nous	**battons**
vous	**battez**
ils, elles	**battent**

Imparfait

je	**battais**
tu	**battais**
il, elle	**battait**
nous	**battions**
vous	**battiez**
ils, elles	**battaient**

Passé simple

je	**battis**
tu	**battis**
il, elle	**battit**
nous	**battîmes**
vous	**battîtes**
ils, elles	**battirent**

Futur simple

je	**battrai**
tu	**battras**
il, elle	**battra**
nous	**battrons**
vous	**battrez**
ils, elles	**battront**

Passé composé

j'	ai	battu
tu	as	battu
il, elle	a	battu
nous	avons	battu
vous	avez	battu
ils, elles	ont	battu

Plus-que-parfait

j'	avais	battu
tu	avais	battu
il, elle	avait	battu
nous	avions	battu
vous	aviez	battu
ils, elles	avaient	battu

Futur antérieur

j'	aurai	battu
tu	auras	battu
il, elle	aura	battu
nous	aurons	battu
vous	aurez	battu
ils, elles	auront	battu

CONDITIONNEL

Présent

je	**battrais**
tu	**battrais**
il, elle	**battrait**
nous	**battrions**
vous	**battriez**
ils, elles	**battraient**

Passé

j'	aurais	battu
tu	aurais	battu
il, elle	aurait	battu
nous	aurions	battu
vous	auriez	battu
ils, elles	auraient	battu

SUBJONCTIF

Présent

il faut que

je	**batte**
tu	**battes**
il, elle	**batte**
nous	**battions**
vous	**battiez**
ils, elles	**battent**

Passé

il faut que

j'	aie	battu
tu	aies	battu
il, elle	ait	battu
nous	ayons	battu
vous	ayez	battu
ils, elles	aient	battu

IMPÉRATIF

Présent

bats
battons
battez

INFINITIF

Présent

battre

PARTICIPE

Présent

battant

Passé

ayant battu **battu(e)**

CARTE D'IDENTITÉ

➤ C'est un verbe du **3e groupe**.

➤ Aux **temps composés**, il se conjugue avec l'**auxiliaire avoir**.

➤ Il a deux radicaux : **batt…/bat…**
On emploie **bat…** :

*exemple : je **bats***

- à l'**indicatif présent**, aux 3 personnes du singulier ;
- à l'**impératif présent**, à la 2e personne du singulier.

« Il faut **battre** le fer quand il est chaud. »
(Proverbe)

boire

INDICATIF

Présent
je	bois
tu	bois
il, elle	boit
nous	buvons
vous	buvez
ils, elles	boivent

Imparfait
je	buvais
tu	buvais
il, elle	buvait
nous	buvions
vous	buviez
ils, elles	buvaient

Passé simple
je	bus
tu	bus
il, elle	but
nous	bûmes
vous	bûtes
ils, elles	burent

Futur simple
je	boirai
tu	boiras
il, elle	boira
nous	boirons
vous	boirez
ils, elles	boiront

Passé composé
j'	ai	bu
tu	as	bu
il, elle	a	bu
nous	avons	bu
vous	avez	bu
ils, elles	ont	bu

Plus-que-parfait
j'	avais	bu
tu	avais	bu
il, elle	avait	bu
nous	avions	bu
vous	aviez	bu
ils, elles	avaient	bu

Futur antérieur
j'	aurai	bu
tu	auras	bu
il, elle	aura	bu
nous	aurons	bu
vous	aurez	bu
ils, elles	auront	bu

CONDITIONNEL

Présent
je	boirais
tu	boirais
il, elle	boirait
nous	boirions
vous	boiriez
ils, elles	boiraient

Passé
j'	aurais	bu
tu	aurais	bu
il, elle	aurait	bu
nous	aurions	bu
vous	auriez	bu
ils, elles	auraient	bu

SUBJONCTIF

Présent
il faut que

je	boive
tu	boives
il, elle	boive
nous	buvions
vous	buviez
ils, elles	boivent

Passé
il faut que

j'	aie	bu
tu	aies	bu
il, elle	ait	bu
nous	ayons	bu
vous	ayez	bu
ils, elles	aient	bu

IMPÉRATIF

Présent
bois
buvons
buvez

INFINITIF

Présent
boire

PARTICIPE

Présent
buvant

Passé
ayant bu
bu(e)

CARTE D'IDENTITÉ

➤ C'est un verbe du **3e groupe**.

➤ Aux **temps composés**, il se conjugue avec l'**auxiliaire avoir**.

➤ Il a plusieurs radicaux.

« L'appétit vient en mangeant…
la soif s'en va en **buvant.** »
RABELAIS.

Le verbe que je cherche se conjugue comme

bouillir

INDICATIF

Présent

je	**bous**
tu	**bous**
il, elle	**bout**
nous	**bouillons**
vous	**bouillez**
ils, elles	**bouillent**

Imparfait

je	**bouillais**
tu	**bouillais**
il, elle	**bouillait**
nous	**bouillions**
vous	**bouilliez**
ils, elles	**bouillaient**

Passé simple

je	**bouillis**
tu	**bouillis**
il, elle	**bouillit**
nous	**bouillîmes**
vous	**bouillîtes**
ils, elles	**bouillirent**

Futur simple

je	**bouillirai**
tu	**bouilliras**
il, elle	**bouillira**
nous	**bouillirons**
vous	**bouillirez**
ils, elles	**bouilliront**

Passé composé

j'	ai	bouilli
tu	as	bouilli
il, elle	a	bouilli
nous	avons	bouilli
vous	avez	bouilli
ils, elles	ont	bouilli

Plus-que-parfait

j'	avais	bouilli
tu	avais	bouilli
il, elle	avait	bouilli
nous	avions	bouilli
vous	aviez	bouilli
ils, elles	avaient	bouilli

Futur antérieur

j'	aurai	bouilli
tu	auras	bouilli
il, elle	aura	bouilli
nous	aurons	bouilli
vous	aurez	bouilli
ils, elles	auront	bouilli

CONDITIONNEL

Présent

je	**bouillirais**
tu	**bouillirais**
il, elle	**bouillirait**
nous	**bouillirions**
vous	**bouilliriez**
ils, elles	**bouilliraient**

Passé

j'	aurais	bouilli
tu	aurais	bouilli
il, elle	aurait	bouilli
nous	aurions	bouilli
vous	auriez	bouilli
ils, elles	auraient	bouilli

SUBJONCTIF

Présent

il faut que

je	**bouille**
tu	**bouilles**
il, elle	**bouille**
nous	**bouillions**
vous	**bouilliez**
ils, elles	**bouillent**

Passé

il faut que

j'	aie	bouilli
tu	aies	bouilli
il, elle	ait	bouilli
nous	ayons	bouilli
vous	ayez	bouilli
ils, elles	aient	bouilli

IMPÉRATIF

Présent

bous
bouillons
bouillez

INFINITIF

Présent

bouillir

PARTICIPE

Présent

bouillant

Passé

ayant bouilli **bouilli(e)**

CARTE D'IDENTITÉ

➤ C'est un verbe du **3e groupe**.

➤ Aux **temps composés**, il se conjugue avec l'**auxiliaire avoir**.

➤ Il a deux radicaux : **bouill…/bou…**
On emploie **bou…** :

exemple : je ***bous***

- à l'**indicatif présent**, aux 3 personnes du singulier ;
- à l'**impératif présent**, à la 2e personne du singulier.

À l'**imparfait de l'indicatif** et au **présent du subjonctif**, les **ll** du radical sont suivis du **i** de la terminaison aux 2 premières personnes du pluriel.
Exemple : nous ***bouillions***

Le verbe que je cherche se conjugue comme

conclure

INDICATIF

Présent

je	con**clus**
tu	con**clus**
il, elle	con**clut**
nous	con**cluons**
vous	con**cluez**
ils, elles	con**cluent**

Imparfait

je	con**cluais**
tu	con**cluais**
il, elle	con**cluait**
nous	con**cluions**
vous	con**cluiez**
ils, elles	con**cluaient**

Passé simple

je	con**clus**
tu	con**clus**
il, elle	con**clut**
nous	con**clûmes**
vous	con**clûtes**
ils, elles	con**clurent**

Futur simple

je	con**clurai**
tu	con**cluras**
il, elle	con**clua**
nous	con**clurons**
vous	con**clurez**
ils, elles	con**cluront**

Passé composé

j'	ai	conclu
tu	as	conclu
il, elle	a	conclu
nous	avons	conclu
vous	avez	conclu
ils, elles	ont	conclu

Plus-que-parfait

j'	avais	conclu
tu	avais	conclu
il, elle	avait	conclu
nous	avions	conclu
vous	aviez	conclu
ils, elles	avaient	conclu

Futur antérieur

j'	aurai	conclu
tu	auras	conclu
il, elle	aura	conclu
nous	aurons	conclu
vous	aurez	conclu
ils, elles	auront	conclu

CONDITIONNEL

Présent

je	con**clurais**
tu	con**clurais**
il, elle	con**clurait**
nous	con**clurions**
vous	con**cluriez**
ils, elles	con**cluraient**

Passé

j'	aurais	conclu
tu	aurais	conclu
il, elle	aurait	conclu
nous	aurions	conclu
vous	auriez	conclu
ils, elles	auraient	conclu

SUBJONCTIF

Présent
il faut que

je	con**clue**
tu	con**clues**
il, elle	con**clue**
nous	con**cluions**
vous	con**cluiez**
ils, elles	con**cluent**

Passé
il faut que

j'	aie	conclu
tu	aies	conclu
il, elle	ait	conclu
nous	ayons	conclu
vous	ayez	conclu
ils, elles	aient	conclu

IMPÉRATIF

Présent
con**clus**
con**cluons**
con**cluez**

INFINITIF

Présent
con**clure**

PARTICIPE

Présent
con**cluant**

Passé
ayant conclu
con**clu(e)**

CARTE D'IDENTITÉ

➤ C'est un verbe du **3e groupe**.

➤ Aux **temps composés**, il se conjugue avec l'**auxiliaire avoir**.

➤ Il présente les **mêmes formes** aux 3 personnes du singulier du **présent** et du **passé simple** de l'**indicatif**.
Pour déterminer le **temps employé**, il faut s'appuyer sur le **sens** de la phrase ou du texte.
*Exemples : Il ne la voit pas arriver et **conclut** qu'elle ne vient pas au rendez-vous.* (présent)
*Le temps menaçait ; le maire **conclut** son discours sous la pluie.* (passé simple)

« Affaire **conclue** ! »

Modèle des verbes se terminant par …uire

Le verbe que je cherche se conjugue comme

conduire

INDICATIF

Présent
je cond**uis**
tu cond**uis**
il, elle cond**uit**
nous cond**uisons**
vous cond**uisez**
ils, elles cond**uisent**

Imparfait
je cond**uisais**
tu cond**uisais**
il, elle cond**uisait**
nous cond**uisions**
vous cond**uisiez**
ils, elles cond**uisaient**

Passé simple
je cond**uisis**
tu cond**uisis**
il, elle cond**uisit**
nous cond**uisîmes**
vous cond**uisîtes**
ils, elles cond**uisirent**

Futur simple
je cond**uirai**
tu cond**uiras**
il, elle cond**uira**
nous cond**uirons**
vous cond**uirez**
ils, elles cond**uiront**

Passé composé
j' ai conduit
tu as conduit
il, elle a conduit
nous avons conduit
vous avez conduit
ils, elles ont conduit

Plus-que-parfait
j' avais conduit
tu avais conduit
il, elle avait conduit
nous avions conduit
vous aviez conduit
ils, elles avaient conduit

Futur antérieur
j' aurai conduit
tu auras conduit
il, elle aura conduit
nous aurons conduit
vous aurez conduit
ils, elles auront conduit

CONDITIONNEL

Présent
je cond**uirais**
tu cond**uirais**
il, elle cond**uirait**
nous cond**uirions**
vous cond**uiriez**
ils, elles cond**uiraient**

Passé
j' aurais conduit
tu aurais conduit
il, elle aurait conduit
nous aurions conduit
vous auriez conduit
ils, elles auraient conduit

SUBJONCTIF

Présent
il faut que
je cond**uise**
tu cond**uises**
il, elle cond**uise**
nous cond**uisions**
vous cond**uisiez**
ils, elles cond**uisent**

Passé
il faut que
j' aie conduit
tu aies conduit
il, elle ait conduit
nous ayons conduit
vous ayez conduit
ils, elles aient conduit

IMPÉRATIF

Présent
cond**uis**
cond**uisons**
cond**uisez**

INFINITIF

Présent
cond**uire**

PARTICIPE

Présent
cond**uisant**

Passé
ayant conduit cond**uit(e)**

CARTE D'IDENTITÉ

➤ C'est un verbe du **3ᵉ groupe**.

➤ Aux **temps composés**, il se conjugue avec l'**auxiliaire avoir**.

➤ Il a deux radicaux : cond**ui…**/cond**uis…**

« Aucun chemin de fleur ne **conduit** à la gloire. »
LA FONTAINE, *Les Deux Aventuriers et le talisman.*

Le verbe que je cherche se conjugue comme

connaître

INDICATIF

Présent
je conn**ais**
tu conn**ais**
il, elle conn**aît**
nous conn**aissons**
vous conn**aissez**
ils, elles conn**aissent**

Imparfait
je conn**aissais**
tu conn**aissais**
il, elle conn**aissait**
nous conn**aissions**
vous conn**aissiez**
ils, elles conn**aissaient**

Passé simple
je conn**us**
tu conn**us**
il, elle conn**ut**
nous conn**ûmes**
vous conn**ûtes**
ils, elles conn**urent**

Futur simple
je conn**aîtrai**
tu conn**aîtras**
il, elle conn**aîtra**
nous conn**aîtrons**
vous conn**aîtrez**
ils, elles conn**aîtront**

Passé composé
j' ai connu
tu as connu
il, elle a connu
nous avons connu
vous avez connu
ils, elles ont connu

Plus-que-parfait
j' avais connu
tu avais connu
il, elle avait connu
nous avions connu
vous aviez connu
ils, elles avaient connu

Futur antérieur
j' aurai connu
tu auras connu
il, elle aura connu
nous aurons connu
vous aurez connu
ils, elles auront connu

CONDITIONNEL

Présent
je conn**aîtrais**
tu conn**aîtrais**
il, elle conn**aîtrait**
nous conn**aîtrions**
vous conn**aîtriez**
ils, elles conn**aîtraient**

Passé
j' aurais connu
tu aurais connu
il, elle aurait connu
nous aurions connu
vous auriez connu
ils, elles auraient connu

SUBJONCTIF

Présent
il faut que
je conn**aisse**
tu conn**aisses**
il, elle conn**aisse**
nous conn**aissions**
vous conn**aissiez**
ils, elles conn**aissent**

Passé
il faut que
j' aie connu
tu aies connu
il, elle ait connu
nous ayons connu
vous ayez connu
ils, elles aient connu

IMPÉRATIF

Présent
conn**ais**
conn**aissons**
conn**aissez**

INFINITIF

Présent
conn**aître**

PARTICIPE

Présent
conn**aissant**

Passé
ayant connu
conn**u(e)**

CARTE D'IDENTITÉ

➤ C'est un verbe du **3e groupe**.

➤ Aux **temps composés**, il se conjugue avec l'**auxiliaire avoir**.

➤ Il a plusieurs radicaux.
On emploie **connaî...** :

*exemple : il conn**aî**t*

- à l'**indicatif présent**, à la 3e personne du singulier et **futur simple**, à toutes les personnes ;
- au **conditionnel présent**, à toutes les personnes.

➤ On emploie **connaiss...** :

*exemple : nous conn**aiss**ons*

- à l'**indicatif présent**, aux 3 personnes du pluriel et **imparfait**, à toutes les personnes ;
- au **subjonctif présent**, à toutes les personnes ;
- à l'**impératif présent**, aux 2 personnes du pluriel ;
- au **participe présent**.

3e groupe

Modèle des verbes se terminant par ...truire

Le verbe que je cherche se conjugue comme

construire

INDICATIF

Présent

je	cons**truis**
tu	cons**truis**
il, elle	cons**truit**
nous	cons**truisons**
vous	cons**truisez**
ils, elles	cons**truisent**

Imparfait

je	cons**truisais**
tu	cons**truisais**
il, elle	cons**truisait**
nous	cons**truisions**
vous	cons**truisiez**
ils, elles	cons**truisaient**

Passé simple

je	cons**truisis**
tu	cons**truisis**
il, elle	cons**truisit**
nous	cons**truisîmes**
vous	cons**truisîtes**
ils, elles	cons**truisirent**

Futur simple

je	cons**truirai**
tu	cons**truiras**
il, elle	cons**truira**
nous	cons**truirons**
vous	cons**truirez**
ils, elles	cons**truiront**

Passé composé

j'	ai	construit
tu	as	construit
il, elle	a	construit
nous	avons	construit
vous	avez	construit
ils, elles	ont	construit

Plus-que-parfait

j'	avais	construit
tu	avais	construit
il, elle	avait	construit
nous	avions	construit
vous	aviez	construit
ils, elles	avaient	construit

Futur antérieur

j'	aurai	construit
tu	auras	construit
il, elle	aura	construit
nous	aurons	construit
vous	aurez	construit
ils, elles	auront	construit

CONDITIONNEL

Présent

je	cons**truirais**
tu	cons**truirais**
il, elle	cons**truirait**
nous	cons**truirions**
vous	cons**truiriez**
ils, elles	cons**truiraient**

Passé

j'	aurais	construit
tu	aurais	construit
il, elle	aurait	construit
nous	aurions	construit
vous	auriez	construit
ils, elles	auraient	construit

SUBJONCTIF

Présent

il faut que

je	cons**truise**
tu	cons**truises**
il, elle	cons**truise**
nous	cons**truisions**
vous	cons**truisiez**
ils, elles	cons**truisent**

Passé

il faut que

j'	aie	construit
tu	aies	construit
il, elle	ait	construit
nous	ayons	construit
vous	ayez	construit
ils, elles	aient	construit

IMPÉRATIF

Présent

cons**truis**
cons**truisons**
cons**truisez**

INFINITIF

Présent

cons**truire**

PARTICIPE

Présent

cons**truisant**

Passé

ayant construit cons**truit(e)**

CARTE D'IDENTITÉ

➤ C'est un verbe du **3e groupe**.

➤ Aux **temps composés**, il se conjugue avec l'**auxiliaire avoir**.

➤ Il a deux radicaux : cons**trui...**/cons**truis...**

Le verbe que je cherche se conjugue comme

contredire

INDICATIF

Présent
je contre**dis**
tu contre**dis**
il, elle contre**dit**
nous contre**disons**
vous contre**disez**
ils, elles contre**disent**

Imparfait
je contre**disais**
tu contre**disais**
il, elle contre**disait**
nous contre**disions**
vous contre**disiez**
ils, elles contre**disaient**

Passé simple
je contre**dis**
tu contre**dis**
il, elle contre**dit**
nous contre**dîmes**
vous contre**dîtes**
ils, elles contre**dirent**

Futur simple
je contre**dirai**
tu contre**diras**
il, elle contre**dira**
nous contre**dirons**
vous contre**direz**
ils, elles contre**diront**

Passé composé
j' ai contredit
tu as contredit
il, elle a contredit
nous avons contredit
vous avez contredit
ils, elles ont contredit

Plus-que-parfait
j' avais contredit
tu avais contredit
il, elle avait contredit
nous avions contredit
vous aviez contredit
ils, elles avaient contredit

Futur antérieur
j' aurai contredit
tu auras contredit
il, elle aura contredit
nous aurons contredit
vous aurez contredit
ils, elles auront contredit

CONDITIONNEL

Présent
je contre**dirais**
tu contre**dirais**
il, elle contre**dirait**
nous contre**dirions**
vous contre**diriez**
ils, elles contre**diraient**

Passé
j' aurais contredit
tu aurais contredit
il, elle aurait contredit
nous aurions contredit
vous auriez contredit
ils, elles auraient contredit

SUBJONCTIF

Présent
il faut que
je contre**dise**
tu contre**dises**
il, elle contre**dise**
nous contre**disions**
vous contre**disiez**
ils, elles contre**disent**

Passé
il faut que
j' aie contredit
tu aies contredit
il, elle ait contredit
nous ayons contredit
vous ayez contredit
ils, elles aient contredit

IMPÉRATIF

Présent
contre**dis**
contre**disons**
contre**disez**

INFINITIF

Présent
contre**dire**

PARTICIPE

Présent
contre**disant**

Passé
ayant contredit contre**dit(e)**

CARTE D'IDENTITÉ

➤ C'est un verbe du **3e groupe**.

➤ Aux **temps composés**, il se conjugue avec l'**auxiliaire avoir**.

➤ Il a plusieurs radicaux.

➤ Il présente les **mêmes formes** aux 3 personnes du singulier du **présent** et du **passé simple** de l'**indicatif**. Pour déterminer le **temps employé**, il faut s'appuyer sur le **sens** de la phrase ou du texte.

*Exemples : Tu me contre**dis** tout le temps !* (présent)
*Tu contre**dis** ton camarade à la fin de son exposé.* (passé simple)

Modèle des verbes se terminant par …coudre

Le verbe que je cherche se conjugue comme

coudre

INDICATIF

Présent

je	**couds**
tu	**couds**
il, elle	**coud**
nous	**cousons**
vous	**cousez**
ils, elles	**cousent**

Imparfait

je	**cousais**
tu	**cousais**
il, elle	**cousait**
nous	**cousions**
vous	**cousiez**
ils, elles	**cousaient**

Passé simple

je	**cousis**
tu	**cousis**
il, elle	**cousit**
nous	**cousîmes**
vous	**cousîtes**
ils, elles	**cousirent**

Futur simple

je	**coudrai**
tu	**coudras**
il, elle	**coudra**
nous	**coudrons**
vous	**coudrez**
ils, elles	**coudront**

Passé composé

j'	ai	cousu
tu	as	cousu
il, elle	a	cousu
nous	avons	cousu
vous	avez	cousu
ils, elles	ont	cousu

Plus-que-parfait

j'	avais	cousu
tu	avais	cousu
il, elle	avait	cousu
nous	avions	cousu
vous	aviez	cousu
ils, elles	avaient	cousu

Futur antérieur

j'	aurai	cousu
tu	auras	cousu
il, elle	aura	cousu
nous	aurons	cousu
vous	aurez	cousu
ils, elles	auront	cousu

CONDITIONNEL

Présent

je	**coudrais**
tu	**coudrais**
il, elle	**coudrait**
nous	**coudrions**
vous	**coudriez**
ils, elles	**coudraient**

Passé

j'	aurais	cousu
tu	aurais	cousu
il, elle	aurait	cousu
nous	aurions	cousu
vous	auriez	cousu
ils, elles	auraient	cousu

SUBJONCTIF

Présent

il faut que

je	**couse**
tu	**couses**
il, elle	**couse**
nous	**cousions**
vous	**cousiez**
ils, elles	**cousent**

Passé

il faut que

j'	aie	cousu
tu	aies	cousu
il, elle	ait	cousu
nous	ayons	cousu
vous	ayez	cousu
ils, elles	aient	cousu

IMPÉRATIF

Présent

couds
cousons
cousez

INFINITIF

Présent

coudre

PARTICIPE

Présent

cousant

Passé

ayant cousu **cousu(e)**

CARTE D'IDENTITÉ

➤ C'est un verbe du **3e groupe**.

➤ Aux **temps composés**, il se conjugue avec l'**auxiliaire avoir**.

➤ Il a deux radicaux : **coud…/cous…**
On emploie **coud…** :

exemple : je ***couds***

- à l'**indicatif présent**, aux 3 personnes du singulier et **futur simple**, à toutes les personnes ;
- au **conditionnel présent**, à toutes les personnes ;
- à l'**impératif présent**, à la 2e personne du singulier.

➤ À la **3e personne du singulier** de l'**indicatif présent**, ce verbe ne prend pas le **t** de la terminaison après le **d** du radical : il **coud**.

Le verbe que je cherche se conjugue comme

courir

INDICATIF

Présent
je **cours**
tu **cours**
il, elle **court**
nous **courons**
vous **courez**
ils, elles **courent**

Imparfait
je **courais**
tu **courais**
il, elle **courait**
nous **courions**
vous **couriez**
ils, elles **couraient**

Passé simple
je **courus**
tu **courus**
il, elle **courut**
nous **courûmes**
vous **courûtes**
ils, elles **coururent**

Futur simple
je **courrai**
tu **courras**
il, elle **courra**
nous **courrons**
vous **courrez**
ils, elles **courront**

Passé composé
j' ai couru
tu as couru
il, elle a couru
nous avons couru
vous avez couru
ils, elles ont couru

Plus-que-parfait
j' avais couru
tu avais couru
il, elle avait couru
nous avions couru
vous aviez couru
ils, elles avaient couru

Futur antérieur
j' aurai couru
tu auras couru
il, elle aura couru
nous aurons couru
vous aurez couru
ils, elles auront couru

CONDITIONNEL

Présent
je **courrais**
tu **courrais**
il, elle **courrait**
nous **courrions**
vous **courriez**
ils, elles **courraient**

Passé
j' aurais couru
tu aurais couru
il, elle aurait couru
nous aurions couru
vous auriez couru
ils, elles auraient couru

SUBJONCTIF

Présent
il faut que
je **coure**
tu **coures**
il, elle **coure**
nous **courions**
vous **couriez**
ils, elles **courent**

Passé
il faut que
j' aie couru
tu aies couru
il, elle ait couru
nous ayons couru
vous ayez couru
ils, elles aient couru

IMPÉRATIF

Présent
cours
courons
courez

INFINITIF

Présent
courir

PARTICIPE

Présent
courant

Passé
ayant couru **couru(e)**

CARTE D'IDENTITÉ

➤ C'est un verbe du **3e groupe**.

➤ Aux **temps composés**, il se conjugue avec l'**auxiliaire avoir**.

Le **futur simple de l'indicatif** et le **présent du conditionnel** se forment sans le premier **i** de la terminaison.
Exemple : je ***courrai***

« Rien ne sert de **courir**, il faut partir à point. »
LA FONTAINE, *Le Lièvre et la tortue.*

Le verbe que je cherche se conjugue comme

craindre

INDICATIF

Présent
je	cr**ains**
tu	cr**ains**
il, elle	cr**aint**
nous	cr**aignons**
vous	cr**aignez**
ils, elles	cr**aignent**

Imparfait
je	cr**aignais**
tu	cr**aignais**
il, elle	cr**aignait**
nous	cr**aignions**
vous	cr**aigniez**
ils, elles	cr**aignaient**

Passé simple
je	cr**aignis**
tu	cr**aignis**
il, elle	cr**aignit**
nous	cr**aignîmes**
vous	cr**aignîtes**
ils, elles	cr**aignirent**

Futur simple
je	cr**aindrai**
tu	cr**aindras**
il, elle	cr**aindra**
nous	cr**aindrons**
vous	cr**aindrez**
ils, elles	cr**aindront**

Passé composé
j'	ai	craint
tu	as	craint
il, elle	a	craint
nous	avons	craint
vous	avez	craint
ils, elles	ont	craint

Plus-que-parfait
j'	avais	craint
tu	avais	craint
il, elle	avait	craint
nous	avions	craint
vous	aviez	craint
ils, elles	avaient	craint

Futur antérieur
j'	aurai	craint
tu	auras	craint
il, elle	aura	craint
nous	aurons	craint
vous	aurez	craint
ils, elles	auront	craint

CONDITIONNEL

Présent
je	cr**aindrais**
tu	cr**aindrais**
il, elle	cr**aindrait**
nous	cr**aindrions**
vous	cr**aindriez**
ils, elles	cr**aindraient**

Passé
j'	aurais	craint
tu	aurais	craint
il, elle	aurait	craint
nous	aurions	craint
vous	auriez	craint
ils, elles	auraient	craint

SUBJONCTIF

Présent
il faut que
je	cr**aigne**
tu	cr**aignes**
il, elle	cr**aigne**
nous	cr**aignions**
vous	cr**aigniez**
ils, elles	cr**aignent**

Passé
il faut que
j'	aie	craint
tu	aies	craint
il, elle	ait	craint
nous	ayons	craint
vous	ayez	craint
ils, elles	aient	craint

IMPÉRATIF

Présent
cr**ains**
cr**aignons**
cr**aignez**

INFINITIF

Présent
cr**aindre**

PARTICIPE

Présent
cr**aignant**

Passé
ayant craint cr**aint(e)**

CARTE D'IDENTITÉ

➤ C'est un verbe du **3e groupe**.

➤ Aux **temps composés**, il se conjugue avec l'**auxiliaire avoir**.

➤ Il a plusieurs radicaux.

➤ On emploie **crain…** :
*exemple : je cr**ain**s*
- à l'**indicatif présent**, aux 3 personnes du singulier ;
- à l'**impératif présent**, à la 2e personne du singulier.

➤ On emploie **craign…** :
*exemple : nous cr**aign**ons*
- à l'**indicatif présent**, aux 3 personnes du pluriel, **imparfait** et **passé simple** ;
- au **subjonctif présent** ;
- à l'**impératif présent**, aux 2 personnes du pluriel ;
- au **participe présent**.

> À l'**imparfait de l'indicatif** et au **présent du subjonctif**, **gn** est suivi de **i** aux 2 premières personnes du pluriel.
> *Exemple : nous cr**aignions***

croire

INDICATIF

Présent
je	crois
tu	crois
il, elle	croit
nous	croyons
vous	croyez
ils, elles	croient

Imparfait
je	croyais
tu	croyais
il, elle	croyait
nous	croyions
vous	croyiez
ils, elles	croyaient

Passé simple
je	crus
tu	crus
il, elle	crut
nous	crûmes
vous	crûtes
ils, elles	crurent

Futur simple
je	croirai
tu	croiras
il, elle	croira
nous	croirons
vous	croirez
ils, elles	croiront

Passé composé
j'	ai	cru
tu	as	cru
il, elle	a	cru
nous	avons	cru
vous	avez	cru
ils, elles	ont	cru

Plus-que-parfait
j'	avais	cru
tu	avais	cru
il, elle	avait	cru
nous	avions	cru
vous	aviez	cru
ils, elles	avaient	cru

Futur antérieur
j'	aurai	cru
tu	auras	cru
il, elle	aura	cru
nous	aurons	cru
vous	aurez	cru
ils, elles	auront	cru

CONDITIONNEL

Présent
je	croirais
tu	croirais
il, elle	croirait
nous	croirions
vous	croiriez
ils, elles	croiraient

Passé
j'	aurais	cru
tu	aurais	cru
il, elle	aurait	cru
nous	aurions	cru
vous	auriez	cru
ils, elles	auraient	cru

SUBJONCTIF

Présent
il faut que

je	croie
tu	croies
il, elle	croie
nous	croyions
vous	croyiez
ils, elles	croient

Passé
il faut que

j'	aie	cru
tu	aies	cru
il, elle	ait	cru
nous	ayons	cru
vous	ayez	cru
ils, elles	aient	cru

IMPÉRATIF

Présent
crois
croyons
croyez

INFINITIF

Présent
croire

PARTICIPE

Présent
croyant

Passé
ayant cru cru(e)

CARTE D'IDENTITÉ

➤ C'est un verbe du **3e groupe**.

➤ Aux **temps composés**, il se conjugue avec l'**auxiliaire avoir**.

➤ Il a plusieurs radicaux.
On emploie croy... :

exemple : nous croyons

- à l'**indicatif présent**, aux 2 premières personnes du pluriel et **imparfait** à toutes les personnes ;
- au **subjonctif présent**, aux 2 premières personnes du pluriel ;
- à l'**impératif présent**, aux 2 personnes du pluriel ;
- au **participe présent**.

À l'**imparfait de l'indicatif** et au **présent du subjonctif**, le **y** du radical est suivi du **i** de la terminaison aux 2 premières personnes du pluriel.
Exemple : nous croyions

croître

INDICATIF

Présent		Imparfait		Passé simple		Futur simple	
je	croîs	*je*	croissais	*je*	crûs	*je*	croîtrai
tu	croîs	*tu*	croissais	*tu*	crûs	*tu*	croîtras
il, elle	croît	*il, elle*	croissait	*il, elle*	crût	*il, elle*	croîtra
nous	croissons	*nous*	croissions	*nous*	crûmes	*nous*	croîtrons
vous	croissez	*vous*	croissiez	*vous*	crûtes	*vous*	croîtrez
ils, elles	croissent	*ils, elles*	croissaient	*ils, elles*	crûrent	*ils, elles*	croîtront

Passé composé			Plus-que-parfait			Futur antérieur		
j'	ai	crû	*j'*	avais	crû	*j'*	aurai	crû
tu	as	crû	*tu*	avais	crû	*tu*	auras	crû
il, elle	a	crû	*il, elle*	avait	crû	*il, elle*	aura	crû
nous	avons	crû	*nous*	avions	crû	*nous*	aurons	crû
vous	avez	crû	*vous*	aviez	crû	*vous*	aurez	crû
ils, elles	ont	crû	*ils, elles*	avaient	crû	*ils, elles*	auront	crû

CONDITIONNEL

Présent		Passé		
je	croîtrais	*j'*	aurais	crû
tu	croîtrais	*tu*	aurais	crû
il, elle	croîtrait	*il, elle*	aurait	crû
nous	croîtrions	*nous*	aurions	crû
vous	croîtriez	*vous*	auriez	crû
ils, elles	croîtraient	*ils, elles*	auraient	crû

SUBJONCTIF

Présent		Passé		
il faut que		*il faut que*		
je	croisse	*j'*	aie	crû
tu	croisses	*tu*	aies	crû
il, elle	croisse	*il, elle*	ait	crû
nous	croissions	*nous*	ayons	crû
vous	croissiez	*vous*	ayez	crû
ils, elles	croissent	*ils, elles*	aient	crû

IMPÉRATIF

Présent

croîs
croissons
croissez

INFINITIF

Présent

croître

PARTICIPE

Présent

croissant

Passé

ayant crû crû

CARTE D'IDENTITÉ

➤ C'est un verbe du **3e groupe**.

➤ Aux **temps composés**, il se conjugue avec l'**auxiliaire avoir**.

➤ Il a plusieurs radicaux.
On emploie croî... :

exemple : je croîs

- à l'**indicatif présent**, aux 3 personnes du singulier et **futur simple**, à toutes les personnes ;
- au **conditionnel présent**, à toutes les personnes ;
- à l'**impératif présent**, à la 2e personne du singulier.

➤ **u** prend un **accent circonflexe** :

exemple : je crûs

- à l'**indicatif passé simple**, à toutes les personnes ;
- au **participe passé**.

Le verbe que je cherche se conjugue comme

cueillir

INDICATIF

Présent		Imparfait		Passé simple		Futur simple	
je	**cueille**	*je*	**cueillais**	*je*	**cueillis**	*je*	**cueillerai**
tu	**cueilles**	*tu*	**cueillais**	*tu*	**cueillis**	*tu*	**cueilleras**
il, elle	**cueille**	*il, elle*	**cueillait**	*il, elle*	**cueillit**	*il, elle*	**cueillera**
nous	**cueillons**	*nous*	**cueillions**	*nous*	**cueillîmes**	*nous*	**cueillerons**
vous	**cueillez**	*vous*	**cueilliez**	*vous*	**cueillîtes**	*vous*	**cueillerez**
ils, elles	**cueillent**	*ils, elles*	**cueillaient**	*ils, elles*	**cueillirent**	*ils, elles*	**cueilleront**

Passé composé			Plus-que-parfait			Futur antérieur		
j'	ai	cueilli	*j'*	avais	cueilli	*j'*	aurai	cueilli
tu	as	cueilli	*tu*	avais	cueilli	*tu*	auras	cueilli
il, elle	a	cueilli	*il, elle*	avait	cueilli	*il, elle*	aura	cueilli
nous	avons	cueilli	*nous*	avions	cueilli	*nous*	aurons	cueilli
vous	avez	cueilli	*vous*	aviez	cueilli	*vous*	aurez	cueilli
ils, elles	ont	cueilli	*ils, elles*	avaient	cueilli	*ils, elles*	auront	cueilli

CONDITIONNEL

Présent		Passé		
je	**cueillerais**	*j'*	aurais	cueilli
tu	**cueillerais**	*tu*	aurais	cueilli
il, elle	**cueillerait**	*il, elle*	aurait	cueilli
nous	**cueillerions**	*nous*	aurions	cueilli
vous	**cueilleriez**	*vous*	auriez	cueilli
ils, elles	**cueilleraient**	*ils, elles*	auraient	cueilli

SUBJONCTIF

Présent		Passé		
il faut que		*il faut que*		
je	**cueille**	*j'*	aie	cueilli
tu	**cueilles**	*tu*	aies	cueilli
il, elle	**cueille**	*il, elle*	ait	cueilli
nous	**cueillions**	*nous*	ayons	cueilli
vous	**cueilliez**	*vous*	ayez	cueilli
ils, elles	**cueillent**	*ils, elles*	aient	cueilli

IMPÉRATIF

Présent

cueille
cueillons
cueillez

INFINITIF

Présent

cueillir

PARTICIPE

Présent

cueillant

Passé

ayant cueilli **cueilli(e)**

CARTE D'IDENTITÉ

➤ C'est un verbe du **3e groupe**.

➤ Aux **temps composés**, il se conjugue avec l'**auxiliaire avoir**.

➤ Il se conjugue **comme un verbe du 1er groupe** :

*exemple : je **cueille***

• à l'**indicatif présent**, à toutes les personnes et **futur simple**, à toutes les personnes ;

• à l'**impératif présent**, à toutes les personnes.

À l'**imparfait de l'indicatif** et au **présent du subjonctif**, les **ll** du radical sont suivis du **i** de la terminaison aux 2 premières personnes du pluriel.
*Exemple : nous **cueillions***

« Vivez si m'en croyez, n'attendez à demain,
Cueillez dès aujourd'hui les roses de la vie. »

RONSARD, *Sonnets pour Hélène.*

devoir

INDICATIF

Présent

je	dois
tu	dois
il, elle	doit
nous	devons
vous	devez
ils, elles	doivent

Imparfait

je	devais
tu	devais
il, elle	devait
nous	devions
vous	deviez
ils, elles	devaient

Passé simple

je	dus
tu	dus
il, elle	dut
nous	dûmes
vous	dûtes
ils, elles	durent

Futur simple

je	devrai
tu	devras
il, elle	devra
nous	devrons
vous	devrez
ils, elles	devront

Passé composé

j'	ai	dû
tu	as	dû
il, elle	a	dû
nous	avons	dû
vous	avez	dû
ils, elles	ont	dû

Plus-que-parfait

j'	avais	dû
tu	avais	dû
il, elle	avait	dû
nous	avions	dû
vous	aviez	dû
ils, elles	avaient	dû

Futur antérieur

j'	aurai	dû
tu	auras	dû
il, elle	aura	dû
nous	aurons	dû
vous	aurez	dû
ils, elles	auront	dû

CONDITIONNEL

Présent

je	devrais
tu	devrais
il, elle	devrait
nous	devrions
vous	devriez
ils, elles	devraient

Passé

j'	aurais	dû
tu	aurais	dû
il, elle	aurait	dû
nous	aurions	dû
vous	auriez	dû
ils, elles	auraient	dû

SUBJONCTIF

Présent

il faut que

je	doive
tu	doives
il, elle	doive
nous	devions
vous	deviez
ils, elles	doivent

Passé

il faut que

j'	aie	dû
tu	aies	dû
il, elle	ait	dû
nous	ayons	dû
vous	ayez	dû
ils, elles	aient	dû

IMPÉRATIF

Présent

dois
devons
devez

INFINITIF

Présent

devoir

PARTICIPE

Présent

devant

Passé

ayant dû

dû, due

CARTE D'IDENTITÉ

➤ C'est un verbe du **3e groupe**.

➤ Aux **temps composés**, il se conjugue avec l'**auxiliaire avoir**.

➤ Il a plusieurs radicaux.

➤ Au féminin, le **participe passé** perd son accent circonflexe : dû, due.

« Chose promise, chose **due**. »
(Proverbe)

Le verbe que je cherche se conjugue comme

dire

INDICATIF

Présent		Imparfait		Passé simple		Futur simple	
je	**dis**	*je*	**disais**	*je*	**dis**	*je*	**dirai**
tu	**dis**	*tu*	**disais**	*tu*	**dis**	*tu*	**diras**
il, elle	**dit**	*il, elle*	**disait**	*il, elle*	**dit**	*il, elle*	**dira**
nous	**disons**	*nous*	**disions**	*nous*	**dîmes**	*nous*	**dirons**
vous	**dites**	*vous*	**disiez**	*vous*	**dîtes**	*vous*	**direz**
ils, elles	**disent**	*ils, elles*	**disaient**	*ils, elles*	**dirent**	*ils, elles*	**diront**

Passé composé			Plus-que-parfait			Futur antérieur		
j'	ai	dit	*j'*	avais	dit	*j'*	aurai	dit
tu	as	dit	*tu*	avais	dit	*tu*	auras	dit
il, elle	a	dit	*il, elle*	avait	dit	*il, elle*	aura	dit
nous	avons	dit	*nous*	avions	dit	*nous*	aurons	dit
vous	avez	dit	*vous*	aviez	dit	*vous*	aurez	dit
ils, elles	ont	dit	*ils, elles*	avaient	dit	*ils, elles*	auront	dit

CONDITIONNEL

Présent		Passé		
je	**dirais**	*j'*	aurais	dit
tu	**dirais**	*tu*	aurais	dit
il, elle	**dirait**	*il, elle*	aurait	dit
nous	**dirions**	*nous*	aurions	dit
vous	**diriez**	*vous*	auriez	dit
ils, elles	**diraient**	*ils, elles*	auraient	dit

SUBJONCTIF

Présent		Passé		
il faut que		*il faut que*		
je	**dise**	*j'*	aie	dit
tu	**dises**	*tu*	aies	dit
il, elle	**dise**	*il, elle*	ait	dit
nous	**disions**	*nous*	ayons	dit
vous	**disiez**	*vous*	ayez	dit
ils, elles	**disent**	*ils, elles*	aient	dit

IMPÉRATIF

Présent
dis
disons
dites

INFINITIF

Présent
dire

PARTICIPE

Présent
disant

Passé
ayant dit **dit(e)**

CARTE D'IDENTITÉ

➤ C'est un verbe du **3e groupe**.

➤ Aux **temps composés**, il se conjugue avec l'**auxiliaire avoir**.

➤ Il a plusieurs radicaux.

➤ On emploie la forme **dites** :
- à l'**indicatif présent**, à la 2e personne du pluriel : vous **dites** ;
- à l'**impératif présent**, à la 2e personne du pluriel : **dites**.

➤ Il présente les mêmes formes aux 3 personnes du singulier du **présent** et du **passé simple** de l'**indicatif**. Pour déterminer le **temps employé**, il faut s'appuyer sur le **sens**.

*Exemples : Je **dis** toujours la vérité.* (présent)
*Après son départ, je **dis** : « Ouf ! Bon débarras ! »* (passé simple)

« Elle, qui n'était pas grosse en tout comme un œuf,
Envieuse, s'étend, et s'enfle, et se travaille
Pour égaler l'animal en grosseur ;
Disant : « Regardez bien, ma sœur ;
Est-ce assez ? **dites**-moi ; n'y suis-je point encore ? »

LA FONTAINE, *La Grenouille qui se veut faire aussi grosse que le bœuf.*

dissoudre

INDICATIF

Présent		Imparfait		Passé simple		Futur simple	
je	dissous	*je*	dissolvais	*je*	dissolus	*je*	dissoudrai
tu	dissous	*tu*	dissolvais	*tu*	dissolus	*tu*	dissoudras
il, elle	dissout	*il, elle*	dissolvait	*il, elle*	dissolut	*il, elle*	dissoudra
nous	dissolvons	*nous*	dissolvions	*nous*	dissolûmes	*nous*	dissoudrons
vous	dissolvez	*vous*	dissolviez	*vous*	dissolûtes	*vous*	dissoudrez
ils, elles	dissolvent	*ils, elles*	dissolvaient	*ils, elles*	dissolurent	*ils, elles*	dissoudront

Passé composé			Plus-que-parfait			Futur antérieur		
j'	ai	dissous	*j'*	avais	dissous	*j'*	aurai	dissous
tu	as	dissous	*tu*	avais	dissous	*tu*	auras	dissous
il, elle	a	dissous	*il, elle*	avait	dissous	*il, elle*	aura	dissous
nous	avons	dissous	*nous*	avions	dissous	*nous*	aurons	dissous
vous	avez	dissous	*vous*	aviez	dissous	*vous*	aurez	dissous
ils, elles	ont	dissous	*ils, elles*	avaient	dissous	*ils, elles*	auront	dissous

CONDITIONNEL

Présent		Passé		
je	dissoudrais	*j'*	aurais	dissous
tu	dissoudrais	*tu*	aurais	dissous
il, elle	dissoudrait	*il, elle*	aurait	dissous
nous	dissoudrions	*nous*	aurions	dissous
vous	dissoudriez	*vous*	auriez	dissous
ils, elles	dissoudraient	*ils, elles*	auraient	dissous

SUBJONCTIF

Présent		Passé		
il faut que		*il faut que*		
je	dissolve	*j'*	aie	dissous
tu	dissolves	*tu*	aies	dissous
il, elle	dissolve	*il, elle*	ait	dissous
nous	dissolvions	*nous*	ayons	dissous
vous	dissolviez	*vous*	ayez	dissous
ils, elles	dissolvent	*ils, elles*	aient	dissous

IMPÉRATIF

Présent
dissous
dissolvons
dissolvez

INFINITIF

Présent
dissoudre

PARTICIPE

Présent
dissolvant

Passé
ayant dissous
dissous
dissoute

CARTE D'IDENTITÉ

➤ C'est un verbe du **3e groupe**.

➤ Aux **temps composés**, il se conjugue avec l'**auxiliaire avoir**.

➤ Il a plusieurs radicaux.

➤ On emploie dissou… :
exemple : je dissous
- à l'**indicatif présent**, aux 3 personnes du singulier ;
- à l'**impératif présent**, à la 2e personne du singulier.

➤ On emploie dissol… :
exemple : je dissolus
- à l'**indicatif passé simple** ;

➤ On emploie dissolv… :
exemple : nous dissolvons
- à l'**indicatif présent**, aux 3 personnes du pluriel et **imparfait** ;
- au **subjonctif présent** ;
- à l'**impératif présent**, aux 2 personnes du pluriel.
- au **participe présent**.

➤ Au féminin, le **participe passé** dissous devient dissoute.

Le verbe que je cherche se conjugue comme

dormir

INDICATIF

Présent		Imparfait		Passé simple		Futur simple	
je	**dors**	*je*	**dormais**	*je*	**dormis**	*je*	**dormirai**
tu	**dors**	*tu*	**dormais**	*tu*	**dormis**	*tu*	**dormiras**
il, elle	**dort**	*il, elle*	**dormait**	*il, elle*	**dormit**	*il, elle*	**dormira**
nous	**dormons**	*nous*	**dormions**	*nous*	**dormîmes**	*nous*	**dormiront**
vous	**dormez**	*vous*	**dormiez**	*vous*	**dormîtes**	*vous*	**dormirez**
ils, elles	**dorment**	*ils, elles*	**dormaient**	*ils, elles*	**dormirent**	*ils, elles*	**dormiront**

Passé composé			Plus-que-parfait			Futur antérieur		
j'	ai	dormi	*j'*	avais	dormi	*j'*	aurai	dormi
tu	as	dormi	*tu*	avais	dormi	*tu*	auras	dormi
il, elle	a	dormi	*il, elle*	avait	dormi	*il, elle*	aura	dormi
nous	avons	dormi	*nous*	avions	dormi	*nous*	aurons	dormi
vous	avez	dormi	*vous*	aviez	dormi	*vous*	aurez	dormi
ils, elles	ont	dormi	*ils, elles*	avaient	dormi	*ils, elles*	auront	dormi

CONDITIONNEL

Présent		Passé		
je	**dormirais**	*j'*	aurais	dormi
tu	**dormirais**	*tu*	aurais	dormi
il, elle	**dormirait**	*il, elle*	aurait	dormi
nous	**dormirions**	*nous*	aurions	dormi
vous	**dormiriez**	*vous*	auriez	dormi
ils, elles	**dormiraient**	*ils, elles*	auraient	dormi

SUBJONCTIF

Présent		Passé		
il faut que		*il faut que*		
je	**dorme**	*j'*	aie	dormi
tu	**dormes**	*tu*	aies	dormi
il, elle	**dorme**	*il, elle*	ait	dormi
nous	**dormions**	*nous*	ayons	dormi
vous	**dormiez**	*vous*	ayez	dormi
ils, elles	**dorment**	*ils, elles*	aient	dormi

IMPÉRATIF

Présent
dors
dormons
dormez

INFINITIF

Présent
dormir

PARTICIPE

Présent
dormant

Passé
ayant dormi **dormi**

CARTE D'IDENTITÉ

➤ C'est un verbe du **3e groupe**.

➤ Aux **temps composés**, il se conjugue avec l'**auxiliaire avoir**.

➤ Il a deux radicaux : **dorm.../dor...**
On emploie **dor...** :
exemple : je ***dors***

- à l'**indicatif présent**, aux 3 personnes du singulier ;
- à l'**impératif présent**, à la 1re personne du singulier.

« Ne réveillez pas le chat qui **dort**. »
(Proverbe)

3e groupe

Modèle des verbes se terminant par …crire

Le verbe que je cherche se conjugue comme

écrire

INDICATIF

Présent		Imparfait		Passé simple		Futur simple	
j'	é**cris**	*j'*	é**crivais**	*j'*	é**crivis**	*j'*	é**crirai**
tu	é**cris**	*tu*	é**crivais**	*tu*	é**crivis**	*tu*	é**criras**
il, elle	é**crit**	*il, elle*	é**crivait**	*il, elle*	é**crivit**	*il, elle*	é**crira**
nous	é**crivons**	*nous*	é**crivions**	*nous*	é**crivîmes**	*nous*	é**crirons**
vous	é**crivez**	*vous*	é**criviez**	*vous*	é**crivîtes**	*vous*	é**crirez**
ils, elles	é**crivent**	*ils, elles*	é**crivaient**	*ils, elles*	é**crivirent**	*ils, elles*	é**criront**

Passé composé			Plus-que-parfait			Futur antérieur		
j'	ai	écrit	*j'*	avais	écrit	*j'*	aurai	écrit
tu	as	écrit	*tu*	avais	écrit	*tu*	auras	écrit
il, elle	a	écrit	*il, elle*	avait	écrit	*il, elle*	aura	écrit
nous	avons	écrit	*nous*	avions	écrit	*nous*	aurons	écrit
vous	avez	écrit	*vous*	aviez	écrit	*vous*	aurez	écrit
ils, elles	ont	écrit	*ils, elles*	avaient	écrit	*ils, elles*	auront	écrit

CONDITIONNEL

Présent		Passé		
j'	é**crirais**	*j'*	aurais	écrit
tu	é**crirais**	*tu*	aurais	écrit
il, elle	é**crirait**	*il, elle*	aurait	écrit
nous	é**cririons**	*nous*	aurions	écrit
vous	é**cririez**	*vous*	auriez	écrit
ils, elles	é**criraient**	*ils, elles*	auraient	écrit

SUBJONCTIF

Présent		Passé		
il faut que		*il faut que*		
j'	é**crive**	*j'*	aie	écrit
tu	é**crives**	*tu*	aies	écrit
il, elle	é**crive**	*il, elle*	ait	écrit
nous	é**crivions**	*nous*	ayons	écrit
vous	é**criviez**	*vous*	ayez	écrit
ils, elles	é**crivent**	*ils, elles*	aient	écrit

IMPÉRATIF

Présent
é**cris**
é**crivons**
é**crivez**

INFINITIF

Présent
é**crire**

PARTICIPE

Présent
é**crivant**

Passé
ayant écrit — é**crit(e)**

CARTE D'IDENTITÉ

➤ C'est un verbe du **3e groupe**.

➤ Aux **temps composés**, il se conjugue avec l'**auxiliaire avoir**.

➤ Il a deux radicaux : é**cri…**/é**criv…**
On emploie é**cri…** :

*exemple : j'é**cris***

• à l'**indicatif présent**, aux 3 personnes du singulier et **futur simple**, à toutes les personnes ;

• au **conditionnel présent**, à toutes les personnes ;

• à l'**impératif présent**, à la 2e personne du singulier.

« Sur mes cahiers d'écolier
Sur mon pupitre et les arbres
Sur le sable sur la neige
J'**écris** ton nom (…)
Et par le pouvoir d'un mot
Je recommence ma vie
Je suis né pour te connaître
Pour te nommer
Liberté. »

P. Éluard, *Poésie et vérité.*

Le verbe que je cherche se conjugue comme

faire

INDICATIF

Présent
je **fais**
tu **fais**
il, elle **fait**
nous **faisons**
vous **faites**
ils, elles **font**

Imparfait
je **faisais**
tu **faisais**
il, elle **faisait**
nous **faisions**
vous **faisiez**
ils, elles **faisaient**

Passé simple
je **fis**
tu **fis**
il, elle **fit**
nous **fîmes**
vous **fîtes**
ils, elles **firent**

Futur simple
je **ferai**
tu **feras**
il, elle **fera**
nous **ferons**
vous **ferez**
ils, elles **feront**

Passé composé
j' ai fait
tu as fait
il, elle a fait
nous avons fait
vous avez fait
ils, elles ont fait

Plus-que-parfait
j' avais fait
tu avais fait
il, elle avait fait
nous avions fait
vous aviez fait
ils, elles avaient fait

Futur antérieur
j' aurai fait
tu auras fait
il, elle aura fait
nous aurons fait
vous aurez fait
ils, elles auront fait

CONDITIONNEL

Présent
je **ferais**
tu **ferais**
il, elle **ferait**
nous **ferions**
vous **feriez**
ils, elles **feraient**

Passé
j' aurais fait
tu aurais fait
il, elle aurait fait
nous aurions fait
vous auriez fait
ils, elles auraient fait

SUBJONCTIF

Présent
il faut que
je **fasse**
tu **fasses**
il, elle **fasse**
nous **fassions**
vous **fassiez**
ils, elles **fassent**

Passé
il faut que
j' aie fait
tu aies fait
il, elle ait fait
nous ayons fait
vous ayez fait
ils, elles aient fait

IMPÉRATIF

Présent
fais
faisons
faites

INFINITIF

Présent
faire

PARTICIPE

Présent
faisant

Passé
ayant fait **fait(e)**

CARTE D'IDENTITÉ

➤ C'est un verbe du **3e groupe**.

➤ Aux **temps composés**, il se conjugue avec l'**auxiliaire avoir**.

➤ Il a plusieurs radicaux.

➤ On emploie la forme **faites** :
- à l'**indicatif présent**, à la 2e personne du pluriel : vous **faites** ;
- à l'**impératif présent**, à la 2e personne du pluriel : **faites**.

À l'imparfait de l'indicatif, ce verbe s'écrit **fais...** mais se prononce [fə...]
*Exemple : je **faisais** [ʒə fəzɛ]*

« Comme on **fait** son lit on se couche. »
(Proverbe)

Modèle des verbes se terminant par …fuir

Le verbe que je cherche se conjugue comme

fuir

INDICATIF

Présent		Imparfait		Passé simple		Futur simple	
je	**fuis**	*je*	**fuyais**	*je*	**fuis**	*je*	**fuirai**
tu	**fuis**	*tu*	**fuyais**	*tu*	**fuis**	*tu*	**fuiras**
il, elle	**fuit**	*il, elle*	**fuyait**	*il, elle*	**fuit**	*il, elle*	**fuira**
nous	**fuyons**	*nous*	**fuyions**	*nous*	**fuîmes**	*nous*	**fuirons**
vous	**fuyez**	*vous*	**fuyiez**	*vous*	**fuîtes**	*vous*	**fuirez**
ils, elles	**fuient**	*ils, elles*	**fuyaient**	*ils, elles*	**fuirent**	*ils, elles*	**fuiront**

Passé composé		Plus-que-parfait		Futur antérieur	
j'	ai fui	*j'*	avais fui	*j'*	aurai fui
tu	as fui	*tu*	avais fui	*tu*	auras fui
il, elle	a fui	*il, elle*	avait fui	*il, elle*	aura fui
nous	avons fui	*nous*	avions fui	*nous*	aurons fui
vous	avez fui	*vous*	aviez fui	*vous*	aurez fui
ils, elles	ont fui	*ils, elles*	avaient fui	*ils, elles*	auront fui

CONDITIONNEL

Présent		Passé	
je	**fuirais**	*j'*	aurais fui
tu	**fuirais**	*tu*	aurais fui
il, elle	**fuirait**	*il, elle*	aurait fui
nous	**fuirions**	*nous*	aurions fui
vous	**fuiriez**	*vous*	auriez fui
ils, elles	**fuiraient**	*ils, elles*	auraient fui

SUBJONCTIF

Présent		Passé	
il faut que		*il faut que*	
je	**fuie**	*j'*	aie fui
tu	**fuies**	*tu*	aies fui
il, elle	**fuie**	*il, elle*	ait fui
nous	**fuyions**	*nous*	ayons fui
vous	**fuyiez**	*vous*	ayez fui
ils, elles	**fuient**	*ils, elles*	aient fui

IMPÉRATIF

Présent

fuis
fuyons
fuyez

INFINITIF

Présent

fuir

PARTICIPE

Présent

fuyant

Passé

ayant fui **fui(e)**

CARTE D'IDENTITÉ

➤ C'est un verbe du **3e groupe**.

➤ Aux **temps composés**, il se conjugue avec l'**auxiliaire avoir**.

➤ Il a deux radicaux : **fui…/fuy…**
On emploie **fuy…** :

exemple : nous ***fuyons***

- à l'**indicatif présent**, aux 2 premières personnes du pluriel et **imparfait** ;
- au **subjonctif présent**, aux 2 premières personnes du pluriel ;
- à l'**impératif présent**, aux 2 premières personnes du pluriel ;
- au **participe présent**.

➤ Il présente les mêmes formes aux 3 personnes du singulier du **présent** et du **passé simple** de l'**indicatif**.
Il faut alors s'appuyer sur le **sens**.
Exemples : Je ***fuis****, car j'ai peur.* (présent)
Il me menaçait, je ***fuis*** *pour me cacher.* (passé simple)

> À l'**imparfait de l'indicatif** et au **présent du subjonctif**, **y** est suivi de **i** aux 2 premières personnes du pluriel.
> *Exemple : nous* ***fuyions***

Le verbe que je cherche se conjugue comme

joindre

INDICATIF

Présent
je **joins**
tu **joins**
il, elle **joint**
nous **joignons**
vous **joignez**
ils, elles **joignent**

Imparfait
je **joignais**
tu **joignais**
il, elle **joignait**
nous **joignions**
vous **joigniez**
ils, elles **joignaient**

Passé simple
je **joignis**
tu **joignis**
il, elle **joignit**
nous **joignîmes**
vous **joignîtes**
ils, elles **joignirent**

Futur simple
je **joindrai**
tu **joindras**
il, elle **joindra**
nous **joindrons**
vous **joindrez**
ils, elles **joindront**

Passé composé
j' ai joint
tu as joint
il, elle a joint
nous avons joint
vous avez joint
ils, elles ont joint

Plus-que-parfait
j' avais joint
tu avais joint
il, elle avait joint
nous avions joint
vous aviez joint
ils, elles avaient joint

Futur antérieur
j' aurai joint
tu auras joint
il, elle aura joint
nous aurons joint
vous aurez joint
ils, elles auront joint

CONDITIONNEL

Présent
je **joindrais**
tu **joindrais**
il, elle **joindrait**
nous **joindrions**
vous **joindriez**
ils, elles **joindraient**

Passé
j' aurais joint
tu aurais joint
il, elle aurait joint
nous aurions joint
vous auriez joint
ils, elles auraient joint

SUBJONCTIF

Présent
il faut que
je **joigne**
tu **joignes**
il, elle **joigne**
nous **joignions**
vous **joigniez**
ils, elles **joignent**

Passé
il faut que
j' aie joint
tu aies joint
il, elle ait joint
nous ayons joint
vous ayez joint
ils, elles aient joint

IMPÉRATIF

Présent
joins
joignons
joignez

INFINITIF

Présent
joindre

PARTICIPE

Présent
joignant

Passé
ayant joint **joint(e)**

CARTE D'IDENTITÉ

➤ C'est un verbe du **3e groupe**.

➤ Aux **temps composés**, il se conjugue avec l'**auxiliaire avoir**.

➤ Il a plusieurs radicaux.

➤ On emploie **join...** :

*exemple : je **joins***

- à l'**indicatif présent**, aux 3 personnes du singulier ;
- à l'**impératif présent**, à la 2e personne du singulier.

➤ On emploie **joign...** :

*exemple : nous **joignons***

- à l'**indicatif présent**, aux 3 personnes du pluriel, **imparfait** et **passé simple** ;
- au **subjonctif présent** ;
- à l'**impératif présent**, aux 2 personnes du pluriel ;
- au **participe présent**.

À l'**imparfait de l'indicatif** et au **présent du subjonctif**, **gn** est suivi de **i** aux 2 premières personnes du pluriel.
*Exemple : nous **joignions***

Modèle des verbes se terminant par …lire

Le verbe que je cherche se conjugue comme

lire

INDICATIF

Présent

je	**lis**
tu	**lis**
il, elle	**lit**
nous	**lisons**
vous	**lisez**
ils, elles	**lisent**

Imparfait

je	**lisais**
tu	**lisais**
il, elle	**lisait**
nous	**lisions**
vous	**lisiez**
ils, elles	**lisaient**

Passé simple

je	**lus**
tu	**lus**
il, elle	**lut**
nous	**lûmes**
vous	**lûtes**
ils, elles	**lurent**

Futur simple

je	**lirai**
tu	**liras**
il, elle	**lira**
nous	**lirons**
vous	**lirez**
ils, elles	**liront**

Passé composé

j'	ai	lu
tu	as	lu
il, elle	a	lu
nous	avons	lu
vous	avez	lu
ils, elles	ont	lu

Plus-que-parfait

j'	avais	lu
tu	avais	lu
il, elle	avait	lu
nous	avions	lu
vous	aviez	lu
ils, elles	avaient	lu

Futur antérieur

j'	aurai	lu
tu	auras	lu
il, elle	aura	lu
nous	aurons	lu
vous	aurez	lu
ils, elles	auront	lu

CONDITIONNEL

Présent

je	**lirais**
tu	**lirais**
il, elle	**lirait**
nous	**lirions**
vous	**liriez**
ils, elles	**liraient**

Passé

j'	aurais	lu
tu	aurais	lu
il, elle	aurait	lu
nous	aurions	lu
vous	auriez	lu
ils, elles	auraient	lu

SUBJONCTIF

Présent
il faut que

je	**lise**
tu	**lises**
il, elle	**lise**
nous	**lisions**
vous	**lisiez**
ils, elles	**lisent**

Passé
il faut que

j'	aie	lu
tu	aies	lu
il, elle	ait	lu
nous	ayons	lu
vous	ayez	lu
ils, elles	aient	lu

IMPÉRATIF

Présent
lis
lisons
lisez

INFINITIF

Présent
lire

PARTICIPE

Présent
lisant

Passé
ayant lu **lu(e)**

CARTE D'IDENTITÉ

➤ C'est un verbe du **3e groupe**.

➤ Aux **temps composés**, il se conjugue avec l'**auxiliaire avoir**.

➤ Il a plusieurs radicaux.

« Dis-moi ce que tu **lis**, je te dirai qui tu es. »
(Proverbe)

Le verbe que je cherche se conjugue comme

luire

INDICATIF

Présent		Imparfait		Passé simple		Futur simple	
je	**luis**	*je*	**luisais**	*je*	**luisis**	*je*	**luirai**
tu	**luis**	*tu*	**luisais**	*tu*	**luisis**	*tu*	**luiras**
il, elle	**luit**	*il, elle*	**luisait**	*il, elle*	**luisit**	*il, elle*	**luira**
nous	**luisons**	*nous*	**luisions**	*nous*	**luisîmes**	*nous*	**luirons**
vous	**luisez**	*vous*	**luisiez**	*vous*	**luisîtes**	*vous*	**luirez**
ils, elles	**luisent**	*ils, elles*	**luisaient**	*ils, elles*	**luisirent**	*ils, elles*	**luiront**

Passé composé		Plus-que-parfait		Futur antérieur	
j'	ai lui	*j'*	avais lui	*j'*	aurai lui
tu	as lui	*tu*	avais lui	*tu*	auras lui
il, elle	a lui	*il, elle*	avait lui	*il, elle*	aura lui
nous	avons lui	*nous*	avions lui	*nous*	aurons lui
vous	avez lui	*vous*	aviez lui	*vous*	aurez lui
ils, elles	ont lui	*ils, elles*	avaient lui	*ils, elles*	auront lui

CONDITIONNEL

Présent		Passé	
je	**luirais**	*j'*	aurais lui
tu	**luirais**	*tu*	aurais lui
il, elle	**luirait**	*il, elle*	aurait lui
nous	**luirions**	*nous*	aurions lui
vous	**luiriez**	*vous*	auriez lui
ils, elles	**luiraient**	*ils, elles*	auraient lui

SUBJONCTIF

Présent		Passé	
il faut que		*il faut que*	
je	**luise**	*j'*	aie lui
tu	**luises**	*tu*	aies lui
il, elle	**luise**	*il, elle*	ait lui
nous	**luisions**	*nous*	ayons lui
vous	**luisiez**	*vous*	ayez lui
ils, elles	**luisent**	*ils, elles*	aient lui

IMPÉRATIF

Présent
luis
luisons
luisez

INFINITIF

Présent
luire

PARTICIPE

Présent
luisant

Passé
ayant lui

lui

CARTE D'IDENTITÉ

➤ C'est un verbe du **3ᵉ groupe**.

➤ Aux **temps composés**, il se conjugue avec l'**auxiliaire avoir**.

➤ Il a deux radicaux : **lui.../luis...**

« Pauvre oiseau que le ciel bénit !
Il écoute le vent bruire
Chante, et voit des gouttes d'eau **luire**,
Comme des perles dans son nid. »

V. HUGO, *Odes et ballades*.

maudire

INDICATIF

Présent		Imparfait		Passé simple		Futur simple	
je	maudis	*je*	maudissais	*je*	maudis	*je*	maudirai
tu	maudis	*tu*	maudissais	*tu*	maudis	*tu*	maudiras
il, elle	maudit	*il, elle*	maudissait	*il, elle*	maudit	*il, elle*	maudira
nous	maudissons	*nous*	maudissions	*nous*	maudîmes	*nous*	maudirons
vous	maudissez	*vous*	maudissiez	*vous*	maudîtes	*vous*	maudirez
ils, elles	maudissent	*ils, elles*	maudissaient	*ils, elles*	maudirent	*ils, elles*	maudiront

Passé composé			Plus-que-parfait			Futur antérieur		
j'	ai	maudit	*j'*	avais	maudit	*j'*	aurai	maudit
tu	as	maudit	*tu*	avais	maudit	*tu*	auras	maudit
il, elle	a	maudit	*il, elle*	avait	maudit	*il, elle*	aura	maudit
nous	avons	maudit	*nous*	avions	maudit	*nous*	aurons	maudit
vous	avez	maudit	*vous*	aviez	maudit	*vous*	aurez	maudit
ils, elles	ont	maudit	*ils, elles*	avaient	maudit	*ils, elles*	auront	maudit

CONDITIONNEL

Présent		Passé		
je	maudirais	*j'*	aurais	maudit
tu	maudirais	*tu*	aurais	maudit
il, elle	maudirait	*il, elle*	aurait	maudit
nous	maudirions	*nous*	aurions	maudit
vous	maudiriez	*vous*	auriez	maudit
ils, elles	maudiraient	*ils, elles*	auraient	maudit

SUBJONCTIF

Présent		Passé		
il faut que		*il faut que*		
je	maudisse	*j'*	aie	maudit
tu	maudisses	*tu*	aies	maudit
il, elle	maudisse	*il, elle*	ait	maudit
nous	maudissions	*nous*	ayons	maudit
vous	maudissiez	*vous*	ayez	maudit
ils, elles	maudissent	*ils, elles*	aient	maudit

IMPÉRATIF

Présent
maudis
maudissons
maudissez

INFINITIF

Présent
maudire

PARTICIPE

Présent
maudissant

Passé
ayant maudit
maudit(e)

CARTE D'IDENTITÉ

➤ C'est un verbe du **3e groupe**.

➤ Aux **temps composés**, il se conjugue avec l'**auxiliaire avoir**.

➤ Il a deux radicaux : maudi…/maudiss…
On emploie maudiss… :

exemple : nous maudissons

- à l'**indicatif présent**, aux 3 personnes du pluriel et **imparfait**, à toutes les personnes ;
- au **subjonctif présent**, à toutes les personnes ;
- à l'**impératif présent**, aux 2 personnes du pluriel ;
- au **participe présent**.

➤ Il présente les mêmes formes aux 3 personnes du singulier du **présent** et du **passé simple** de l'**indicatif**.
Pour déterminer le **temps employé**, il faut s'appuyer sur le **sens** de la phrase ou du texte.

Exemples : Il maudit la pluie qui l'empêche de jouer au tennis. (présent)
Après sa défaite, elle les maudit jusqu'à la dixième génération. (passé simple)

Le verbe que je cherche se conjugue comme

mentir

INDICATIF

Présent
je m**ens**
tu m**ens**
il, elle m**ent**
nous m**entons**
vous m**entez**
ils, elles m**entent**

Imparfait
je m**entais**
tu m**entais**
il, elle m**entait**
nous m**entions**
vous m**entiez**
ils, elles m**entaient**

Passé simple
je m**entis**
tu m**entis**
il, elle m**entit**
nous m**entîmes**
vous m**entîtes**
ils, elles m**entirent**

Futur simple
je m**entirai**
tu m**entiras**
il, elle m**entira**
nous m**entirons**
vous m**entirez**
ils, elles m**entiront**

Passé composé
j' ai menti
tu as menti
il, elle a menti
nous avons menti
vous avez menti
ils, elles ont menti

Plus-que-parfait
j' avais menti
tu avais menti
il, elle avait menti
nous avions menti
vous aviez menti
ils, elles avaient menti

Futur antérieur
j' aurai menti
tu auras menti
il, elle aura menti
nous aurons menti
vous aurez menti
ils, elles auront menti

CONDITIONNEL

Présent
je m**entirais**
tu m**entirais**
il, elle m**entirait**
nous m**entirions**
vous m**entiriez**
ils, elles m**entiraient**

Passé
j' aurais menti
tu aurais menti
il, elle aurait menti
nous aurions menti
vous auriez menti
ils, elles auraient menti

SUBJONCTIF

Présent
il faut que
je m**ente**
tu m**entes**
il, elle m**ente**
nous m**entions**
vous m**entiez**
ils, elles m**entent**

Passé
il faut que
j' aie menti
tu aies menti
il, elle ait menti
nous ayons menti
vous ayez menti
ils, elles aient menti

IMPÉRATIF

Présent
m**ens**
m**entons**
m**entez**

INFINITIF

Présent
m**entir**

PARTICIPE

Présent
m**entant**

Passé
ayant menti
m**enti**

CARTE D'IDENTITÉ

➤ C'est un verbe du **3e groupe**.

➤ Aux **temps composés**, il se conjugue avec l'**auxiliaire avoir**.

➤ Il a deux radicaux : m**ent...**/m**en...**
On emploie **men...** :

*exemple : je m**ens***

- à l'**indicatif présent**, aux 3 personnes du singulier ;
- à l'**impératif présent**, à la 2e personne du singulier.

« Sans **mentir**, si votre ramage,
Se rapporte à votre plumage,
Vous êtes le phénix des hôtes
de ces bois. »

La Fontaine, *Le Corbeau et le renard.*

Modèle des verbes se terminant par ...mettre

Le verbe que je cherche se conjugue comme

mettre

INDICATIF

Présent		Imparfait		Passé simple		Futur simple	
je	**mets**	*je*	**mettais**	*je*	**mis**	*je*	**mettrai**
tu	**mets**	*tu*	**mettais**	*tu*	**mis**	*tu*	**mettras**
il, elle	**met**	*il, elle*	**mettait**	*il, elle*	**mit**	*il, elle*	**mettra**
nous	**mettons**	*nous*	**mettions**	*nous*	**mîmes**	*nous*	**mettrons**
vous	**mettez**	*vous*	**mettiez**	*vous*	**mîtes**	*vous*	**mettrez**
ils, elles	**mettent**	*ils, elles*	**mettaient**	*ils, elles*	**mirent**	*ils, elles*	**mettront**

Passé composé			Plus-que-parfait			Futur antérieur		
j'	ai	mis	*j'*	avais	mis	*j'*	aurai	mis
tu	as	mis	*tu*	avais	mis	*tu*	auras	mis
il, elle	a	mis	*il, elle*	avait	mis	*il, elle*	aura	mis
nous	avons	mis	*nous*	avions	mis	*nous*	aurons	mis
vous	avez	mis	*vous*	aviez	mis	*vous*	aurez	mis
ils, elles	ont	mis	*ils, elles*	avaient	mis	*ils, elles*	auront	mis

CONDITIONNEL

Présent		Passé		
je	**mettrais**	*j'*	aurais	mis
tu	**mettrais**	*tu*	aurais	mis
il, elle	**mettrait**	*il, elle*	aurait	mis
nous	**mettrions**	*nous*	aurions	mis
vous	**mettriez**	*vous*	auriez	mis
ils, elles	**mettraient**	*ils, elles*	auraient	mis

SUBJONCTIF

Présent		Passé		
il faut que		*il faut que*		
je	**mette**	*j'*	aie	mis
tu	**mettes**	*tu*	aies	mis
il, elle	**mette**	*il, elle*	ait	mis
nous	**mettions**	*nous*	ayons	mis
vous	**mettiez**	*vous*	ayez	mis
ils, elles	**mettent**	*ils, elles*	aient	mis

IMPÉRATIF

Présent
mets
mettons
mettez

INFINITIF

Présent
mettre

PARTICIPE

Présent
mettant

Passé
ayant mis **mis(e)**

CARTE D'IDENTITÉ

➤ C'est un verbe du **3e groupe**.

➤ Aux **temps composés**, il se conjugue avec l'**auxiliaire avoir**.

➤ Il a plusieurs radicaux.
On emploie **met...** :
exemple : je ***mets***
- à l'**indicatif présent**, aux 3 personnes du singulier ;
- à l'**impératif présent**, à la 2e personne du singulier.

« Avec des si, on **mettrait** Paris en bouteille. »
(Dicton)

Le verbe que je cherche se conjugue comme

mordre

INDICATIF

Présent

je	m**ords**
tu	m**ords**
il, elle	m**ord**
nous	m**ordons**
vous	m**ordez**
ils, elles	m**ordent**

Imparfait

je	m**ordais**
tu	m**ordais**
il, elle	m**ordait**
nous	m**ordions**
vous	m**ordiez**
ils, elles	m**ordaient**

Passé simple

je	m**ordis**
tu	m**ordis**
il, elle	m**ordit**
nous	m**ordîmes**
vous	m**ordîtes**
ils, elles	m**ordirent**

Futur simple

je	m**ordrai**
tu	m**ordras**
il, elle	m**ordra**
nous	m**ordrons**
vous	m**ordrez**
ils, elles	m**ordront**

Passé composé

j'	ai	mordu
tu	as	mordu
il, elle	a	mordu
nous	avons	mordu
vous	avez	mordu
ils, elles	ont	mordu

Plus-que-parfait

j'	avais	mordu
tu	avais	mordu
il, elle	avait	mordu
nous	avions	mordu
vous	aviez	mordu
ils, elles	avaient	mordu

Futur antérieur

j'	aurai	mordu
tu	auras	mordu
il, elle	aura	mordu
nous	aurons	mordu
vous	aurez	mordu
ils, elles	auront	mordu

CONDITIONNEL

Présent

je	m**ordrais**
tu	m**ordrais**
il, elle	m**ordrait**
nous	m**ordrions**
vous	m**ordriez**
ils, elles	m**ordraient**

Passé

j'	aurais	mordu
tu	aurais	mordu
il, elle	aurait	mordu
nous	aurions	mordu
vous	auriez	mordu
ils, elles	auraient	mordu

SUBJONCTIF

Présent

il faut que

je	m**orde**
tu	m**ordes**
il, elle	m**orde**
nous	m**ordions**
vous	m**ordiez**
ils, elles	m**ordent**

Passé

il faut que

j'	aie	mordu
tu	aies	mordu
il, elle	ait	mordu
nous	ayons	mordu
vous	ayez	mordu
ils, elles	aient	mordu

IMPÉRATIF

Présent

m**ords**
m**ordons**
m**ordez**

INFINITIF

Présent

m**ordre**

PARTICIPE

Présent

m**ordant**

Passé

ayant mordu — m**ordu(e)**

CARTE D'IDENTITÉ

➤ C'est un verbe du **3e groupe**.

➤ Aux **temps composés**, il se conjugue avec l'**auxiliaire avoir**.

➤ Il garde le **d** du radical tout au long de la conjugaison.
*Exemple : je m**ords***

➤ À la **3e personne du singulier** de l'**indicatif présent**, ce verbe ne prend pas le **t** de la terminaison après le **d** du radical : il m**ord**.

« Chien qui aboie ne **mord** pas. »
(Proverbe)

moudre

INDICATIF

Présent		Imparfait		Passé simple		Futur simple	
je	mouds	*je*	moulais	*je*	moulus	*je*	moudrai
tu	mouds	*tu*	moulais	*tu*	moulus	*tu*	moudras
il, elle	moud	*il, elle*	moulait	*il, elle*	moulut	*il, elle*	moudra
nous	moulons	*nous*	moulions	*nous*	moulûmes	*nous*	moudrons
vous	moulez	*vous*	mouliez	*vous*	moulûtes	*vous*	moudrez
ils, elles	moulent	*ils, elles*	moulaient	*ils, elles*	moulurent	*ils, elles*	moudront

Passé composé			Plus-que-parfait			Futur antérieur		
j'	ai	moulu	*j'*	avais	moulu	*j'*	aurai	moulu
tu	as	moulu	*tu*	avais	moulu	*tu*	auras	moulu
il, elle	a	moulu	*il, elle*	avait	moulu	*il, elle*	aura	moulu
nous	avons	moulu	*nous*	avions	moulu	*nous*	aurons	moulu
vous	avez	moulu	*vous*	aviez	moulu	*vous*	aurez	moulu
ils, elles	ont	moulu	*ils, elles*	avaient	moulu	*ils, elles*	auront	moulu

CONDITIONNEL

Présent		Passé		
je	moudrais	*j'*	aurais	moulu
tu	moudrais	*tu*	aurais	moulu
il, elle	moudrait	*il, elle*	aurait	moulu
nous	moudrions	*nous*	aurions	moulu
vous	moudriez	*vous*	auriez	moulu
ils, elles	moudraient	*ils, elles*	auraient	moulu

SUBJONCTIF

Présent		Passé		
il faut que		*il faut que*		
je	moule	*j'*	aie	moulu
tu	moules	*tu*	aies	moulu
il, elle	moule	*il, elle*	ait	moulu
nous	moulions	*nous*	ayons	moulu
vous	mouliez	*vous*	ayez	moulu
ils, elles	moulent	*ils, elles*	aient	moulu

IMPÉRATIF

Présent
mouds
moulons
moulez

INFINITIF

Présent
moudre

PARTICIPE

Présent
moulant

Passé
ayant moulu moulu(e)

CARTE D'IDENTITÉ

➤ C'est un verbe du **3e groupe**.

➤ Aux **temps composés**, il se conjugue avec l'**auxiliaire avoir**.

➤ Il a deux radicaux : moud.../moul...
On emploie moud... :
exemple : je mouds

- à l'**indicatif présent**, aux 3 personnes du singulier et **futur simple**, à toutes les personnes ;
- au **conditionnel présent**, à toutes les personnes ;
- à l'**impératif présent**, à la 2e personne du singulier.

➤ À la **3e personne du singulier** de l'**indicatif présent**, ce verbe ne prend pas le **t** de la terminaison après le **d** du radical : il moud.

mourir

INDICATIF

Présent		Imparfait		Passé simple		Futur simple	
je	meurs	*je*	mourais	*je*	mourus	*je*	mourrai
tu	meurs	*tu*	mourais	*tu*	mourus	*tu*	mourras
il, elle	meurt	*il, elle*	mourait	*il, elle*	mourut	*il, elle*	mourra
nous	mourons	*nous*	mourions	*nous*	mourûmes	*nous*	mourrons
vous	mourez	*vous*	mouriez	*vous*	mourûtes	*vous*	mourrez
ils, elles	meurent	*ils, elles*	mouraient	*ils, elles*	moururent	*ils, elles*	mourront

Passé composé			Plus-que-parfait			Futur antérieur		
je	suis	mort(e)	*j'*	étais	mort(e)	*je*	serai	mort(e)
tu	es	mort(e)	*tu*	étais	mort(e)	*tu*	seras	mort(e)
il, elle	est	mort(e)	*il, elle*	était	mort(e)	*il, elle*	sera	mort(e)
nous	sommes	mort(e)s	*nous*	étions	mort(e)s	*nous*	serons	mort(e)s
vous	êtes	mort(e)s	*vous*	étiez	mort(e)s	*vous*	serez	mort(e)s
ils, elles	sont	mort(e)s	*ils, elles*	étaient	mort(e)s	*ils, elles*	seront	mort(e)s

CONDITIONNEL

Présent		Passé		
je	mourrais	*je*	serais	mort(e)
tu	mourrais	*tu*	serais	mort(e)
il, elle	mourrait	*il, elle*	serait	mort(e)
nous	mourrions	*nous*	serions	mort(e)s
vous	mourriez	*vous*	seriez	mort(e)s
ils, elles	mourraient	*ils, elles*	seraient	mort(e)s

SUBJONCTIF

Présent		Passé		
il faut que		*il faut que*		
je	meure	*je*	sois	mort(e)
tu	meures	*tu*	sois	mort(e)
il, elle	meure	*il, elle*	soit	mort(e)
nous	mourions	*nous*	soyons	mort(e)s
vous	mouriez	*vous*	soyez	mort(e)s
ils, elles	meurent	*ils, elles*	soient	mort(e)s

IMPÉRATIF

Présent
meurs
mourons
mourez

INFINITIF

Présent
mourir

PARTICIPE

Présent
mourant

Passé
étant mort(e)
mort(e)

CARTE D'IDENTITÉ

➤ C'est un verbe du **3e groupe**.

➤ Aux **temps composés**, il se conjugue avec l'**auxiliaire être**.

➤ Il a plusieurs radicaux.
On emploie meur... :
exemple : je meurs

- à l'**indicatif présent**, aux 3 personnes du singulier et à la 3e personne du pluriel ;
- au **subjonctif présent**, aux 3 personnes du singulier et à la 3e personne du pluriel ;
- à l'**impératif présent**, à la 2e personne du singulier.

Le **futur simple de l'indicatif** et le **présent du conditionnel** se forment sans le premier **i** de la terminaison.
Exemple : je mourrai

naître

INDICATIF

Présent			Imparfait			Passé simple		Futur simple		
je	nais		*je*	naissais		*je*	naquis	*je*	naîtrai	
tu	nais		*tu*	naissais		*tu*	naquis	*tu*	naîtras	
il, elle	naît		*il, elle*	naissait		*il, elle*	naquit	*il, elle*	naîtra	
nous	naissons		*nous*	naissions		*nous*	naquîmes	*nous*	naîtrons	
vous	naissez		*vous*	naissiez		*vous*	naquîtes	*vous*	naîtrez	
ils, elles	naissent		*ils, elles*	naissaient		*ils, elles*	naquirent	*ils, elles*	naîtront	
Passé composé			**Plus-que-parfait**					**Futur antérieur**		
je	suis	né(e)	*j'*	étais	né(e)			*je*	serai	né(e)
tu	es	né(e)	*tu*	étais	né(e)			*tu*	seras	né(e)
il, elle	est	né(e)	*il, elle*	était	né(e)			*il, elle*	sera	né(e)
nous	sommes	né(e)s	*nous*	étions	né(e)s			*nous*	serons	né(e)s
vous	êtes	né(e)s	*vous*	étiez	né(e)s			*vous*	serez	né(e)s
ils, elles	sont	né(e)s	*ils, elles*	étaient	né(e)s			*ils, elles*	seront	né(e)s

CONDITIONNEL

Présent		Passé		
je	naîtrais	*je*	serais	né(e)
tu	naîtrais	*tu*	serais	né(e)
il, elle	naîtrait	*il, elle*	serait	né(e)
nous	naîtrions	*nous*	serions	né(e)s
vous	naîtriez	*vous*	seriez	né(e)s
ils, elles	naîtraient	*ils, elles*	seraient	né(e)s

SUBJONCTIF

Présent		Passé		
il faut que		*il faut que*		
je	naisse	*je*	sois	né(e)
tu	naisses	*tu*	sois	né(e)
il, elle	naisse	*il, elle*	soit	né(e)
nous	naissions	*nous*	soyons	né(e)s
vous	naissiez	*vous*	soyez	né(e)s
ils, elles	naissent	*ils, elles*	soient	né(e)s

IMPÉRATIF

Présent
nais
naissons
naissez

INFINITIF

Présent
naître

PARTICIPE

Présent
naissant

Passé
étant né(e) né(e)

CARTE D'IDENTITÉ

➤ C'est un verbe du **3e groupe**.

➤ Aux **temps composés**, il se conjugue avec l'**auxiliaire être**.

➤ Il a plusieurs radicaux.

➤ On emploie naî... :
exemple : il naît
• à l'**indicatif présent**, à la 3e personne du singulier et **futur simple**, à toutes les personnes ;
• au **conditionnel présent**, à toutes les personnes.

➤ On emploie naiss... :
exemple : nous naissons
• à l'**indicatif présent**, aux 3 personnes du pluriel et **imparfait**, à toutes les personnes ;
• au **subjonctif présent**, à toutes les personnes ;
• à l'**impératif présent**, aux 2 personnes du pluriel ;
• au **participe présent**.

nuire

INDICATIF

Présent		Imparfait		Passé simple		Futur simple	
je	nuis	*je*	nuisais	*je*	nuisis	*je*	nuirai
tu	nuis	*tu*	nuisais	*tu*	nuisis	*tu*	nuiras
il, elle	nuit	*il, elle*	nuisait	*il, elle*	nuisit	*il, elle*	nuira
nous	nuisons	*nous*	nuisions	*nous*	nuisîmes	*nous*	nuirons
vous	nuisez	*vous*	nuisiez	*vous*	nuisîtes	*vous*	nuirez
ils, elles	nuisent	*ils, elles*	nuisaient	*ils, elles*	nuisirent	*ils, elles*	nuiront

Passé composé			Plus-que-parfait			Futur antérieur		
j'	ai	nui	*j'*	avais	nui	*j'*	aurai	nui
tu	as	nui	*tu*	avais	nui	*tu*	auras	nui
il, elle	a	nui	*il, elle*	avait	nui	*il, elle*	aura	nui
nous	avons	nui	*nous*	avions	nui	*nous*	aurons	nui
vous	avez	nui	*vous*	aviez	nui	*vous*	aurez	nui
ils, elles	ont	nui	*ils, elles*	avaient	nui	*ils, elles*	auront	nui

CONDITIONNEL

Présent		Passé		
je	nuirais	*j'*	aurais	nui
tu	nuirais	*tu*	aurais	nui
il, elle	nuirait	*il, elle*	aurait	nui
nous	nuirions	*nous*	aurions	nui
vous	nuiriez	*vous*	auriez	nui
ils, elles	nuiraient	*ils, elles*	auraient	nui

SUBJONCTIF

Présent		Passé		
il faut que		*il faut que*		
je	nuise	*j'*	aie	nui
tu	nuises	*tu*	aies	nui
il, elle	nuise	*il, elle*	ait	nui
nous	nuisions	*nous*	ayons	nui
vous	nuisiez	*vous*	ayez	nui
ils, elles	nuisent	*ils, elles*	aient	nui

IMPÉRATIF

Présent

nuis
nuisons
nuisez

INFINITIF

Présent

nuire

PARTICIPE

Présent

nuisant

Passé

ayant nui

nui

CARTE D'IDENTITÉ

➤ C'est un verbe du **3e groupe**.

➤ Aux **temps composés**, il se conjugue avec l'**auxiliaire avoir**.

➤ Il a deux radicaux : nui.../nuis...

« Trop gratter cuit, trop parler **nuit**. »
(Proverbe)

offrir

INDICATIF

Présent		Imparfait		Passé simple		Futur simple	
j'	offre	*j'*	offrais	*j'*	offris	*j'*	offrirai
tu	offres	*tu*	offrais	*tu*	offris	*tu*	offriras
il, elle	offre	*il, elle*	offrait	*il, elle*	offrit	*il, elle*	offrira
nous	offrons	*nous*	offrions	*nous*	offrîmes	*nous*	offrirons
vous	offrez	*vous*	offriez	*vous*	offrîtes	*vous*	offrirez
ils, elles	offrent	*ils, elles*	offraient	*ils, elles*	offrirent	*ils, elles*	offriront

Passé composé			Plus-que-parfait			Futur antérieur		
j'	ai	offert	*j'*	avais	offert	*j'*	aurai	offert
tu	as	offert	*tu*	avais	offert	*tu*	auras	offert
il, elle	a	offert	*il, elle*	avait	offert	*il, elle*	aura	offert
nous	avons	offert	*nous*	avions	offert	*nous*	aurons	offert
vous	avez	offert	*vous*	aviez	offert	*vous*	aurez	offert
ils, elles	ont	offert	*ils, elles*	avaient	offert	*ils, elles*	auront	offert

CONDITIONNEL

Présent		Passé		
j'	offrirais	*j'*	aurais	offert
tu	offrirais	*tu*	aurais	offert
il, elle	offrirait	*il, elle*	aurait	offert
nous	offririons	*nous*	aurions	offert
vous	offririez	*vous*	auriez	offert
ils, elles	offriraient	*ils, elles*	auraient	offert

SUBJONCTIF

Présent		Passé		
il faut que		*il faut que*		
j'	offre	*j'*	aie	offert
tu	offres	*tu*	aies	offert
il, elle	offre	*il, elle*	ait	offert
nous	offrions	*nous*	ayons	offert
vous	offriez	*vous*	ayez	offert
ils, elles	offrent	*ils, elles*	aient	offert

IMPÉRATIF

Présent
offre
offrons
offrez

INFINITIF

Présent
offrir

PARTICIPE

Présent
offrant

Passé
ayant offert
offert(e)

CARTE D'IDENTITÉ

➤ C'est un verbe du **3e groupe**.

➤ Aux **temps composés**, il se conjugue avec l'**auxiliaire avoir**.

➤ Il se conjugue **comme un verbe du 1er groupe** :

exemple : j'offre

- à l'**indicatif présent**, à toutes les personnes ;
- à l'**impératif présent**, à la 2e personne du singulier.

Le verbe que je cherche se conjugue comme

ouvrir

INDICATIF

Présent

j'	**ouvre**
tu	**ouvres**
il, elle	**ouvre**
nous	**ouvrons**
vous	**ouvrez**
ils, elles	**ouvrent**

Imparfait

j'	**ouvrais**
tu	**ouvrais**
il, elle	**ouvrait**
nous	**ouvrions**
vous	**ouvriez**
ils, elles	**ouvraient**

Passé simple

j'	**ouvris**
tu	**ouvris**
il, elle	**ouvrit**
nous	**ouvrîmes**
vous	**ouvrîtes**
ils, elles	**ouvrirent**

Futur simple

j'	**ouvrirai**
tu	**ouvriras**
il, elle	**ouvrira**
nous	**ouvrirons**
vous	**ouvrirez**
ils, elles	**ouvriront**

Passé composé

j'	ai	ouvert
tu	as	ouvert
il, elle	a	ouvert
nous	avons	ouvert
vous	avez	ouvert
ils, elles	ont	ouvert

Plus-que-parfait

j'	avais	ouvert
tu	avais	ouvert
il, elle	avait	ouvert
nous	avions	ouvert
vous	aviez	ouvert
ils, elles	avaient	ouvert

Futur antérieur

j'	aurai	ouvert
tu	auras	ouvert
il, elle	aura	ouvert
nous	aurons	ouvert
vous	aurez	ouvert
ils, elles	auront	ouvert

CONDITIONNEL

Présent

j'	**ouvrirais**
tu	**ouvrirais**
il, elle	**ouvrirait**
nous	**ouvririons**
vous	**ouvririez**
ils, elles	**ouvriraient**

Passé

j'	aurais	ouvert
tu	aurais	ouvert
il, elle	aurait	ouvert
nous	aurions	ouvert
vous	auriez	ouvert
ils, elles	auraient	ouvert

SUBJONCTIF

Présent
il faut que

j'	**ouvre**
tu	**ouvres**
il, elle	**ouvre**
nous	**ouvrions**
vous	**ouvriez**
ils, elles	**ouvrent**

Passé
il faut que

j'	aie	ouvert
tu	aies	ouvert
il, elle	ait	ouvert
nous	ayons	ouvert
vous	ayez	ouvert
ils, elles	aient	ouvert

IMPÉRATIF

Présent
ouvre
ouvrons
ouvrez

INFINITIF

Présent
ouvrir

PARTICIPE

Présent
ouvrant

Passé
ayant ouvert **ouvert(e)**

CARTE D'IDENTITÉ

➤ C'est un verbe du **3e groupe**.

➤ Aux **temps composés**, il se conjugue avec l'**auxiliaire avoir**.

➤ Il se conjugue **comme un verbe du 1er groupe** :

*exemple : j'***ouvre**

- à l'**indicatif présent**, à toutes les personnes ;
- à l'**impératif présent**, à la 2e personne du singulier.

« Nous l'**ouvrîmes** alors tout grand sur nos genoux,
Et dès le premier mot il nous parut si doux
Qu'oubliant de jouer, nous nous mîmes à lire. »

V. HUGO, *Les Contemplations.*

3e groupe

Modèle des verbes se terminant par …partir

Le verbe que je cherche se conjugue comme

partir

INDICATIF

Présent		Imparfait		Passé simple		Futur simple	
je	**pars**	*je*	**partais**	*je*	**partis**	*je*	**partirai**
tu	**pars**	*tu*	**partais**	*tu*	**partis**	*tu*	**partiras**
il, elle	**part**	*il, elle*	**partait**	*il, elle*	**partit**	*il, elle*	**partira**
nous	**partons**	*nous*	**partions**	*nous*	**partîmes**	*nous*	**partirons**
vous	**partez**	*vous*	**partiez**	*vous*	**partîtes**	*vous*	**partirez**
ils, elles	**partent**	*ils, elles*	**partaient**	*ils, elles*	**partirent**	*ils, elles*	**partiront**

Passé composé			Plus-que-parfait			Futur antérieur		
je	suis	parti(e)	*j'*	étais	parti(e)	*je*	serai	parti(e)
tu	es	parti(e)	*tu*	étais	parti(e)	*tu*	seras	parti(e)
il, elle	est	parti(e)	*il, elle*	était	parti(e)	*il, elle*	sera	parti(e)
nous	sommes	parti(e)s	*nous*	étions	parti(e)s	*nous*	serons	parti(e)s
vous	êtes	parti(e)s	*vous*	étiez	parti(e)s	*vous*	serez	parti(e)s
ils, elles	sont	parti(e)s	*ils, elles*	étaient	parti(e)s	*ils, elles*	seront	parti(e)s

CONDITIONNEL

Présent		Passé		
je	**partirais**	*je*	serais	parti(e)
tu	**partirais**	*tu*	serais	parti(e)
il, elle	**partirait**	*il, elle*	serait	parti(e)
nous	**partirions**	*nous*	serions	parti(e)s
vous	**partiriez**	*vous*	seriez	parti(e)s
ils, elles	**partiraient**	*ils, elles*	seraient	parti(e)s

SUBJONCTIF

Présent		Passé		
il faut que		*il faut que*		
je	**parte**	*je*	sois	parti(e)
tu	**partes**	*tu*	sois	parti(e)
il, elle	**parte**	*il, elle*	soit	parti(e)
nous	**partions**	*nous*	soyons	parti(e)s
vous	**partiez**	*vous*	soyez	parti(e)s
ils, elles	**partent**	*ils, elles*	soient	parti(e)s

IMPÉRATIF

Présent

pars
partons
partez

INFINITIF

Présent

partir

PARTICIPE

Présent	Passé	
partant	étant parti(e)	**parti(e)**

CARTE D'IDENTITÉ

➤ C'est un verbe du **3e groupe**.

➤ Aux **temps composés**, il se conjugue avec l'**auxiliaire être**.

➤ Il a deux radicaux : **part…/par…**
On emploie **par…** :

exemple : je ***pars***

- à l'**indicatif présent**, aux 3 personnes du singulier ;
- à l'**impératif présent**, à la 2e personne du singulier.

« **Partir**, c'est mourir un peu. »
(Dicton)

Le verbe que je cherche se conjugue comme

peindre

INDICATIF

Présent

je	**peins**
tu	**peins**
il, elle	**peint**
nous	**peignons**
vous	**peignez**
ils, elles	**peignent**

Imparfait

je	**peignais**
tu	**peignais**
il, elle	**peignait**
nous	**peignions**
vous	**peigniez**
ils, elles	**peignaient**

Passé simple

je	**peignis**
tu	**peignis**
il, elle	**peignit**
nous	**peignîmes**
vous	**peignîtes**
ils, elles	**peignirent**

Futur simple

je	**peindrai**
tu	**peindras**
il, elle	**peindra**
nous	**peindrons**
vous	**peindrez**
ils, elles	**peindront**

Passé composé

j'	ai	peint
tu	as	peint
il, elle	a	peint
nous	avons	peint
vous	avez	peint
ils, elles	ont	peint

Plus-que-parfait

j'	avais	peint
tu	avais	peint
il, elle	avait	peint
nous	avions	peint
vous	aviez	peint
ils, elles	avaient	peint

Futur antérieur

j'	aurai	peint
tu	auras	peint
il, elle	aura	peint
nous	aurons	peint
vous	aurez	peint
ils, elles	auront	peint

CONDITIONNEL

Présent

je	**peindrais**
tu	**peindrais**
il, elle	**peindrait**
nous	**peindrions**
vous	**peindriez**
ils, elles	**peindraient**

Passé

j'	aurais	peint
tu	aurais	peint
il, elle	aurait	peint
nous	aurions	peint
vous	auriez	peint
ils, elles	auraient	peint

SUBJONCTIF

Présent

il faut que

je	**peigne**
tu	**peignes**
il, elle	**peigne**
nous	**peignions**
vous	**peigniez**
ils, elles	**peignent**

Passé

il faut que

j'	aie	peint
tu	aies	peint
il, elle	ait	peint
nous	ayons	peint
vous	ayez	peint
ils, elles	aient	peint

IMPÉRATIF

Présent

peins
peignons
peignez

INFINITIF

Présent

peindre

PARTICIPE

Présent

peignant

Passé

ayant peint **peint(e)**

CARTE D'IDENTITÉ

➤ C'est un verbe du **3e groupe**.

➤ Aux **temps composés**, il se conjugue avec l'**auxiliaire avoir**.

➤ Il a plusieurs radicaux.

➤ On emploie **pein...** :

*exemple : je p**ein**s*

- à l'**indicatif présent**, aux 3 personnes du singulier ;
- à l'**impératif présent**, à la 2e personne du singulier.

➤ On emploie **peign...** :

*exemple : nous p**eign**ons*

- à l'**indicatif présent**, aux 3 personnes du pluriel, **imparfait** et **passé simple** ;
- au **subjonctif présent** ;
- à l'**impératif présent**, aux 2 personnes du pluriel ;
- au **participe présent**.

À l'**imparfait de l'indicatif** et au **présent du subjonctif**, **gn** est suivi de **i** aux 2 premières personnes du pluriel.
*Exemple : nous p**eignions***

Le verbe que je cherche se conjugue comme

perdre

INDICATIF

Présent		Imparfait		Passé simple		Futur simple	
je	**perds**	*je*	**perdais**	*je*	**perdis**	*je*	**perdrai**
tu	**perds**	*tu*	**perdais**	*tu*	**perdis**	*tu*	**perdras**
il, elle	**perd**	*il, elle*	**perdait**	*il, elle*	**perdit**	*il, elle*	**perdra**
nous	**perdons**	*nous*	**perdions**	*nous*	**perdîmes**	*nous*	**perdrons**
vous	**perdez**	*vous*	**perdiez**	*vous*	**perdîtes**	*vous*	**perdrez**
ils, elles	**perdent**	*ils, elles*	**perdaient**	*ils, elles*	**perdirent**	*ils, elles*	**perdront**

Passé composé		Plus-que-parfait		Futur antérieur	
j'	ai perdu	*j'*	avais perdu	*j'*	aurai perdu
tu	as perdu	*tu*	avais perdu	*tu*	auras perdu
il, elle	a perdu	*il, elle*	avait perdu	*il, elle*	aura perdu
nous	avons perdu	*nous*	avions perdu	*nous*	aurons perdu
vous	avez perdu	*vous*	aviez perdu	*vous*	aurez perdu
ils, elles	ont perdu	*ils, elles*	avaient perdu	*ils, elles*	auront perdu

CONDITIONNEL

Présent		Passé	
je	**perdrais**	*j'*	aurais perdu
tu	**perdrais**	*tu*	aurais perdu
il, elle	**perdrait**	*il, elle*	aurait perdu
nous	**perdrions**	*nous*	aurions perdu
vous	**perdriez**	*vous*	auriez perdu
ils, elles	**perdraient**	*ils, elles*	auraient perdu

SUBJONCTIF

Présent *il faut que*		Passé *il faut que*	
je	**perde**	*j'*	aie perdu
tu	**perdes**	*tu*	aies perdu
il, elle	**perde**	*il, elle*	ait perdu
nous	**perdions**	*nous*	ayons perdu
vous	**perdiez**	*vous*	ayez perdu
ils, elles	**perdent**	*ils, elles*	aient perdu

IMPÉRATIF

Présent
perds
perdons
perdez

INFINITIF

Présent
perdre

PARTICIPE

Présent
perdant

Passé
ayant perdu **perdu(e)**

CARTE D'IDENTITÉ

➤ C'est un verbe du **3e groupe**.

➤ Aux **temps composés**, il se conjugue avec l'**auxiliaire avoir**.

➤ Il garde le **d** du radical tout au long de la conjugaison.
*Exemple : je p**erds***

➤ À la **3e personne du singulier** de l'**indicatif présent**, ce verbe ne prend pas le **t** de la terminaison après le **d** du radical : il p**erd**.

« La France **a perdu** une bataille, mais la France n'a pas **perdu** la guerre. »
GÉNÉRAL DE GAULLE.

Le verbe que je cherche se conjugue comme

plaire

INDICATIF

Présent
je **plais**
tu **plais**
il, elle **plaît**
nous **plaisons**
vous **plaisez**
ils, elles **plaisent**

Imparfait
je **plaisais**
tu **plaisais**
il, elle **plaisait**
nous **plaisions**
vous **plaisiez**
ils, elles **plaisaient**

Passé simple
je **plus**
tu **plus**
il, elle **plut**
nous **plûmes**
vous **plûtes**
ils, elles **plurent**

Futur simple
je **plairai**
tu **plairas**
il, elle **plaira**
nous **plairons**
vous **plairez**
ils, elles **plairont**

Passé composé
j' ai plu
tu as plu
il, elle a plu
nous avons plu
vous avez plu
ils, elles ont plu

Plus-que-parfait
j' avais plu
tu avais plu
il, elle avait plu
nous avions plu
vous aviez plu
ils, elles avaient plu

Futur antérieur
j' aurai plu
tu auras plu
il, elle aura plu
nous aurons plu
vous aurez plu
ils, elles auront plu

CONDITIONNEL

Présent
je **plairais**
tu **plairais**
il, elle **plairait**
nous **plairions**
vous **plairiez**
ils, elles **plairaient**

Passé
j' aurais plu
tu aurais plu
il, elle aurait plu
nous aurions plu
vous auriez plu
ils, elles auraient plu

SUBJONCTIF

Présent
il faut que
je **plaise**
tu **plaises**
il, elle **plaise**
nous **plaisions**
vous **plaisiez**
ils, elles **plaisent**

Passé
il faut que
j' aie plu
tu aies plu
il, elle ait plu
nous ayons plu
vous ayez plu
ils, elles aient plu

IMPÉRATIF

Présent
plais
plaisons
plaisez

INFINITIF

Présent
plaire

PARTICIPE

Présent
plaisant

Passé
ayant plu **plu**

CARTE D'IDENTITÉ

➤ C'est un verbe du **3e groupe**.

➤ Aux **temps composés**, il se conjugue avec l'**auxiliaire avoir**.

➤ Il a plusieurs radicaux.

« Un homme à qui personne ne **plaît**
est bien plus malheureux
qu'un homme qui ne **plaît** à personne. »
LA ROCHEFOUCAULD, *Maximes*.

pouvoir

INDICATIF

Présent
je peux
tu peux
il, elle peut
nous pouvons
vous pouvez
ils, elles peuvent

Imparfait
je pouvais
tu pouvais
il, elle pouvait
nous pouvions
vous pouviez
ils, elles pouvaient

Passé simple
je pus
tu pus
il, elle put
nous pûmes
vous pûtes
ils, elles purent

Futur simple
je pourrai
tu pourras
il, elle pourra
nous pourrons
vous pourrez
ils, elles pourront

Passé composé
j' ai pu
tu as pu
il, elle a pu
nous avons pu
vous avez pu
ils, elles ont pu

Plus-que-parfait
j' avais pu
tu avais pu
il, elle avait pu
nous avions pu
vous aviez pu
ils, elles avaient pu

Futur antérieur
j' aurai pu
tu auras pu
il, elle aura pu
nous aurons pu
vous aurez pu
ils, elles auront pu

CONDITIONNEL

Présent
je pourrais
tu pourrais
il, elle pourrait
nous pourrions
vous pourriez
ils, elles pourraient

Passé
j' aurais pu
tu aurais pu
il, elle aurait pu
nous aurions pu
vous auriez pu
ils, elles auraient pu

SUBJONCTIF

Présent
il faut que
je puisse
tu puisses
il, elle puisse
nous puissions
vous puissiez
ils, elles puissent

Passé
il faut que
j' aie pu
tu aies pu
il, elle ait pu
nous ayons pu
vous ayez pu
ils, elles aient pu

IMPÉRATIF

Présent
On ne l'utilise pas.

INFINITIF

Présent
pouvoir

PARTICIPE

Présent
pouvant

Passé
ayant pu
pu

CARTE D'IDENTITÉ

➤ C'est un verbe du **3e groupe**.

➤ Aux **temps composés**, il se conjugue avec l'**auxiliaire avoir**.

➤ Il a plusieurs radicaux.

➤ À l'**indicatif présent**, aux 2 premières personnes du singulier, la terminaison est **x** : je peux, tu peux.

« Si jeunesse savait,
si vieillesse **pouvait**. »
H. ESTIENNE.

Le verbe que je cherche se conjugue comme

prendre

INDICATIF

Présent
je **prends**
tu **prends**
il, elle **prend**
nous **prenons**
vous **prenez**
ils, elles **prennent**

Imparfait
je **prenais**
tu **prenais**
il, elle **prenait**
nous **prenions**
vous **preniez**
ils, elles **prenaient**

Passé simple
je **pris**
tu **pris**
il, elle **prit**
nous **prîmes**
vous **prîtes**
ils, elles **prirent**

Futur simple
je **prendrai**
tu **prendras**
il, elle **prendra**
nous **prendrons**
vous **prendrez**
ils, elles **prendront**

Passé composé
j' ai pris
tu as pris
il, elle a pris
nous avons pris
vous avez pris
ils, elles ont pris

Plus-que-parfait
j' avais pris
tu avais pris
il, elle avait pris
nous avions pris
vous aviez pris
ils, elles avaient pris

Futur antérieur
j' aurai pris
tu auras pris
il, elle aura pris
nous aurons pris
vous aurez pris
ils, elles auront pris

CONDITIONNEL

Présent
je **prendrais**
tu **prendrais**
il, elle **prendrait**
nous **prendrions**
vous **prendriez**
ils, elles **prendraient**

Passé
j' aurais pris
tu aurais pris
il, elle aurait pris
nous aurions pris
vous auriez pris
ils, elles auraient pris

SUBJONCTIF

Présent
il faut que
je **prenne**
tu **prennes**
il, elle **prenne**
nous **prenions**
vous **preniez**
ils, elles **prennent**

Passé
il faut que
j' aie pris
tu aies pris
il, elle ait pris
nous ayons pris
vous ayez pris
ils, elles aient pris

IMPÉRATIF

Présent
prends
prenons
prenez

INFINITIF

Présent
prendre

PARTICIPE

Présent
prenant

Passé
ayant pris
pris(e)

CARTE D'IDENTITÉ

➤ C'est un verbe du **3e groupe**.

➤ Aux **temps composés**, il se conjugue avec l'**auxiliaire avoir**.

➤ Il a plusieurs radicaux.
On emploie **prend...** :
exemple : je ***prends***
• à l'**indicatif présent**, aux 3 personnes du singulier et **futur simple**, à toutes les personnes ;
• au **conditionnel présent**, à toutes les personnes ;
• à l'**impératif présent**, à la 2e personne du singulier.

➤ À la **3e personne du singulier** de l'**indicatif présent**, ce verbe ne prend pas le **t** de la terminaison après le **d** du radical : il **prend** .

prévoir

INDICATIF

Présent	Imparfait	Passé simple	Futur simple
je prévois	*je* prévoyais	*je* prévis	*je* prévoirai
tu prévois	*tu* prévoyais	*tu* prévis	*tu* prévoiras
il, elle prévoit	*il, elle* prévoyait	*il, elle* prévit	*il, elle* prévoira
nous prévoyons	*nous* prévoyions	*nous* prévîmes	*nous* prévoirons
vous prévoyez	*vous* prévoyiez	*vous* prévîtes	*vous* prévoirez
ils, elles prévoient	*ils, elles* prévoyaient	*ils, elles* prévirent	*ils, elles* prévoiront

Passé composé	Plus-que-parfait	Futur antérieur
j' ai prévu	*j'* avais prévu	*j'* aurai prévu
tu as prévu	*tu* avais prévu	*tu* auras prévu
il, elle a prévu	*il, elle* avait prévu	*il, elle* aura prévu
nous avons prévu	*nous* avions prévu	*nous* aurons prévu
vous avez prévu	*vous* aviez prévu	*vous* aurez prévu
ils, elles ont prévu	*ils, elles* avaient prévu	*ils, elles* auront prévu

CONDITIONNEL

Présent	Passé
je prévoirais	*j'* aurais prévu
tu prévoirais	*tu* aurais prévu
il, elle prévoirait	*il, elle* aurait prévu
nous prévoirions	*nous* aurions prévu
vous prévoiriez	*vous* auriez prévu
ils, elles prévoiraient	*ils, elles* auraient prévu

SUBJONCTIF

Présent	Passé
il faut que	*il faut que*
je prévoie	*j'* aie prévu
tu prévoies	*tu* aies prévu
il, elle prévoie	*il, elle* ait prévu
nous prévoyions	*nous* ayons prévu
vous prévoyiez	*vous* ayez prévu
ils, elles prévoient	*ils, elles* aient prévu

IMPÉRATIF

Présent

prévois
prévoyons
prévoyez

INFINITIF

Présent

prévoir

PARTICIPE

Présent

prévoyant

Passé

ayant prévu
prévu(e)

CARTE D'IDENTITÉ

➤ C'est un verbe du **3e groupe**.

➤ Aux **temps composés**, il se conjugue avec l'**auxiliaire avoir**.

➤ Il a plusieurs radicaux. On emploie prévoy... :

exemple : nous prévoyons

- à l'**indicatif présent**, aux 2 premières personnes du pluriel et **imparfait**, à toutes les personnes ;
- au **subjonctif présent**, aux 2 premières personnes du pluriel ;
- à l'**impératif présent**, aux 2 personnes du pluriel ;
- au **participe présent**.

À l'**imparfait de l'indicatif** et au **présent du subjonctif**, le **y** du radical est suivi du **i** de la terminaison aux 2 premières personnes du pluriel.
Exemple : nous prévoyions

Le verbe que je cherche se conjugue comme

recevoir

INDICATIF

Présent		Imparfait		Passé simple		Futur simple	
je	re**çois**	*je*	re**cevais**	*je*	re**çus**	*je*	re**cevrai**
tu	re**çois**	*tu*	re**cevais**	*tu*	re**çus**	*tu*	re**cevras**
il, elle	re**çoit**	*il, elle*	re**cevait**	*il, elle*	re**çut**	*il, elle*	re**cevra**
nous	re**cevons**	*nous*	re**cevions**	*nous*	re**çûmes**	*nous*	re**cevrons**
vous	re**cevez**	*vous*	re**ceviez**	*vous*	re**çûtes**	*vous*	re**cevrez**
ils, elles	re**çoivent**	*ils, elles*	re**cevaient**	*ils, elles*	re**çurent**	*ils, elles*	re**cevront**

Passé composé			Plus-que-parfait			Futur antérieur		
j'	ai	reçu	*j'*	avais	reçu	*j'*	aurai	reçu
tu	as	reçu	*tu*	avais	reçu	*tu*	auras	reçu
il, elle	a	reçu	*il, elle*	avait	reçu	*il, elle*	aura	reçu
nous	avons	reçu	*nous*	avions	reçu	*nous*	aurons	reçu
vous	avez	reçu	*vous*	aviez	reçu	*vous*	aurez	reçu
ils, elles	ont	reçu	*ils, elles*	avaient	reçu	*ils, elles*	auront	reçu

CONDITIONNEL

Présent		Passé		
je	re**cevrais**	*j'*	aurais	reçu
tu	re**cevrais**	*tu*	aurais	reçu
il, elle	re**cevrait**	*il, elle*	aurait	reçu
nous	re**cevrions**	*nous*	aurions	reçu
vous	re**cevriez**	*vous*	auriez	reçu
ils, elles	re**cevraient**	*ils, elles*	auraient	reçu

SUBJONCTIF

Présent		Passé		
il faut que		*il faut que*		
je	re**çoive**	*j'*	aie	reçu
tu	re**çoives**	*tu*	aies	reçu
il, elle	re**çoive**	*il, elle*	ait	reçu
nous	re**cevions**	*nous*	ayons	reçu
vous	re**ceviez**	*vous*	ayez	reçu
ils, elles	re**çoivent**	*ils, elles*	aient	reçu

IMPÉRATIF

Présent
re**çois**
re**cevons**
re**cevez**

INFINITIF

Présent
re**cevoir**

PARTICIPE

Présent
re**cevant**

Passé
ayant reçu
re**çu(e)**

CARTE D'IDENTITÉ

➤ C'est un verbe du **3e groupe**.

➤ Aux **temps composés**, il se conjugue avec l'**auxiliaire avoir**.

➤ Il a plusieurs radicaux.

➤ **c** devient **ç** devant **o** et **u** :

*exemple : je re**çois***

- à l'**indicatif présent**, aux 3 personnes du singulier et à la 3e personne du pluriel et **passé simple**, à toutes les personnes ;
- au **subjonctif présent**, aux 3 personnes du singulier et à la 3e personne du pluriel ;
- à l'**impératif présent**, à la 2e personne du singulier ;
- au **participe passé**.

Le verbe que je cherche se conjugue comme

répandre

INDICATIF

Présent		Imparfait		Passé simple		Futur simple	
je	rép**ands**	*je*	rép**andais**	*je*	rép**andis**	*je*	rép**andrai**
tu	rép**ands**	*tu*	rép**andais**	*tu*	rép**andis**	*tu*	rép**andras**
il, elle	rép**and**	*il, elle*	rép**andait**	*il, elle*	rép**andit**	*il, elle*	rép**andra**
nous	rép**andons**	*nous*	rép**andions**	*nous*	rép**andîmes**	*nous*	rép**androns**
vous	rép**andez**	*vous*	rép**andiez**	*vous*	rép**andîtes**	*vous*	rép**andrez**
ils, elles	rép**andent**	*ils, elles*	rép**andaient**	*ils, elles*	rép**andirent**	*ils, elles*	rép**andront**

Passé composé			Plus-que-parfait			Futur antérieur		
j'	ai	répandu	*j'*	avais	répandu	*j'*	aurai	répandu
tu	as	répandu	*tu*	avais	répandu	*tu*	auras	répandu
il, elle	a	répandu	*il, elle*	avait	répandu	*il, elle*	aura	répandu
nous	avons	répandu	*nous*	avions	répandu	*nous*	aurons	répandu
vous	avez	répandu	*vous*	aviez	répandu	*vous*	aurez	répandu
ils, elles	ont	répandu	*ils, elles*	avaient	répandu	*ils, elles*	auront	répandu

CONDITIONNEL

Présent		Passé		
je	rép**andrais**	*j'*	aurais	répandu
tu	rép**andrais**	*tu*	aurais	répandu
il, elle	rép**andrait**	*il, elle*	aurait	répandu
nous	rép**andrions**	*nous*	aurions	répandu
vous	rép**andriez**	*vous*	auriez	répandu
ils, elles	rép**andraient**	*ils, elles*	auraient	répandu

SUBJONCTIF

Présent		Passé		
il faut que		*il faut que*		
je	rép**ande**	*j'*	aie	répandu
tu	rép**andes**	*tu*	aies	répandu
il, elle	rép**ande**	*il, elle*	ait	répandu
nous	rép**andions**	*nous*	ayons	répandu
vous	rép**andiez**	*vous*	ayez	répandu
ils, elles	rép**andent**	*ils, elles*	aient	répandu

IMPÉRATIF

Présent
rép**ands**
rép**andons**
rép**andez**

INFINITIF

Présent
rép**andre**

PARTICIPE

Présent
rép**andant**

Passé
ayant répandu rép**andu(e)**

CARTE D'IDENTITÉ

➤ C'est un verbe du **3e groupe**.

➤ Aux **temps composés**, il se conjugue avec l'**auxiliaire avoir**.

➤ Il garde le **d** du radical tout au long de la conjugaison.
*Exemple : je rép**ands***

➤ À la **3e personne du singulier** de l'**indicatif présent**, ce verbe ne prend pas le **t** de la terminaison après le **d** du radical : il rép**and**.

« La calomnie est une brise,
Un zéphyr assez charmant,
Qui, subtile, insensible,
Légèrement, tout doucement,
Commence, commence par murmurer.
Piano, piano, rasant la terre.
À voix basse, elle va sifflant,
Puis **se répand**, **se répand**,
Se répand en bourdonnant. »

ROSSINI et STERBINI, *Le Barbier de Séville.*

résoudre

INDICATIF

Présent		Imparfait		Passé simple		Futur simple	
je	résous	*je*	résolvais	*je*	résolus	*je*	résoudrai
tu	résous	*tu*	résolvais	*tu*	résolus	*tu*	résoudras
il, elle	résout	*il, elle*	résolvait	*il, elle*	résolut	*il, elle*	résoudra
nous	résolvons	*nous*	résolvions	*nous*	résolûmes	*nous*	résoudrons
vous	résolvez	*vous*	résolviez	*vous*	résolûtes	*vous*	résoudrez
ils, elles	résolvent	*ils, elles*	résolvaient	*ils, elles*	résolurent	*ils, elles*	résoudront

Passé composé			Plus-que-parfait			Futur antérieur		
j'	ai	résolu	*j'*	avais	résolu	*j'*	aurai	résolu
tu	as	résolu	*tu*	avais	résolu	*tu*	auras	résolu
il, elle	a	résolu	*il, elle*	avait	résolu	*il, elle*	aura	résolu
nous	avons	résolu	*nous*	avions	résolu	*nous*	aurons	résolu
vous	avez	résolu	*vous*	aviez	résolu	*vous*	aurez	résolu
ils, elles	ont	résolu	*ils, elles*	avaient	résolu	*ils, elles*	auront	résolu

CONDITIONNEL

Présent		Passé		
je	résoudrais	*j'*	aurais	résolu
tu	résoudrais	*tu*	aurais	résolu
il, elle	résoudrait	*il, elle*	aurait	résolu
nous	résoudrions	*nous*	aurions	résolu
vous	résoudriez	*vous*	auriez	résolu
ils, elles	résoudraient	*ils, elles*	auraient	résolu

SUBJONCTIF

Présent		Passé		
il faut que		*il faut que*		
je	résolve	*j'*	aie	résolu
tu	résolves	*tu*	aies	résolu
il, elle	résolve	*il, elle*	ait	résolu
nous	résolvions	*nous*	ayons	résolu
vous	résolviez	*vous*	ayez	résolu
ils, elles	résolvent	*ils, elles*	aient	résolu

IMPÉRATIF

Présent
résous
résolvons
résolvez

INFINITIF

Présent
résoudre

PARTICIPE

Présent
résolvant

Passé
ayant résolu
résolu(e)

CARTE D'IDENTITÉ

➤ C'est un verbe du **3e groupe**.

➤ Aux **temps composés**, il se conjugue avec l'**auxiliaire avoir**.

➤ Il a plusieurs radicaux.

➤ On emploie résou… :
exemple : je résous
• à l'**indicatif présent**, aux 3 personnes du singulier ;
• à l'**impératif présent**, à la 2e personne du singulier.

➤ On emploie résol… :
exemple : je résolus
• à l'**indicatif passé simple** ;
• au **participe passé**.

➤ On emploie résolv… :
exemple : nous résolvons
• à l'**indicatif présent**, aux 3 personnes du pluriel et **imparfait**, à toutes les personnes ;
• au **subjonctif présent** ;
• à l'**impératif présent**, aux 2 personnes du pluriel ;
• au **participe présent**.

Modèle des verbes se terminant par …rire

Le verbe que je cherche se conjugue comme

rire

INDICATIF

Présent		**Imparfait**		**Passé simple**		**Futur simple**	
je	**ris**	*je*	**riais**	*je*	**ris**	*je*	**rirai**
tu	**ris**	*tu*	**riais**	*tu*	**ris**	*tu*	**riras**
il, elle	**rit**	*il, elle*	**riait**	*il, elle*	**rit**	*il, elle*	**rira**
nous	**rions**	*nous*	**riions**	*nous*	**rîmes**	*nous*	**rirons**
vous	**riez**	*vous*	**riiez**	*vous*	**rîtes**	*vous*	**rirez**
ils, elles	**rient**	*ils, elles*	**riaient**	*ils, elles*	**rirent**	*ils, elles*	**riront**

Passé composé		**Plus-que-parfait**		**Futur antérieur**	
j'	ai ri	*j'*	avais ri	*j'*	aurai ri
tu	as ri	*tu*	avais ri	*tu*	auras ri
il, elle	a ri	*il, elle*	avait ri	*il, elle*	aura ri
nous	avons ri	*nous*	avions ri	*nous*	aurons ri
vous	avez ri	*vous*	aviez ri	*vous*	aurez ri
ils, elles	ont ri	*ils, elles*	avaient ri	*ils, elles*	auront ri

CONDITIONNEL

Présent		**Passé**	
je	**rirais**	*j'*	aurais ri
tu	**rirais**	*tu*	aurais ri
il, elle	**rirait**	*il, elle*	aurait ri
nous	**ririons**	*nous*	aurions ri
vous	**ririez**	*vous*	auriez ri
ils, elles	**riraient**	*ils, elles*	auraient ri

SUBJONCTIF

Présent *il faut que*		**Passé** *il faut que*	
je	**rie**	*j'*	aie ri
tu	**ries**	*tu*	aies ri
il, elle	**rie**	*il, elle*	ait ri
nous	**riions**	*nous*	ayons ri
vous	**riiez**	*vous*	ayez ri
ils, elles	**rient**	*ils, elles*	aient ri

IMPÉRATIF

Présent

ris
rions
riez

INFINITIF

Présent

rire

PARTICIPE

Présent

riant

Passé

ayant ri

ri

CARTE D'IDENTITÉ

➤ C'est un verbe du **3e groupe**.

➤ Aux **temps composés**, il se conjugue avec l'**auxiliaire avoir**.

➤ Il présente les **mêmes formes** aux 3 personnes du singulier du **présent** et du **passé simple** de l'**indicatif**. Pour déterminer le **temps employé**, il faut s'appuyer sur le **sens** de la phrase du texte.

Exemples : Je ***ris*** *de me voir si belle en ce miroir.* (présent)
Après son départ, je ***ris*** *de bon cœur.* (passé simple)

À l'**imparfait de l'indicatif** et au **présent du subjonctif**, le **i** du radical est suivi du **i** de la terminaison aux 2 premières personnes du pluriel.
Exemple : nous ***riions***

« …Parce que **rire** est le propre de l'homme. »
RABELAIS, *Gargantua.*

Le verbe que je cherche se conjugue comme

rompre

INDICATIF

Présent

je	**romps**
tu	**romps**
il, elle	**rompt**
nous	**rompons**
vous	**rompez**
ils, elles	**rompent**

Imparfait

je	**rompais**
tu	**rompais**
il, elle	**rompait**
nous	**rompions**
vous	**rompiez**
ils, elles	**rompaient**

Passé simple

je	**rompis**
tu	**rompis**
il, elle	**rompit**
nous	**rompîmes**
vous	**rompîtes**
ils, elles	**rompirent**

Futur simple

je	**romprai**
tu	**rompras**
il, elle	**rompra**
nous	**romprons**
vous	**romprez**
ils, elles	**rompront**

Passé composé

j'	ai	rompu
tu	as	rompu
il, elle	a	rompu
nous	avons	rompu
vous	avez	rompu
ils, elles	ont	rompu

Plus-que-parfait

j'	avais	rompu
tu	avais	rompu
il, elle	avait	rompu
nous	avions	rompu
vous	aviez	rompu
ils, elles	avaient	rompu

Futur antérieur

j'	aurai	rompu
tu	auras	rompu
il, elle	aura	rompu
nous	aurons	rompu
vous	aurez	rompu
ils, elles	auront	rompu

CONDITIONNEL

Présent

je	**romprais**
tu	**romprais**
il, elle	**romprait**
nous	**romprions**
vous	**rompriez**
ils, elles	**rompraient**

Passé

j'	aurais	rompu
tu	aurais	rompu
il, elle	aurait	rompu
nous	aurions	rompu
vous	auriez	rompu
ils, elles	auraient	rompu

SUBJONCTIF

Présent

il faut que

je	**rompe**
tu	**rompes**
il, elle	**rompe**
nous	**rompions**
vous	**rompiez**
ils, elles	**rompent**

Passé

il faut que

j'	aie	rompu
tu	aies	rompu
il, elle	ait	rompu
nous	ayons	rompu
vous	ayez	rompu
ils, elles	aient	rompu

IMPÉRATIF

Présent

romps
rompons
rompez

INFINITIF

Présent

rompre

PARTICIPE

Présent

rompant

Passé

ayant rompu **rompu(e)**

CARTE D'IDENTITÉ

➤ C'est un verbe du **3e groupe**.

➤ Aux **temps composés**, il se conjugue avec l'**auxiliaire avoir**.

➤ Il a garde le **p** du radical tout au long de la conjugaison.

Exemple : je ***romps***

« Les vents me sont moins qu'à vous redoutables.
Je plie, et ne **romps** pas. »

LA FONTAINE, *Le Chêne et le roseau.*

savoir

INDICATIF

Présent	Imparfait	Passé simple	Futur simple
je sais	*je* savais	*je* sus	*je* saurai
tu sais	*tu* savais	*tu* sus	*tu* sauras
il, elle sait	*il, elle* savait	*il, elle* sut	*il, elle* saura
nous savons	*nous* savions	*nous* sûmes	*nous* saurons
vous savez	*vous* saviez	*vous* sûtes	*vous* saurez
ils, elles savent	*ils, elles* savaient	*ils, elles* surent	*ils, elles* sauront

Passé composé	Plus-que-parfait	Futur antérieur
j' ai su	*j'* avais su	*j'* aurai su
tu as su	*tu* avais su	*tu* auras su
il, elle a su	*il, elle* avait su	*il, elle* aura su
nous avons su	*nous* avions su	*nous* aurons su
vous avez su	*vous* aviez su	*vous* aurez su
ils, elles ont su	*ils, elles* avaient su	*ils, elles* auront su

CONDITIONNEL

Présent	Passé
je saurais	*j'* aurais su
tu saurais	*tu* aurais su
il, elle saurait	*il, elle* aurait su
nous saurions	*nous* aurions su
vous sauriez	*vous* auriez su
ils, elles sauraient	*ils, elles* auraient su

SUBJONCTIF

Présent	Passé
il faut que	*il faut que*
je sache	*j'* aie su
tu saches	*tu* aies su
il, elle sache	*il, elle* ait su
nous sachions	*nous* ayons su
vous sachiez	*vous* ayez su
ils, elles sachent	*ils, elles* aient su

IMPÉRATIF

Présent
sache
sachons
sachez

INFINITIF

Présent
savoir

PARTICIPE

Présent	Passé	
sachant	ayant su	su(e)

CARTE D'IDENTITÉ

➤ C'est un verbe du **3e groupe**.

➤ Aux **temps composés**, il se conjugue avec l'**auxiliaire avoir**.

➤ Il a plusieurs radicaux.

➤ On emploie sai... :

exemple : je sais

• à l'**indicatif présent**, aux 3 personnes du singulier.

➤ On emploie sach... :

exemple : (que) je sache

• au **subjonctif présent**, à toutes les personnes ;

• à l'**impératif présent**, à toutes les personnes ;

• au **participe présent**.

Le verbe que je cherche se conjugue comme

servir

INDICATIF

Présent
je	**sers**
tu	**sers**
il, elle	**sert**
nous	**servons**
vous	**servez**
ils, elles	**servent**

Imparfait
je	**servais**
tu	**servais**
il, elle	**servait**
nous	**servions**
vous	**serviez**
ils, elles	**servaient**

Passé simple
je	**servis**
tu	**servis**
il, elle	**servit**
nous	**servîmes**
vous	**servîtes**
ils, elles	**servirent**

Futur simple
je	**servirai**
tu	**serviras**
il, elle	**servira**
nous	**servirons**
vous	**servirez**
ils, elles	**serviront**

Passé composé
j'	ai	servi
tu	as	servi
il, elle	a	servi
nous	avons	servi
vous	avez	servi
ils, elles	ont	servi

Plus-que-parfait
j'	avais	servi
tu	avais	servi
il, elle	avait	servi
nous	avions	servi
vous	aviez	servi
ils, elles	avaient	servi

Futur antérieur
j'	aurai	servi
tu	auras	servi
il, elle	aura	servi
nous	aurons	servi
vous	aurez	servi
ils, elles	auront	servi

CONDITIONNEL

Présent
je	**servirais**
tu	**servirais**
il, elle	**servirait**
nous	**servirions**
vous	**serviriez**
ils, elles	**serviraient**

Passé
j'	aurais	servi
tu	aurais	servi
il, elle	aurait	servi
nous	aurions	servi
vous	auriez	servi
ils, elles	auraient	servi

SUBJONCTIF

Présent
il faut que

je	**serve**
tu	**serves**
il, elle	**serve**
nous	**servions**
vous	**serviez**
ils, elles	**servent**

Passé
il faut que

j'	aie	servi
tu	aies	servi
il, elle	ait	servi
nous	ayons	servi
vous	ayez	servi
ils, elles	aient	servi

IMPÉRATIF

Présent
sers
servons
servez

INFINITIF

Présent
servir

PARTICIPE

Présent
servant

Passé
ayant servi **servi(e)**

CARTE D'IDENTITÉ

➤ C'est un verbe du **3e groupe**.

➤ Aux **temps composés**, il se conjugue avec l'**auxiliaire avoir**.

➤ Il a deux radicaux : **serv.../ser...**
On emploie **ser...** :
*exemple : je **sers***
- à l'**indicatif présent**, aux 3 personnes du singulier ;
- à l'**impératif présent**, à la 2e personne du singulier.

« Rien ne **sert** de courir ; il faut partir à point. »
LA FONTAINE, *Le Lièvre et la tortue.*

Modèle des verbes se terminant par …sortir

Le verbe que je cherche se conjugue comme

sortir

INDICATIF

Présent

je	**sors**
tu	**sors**
il, elle	**sort**
nous	**sortons**
vous	**sortez**
ils, elles	**sortent**

Imparfait

je	**sortais**
tu	**sortais**
il, elle	**sortait**
nous	**sortions**
vous	**sortiez**
ils, elles	**sortaient**

Passé simple

je	**sortis**
tu	**sortis**
il, elle	**sortit**
nous	**sortîmes**
vous	**sortîtes**
ils, elles	**sortirent**

Futur simple

je	**sortirai**
tu	**sortiras**
il, elle	**sortira**
nous	**sortirons**
vous	**sortirez**
ils, elles	**sortiront**

Passé composé

je	suis	sorti(e)
tu	es	sorti(e)
il, elle	est	sorti(e)
nous	sommes	sorti(e)s
vous	êtes	sorti(e)s
ils, elles	sont	sorti(e)s

Plus-que-parfait

j'	étais	sorti(e)
tu	étais	sorti(e)
il, elle	était	sorti(e)
nous	étions	sorti(e)s
vous	étiez	sorti(e)s
ils, elles	étaient	sorti(e)s

Futur antérieur

je	serai	sorti(e)
tu	seras	sorti(e)
il, elle	sera	sorti(e)
nous	serons	sorti(e)s
vous	serez	sorti(e)s
ils, elles	seront	sorti(e)s

CONDITIONNEL

Présent

je	**sortirais**
tu	**sortirais**
il, elle	**sortirait**
nous	**sortirions**
vous	**sortiriez**
ils, elles	**sortiraient**

Passé

je	serais	sorti(e)
tu	serais	sorti(e)
il, elle	serait	sorti(e)
nous	serions	sorti(e)s
vous	seriez	sorti(e)s
ils, elles	seraient	sorti(e)s

SUBJONCTIF

Présent

il faut que

je	**sorte**
tu	**sortes**
il, elle	**sorte**
nous	**sortions**
vous	**sortiez**
ils, elles	**sortent**

Passé

il faut que

je	sois	sorti(e)
tu	sois	sorti(e)
il, elle	soit	sorti(e)
nous	soyons	sorti(e)s
vous	soyez	sorti(e)s
ils, elles	soient	sorti(e)s

IMPÉRATIF

Présent

sors
sortons
sortez

INFINITIF

Présent

sortir

PARTICIPE

Présent

sortant

Passé

étant sorti(e) **sorti(e)**

CARTE D'IDENTITÉ

➤ C'est un verbe du **3e groupe**.

➤ Aux **temps composés**, il se conjugue avec l'**auxiliaire être**.

➤ Il a deux radicaux : **sort…/sor…**
On emploie **sor…** :

*exemple : je **sors***

- à l'**indicatif présent**, aux 3 personnes du singulier ;
- à l'**impératif présent**, à la 2e personne du singulier.

« C'est promettre beaucoup ; mais qu'en **sort**-il souvent ?
Du vent. »

LA FONTAINE, *La Montagne qui accouche.*

souffrir

INDICATIF

Présent		Imparfait		Passé simple		Futur simple	
je	souffre	*je*	souffrais	*je*	souffris	*je*	souffrirai
tu	souffres	*tu*	souffrais	*tu*	souffris	*tu*	souffriras
il, elle	souffre	*il, elle*	souffrait	*il, elle*	souffrit	*il, elle*	souffrira
nous	souffrons	*nous*	souffrions	*nous*	souffrîmes	*nous*	souffrirons
vous	souffrez	*vous*	souffriez	*vous*	souffrîtes	*vous*	souffrirez
ils, elles	souffrent	*ils, elles*	souffraient	*ils, elles*	souffrirent	*ils, elles*	souffriront

Passé composé			Plus-que-parfait			Futur antérieur		
j'	ai	souffert	*j'*	avais	souffert	*j'*	aurai	souffert
tu	as	souffert	*tu*	avais	souffert	*tu*	auras	souffert
il, elle	a	souffert	*il, elle*	avait	souffert	*il, elle*	aura	souffert
nous	avons	souffert	*nous*	avions	souffert	*nous*	aurons	souffert
vous	avez	souffert	*vous*	aviez	souffert	*vous*	aurez	souffert
ils, elles	ont	souffert	*ils, elles*	avaient	souffert	*ils, elles*	auront	souffert

CONDITIONNEL

Présent		Passé		
je	souffrirais	*j'*	aurais	souffert
tu	souffrirais	*tu*	aurais	souffert
il, elle	souffrirait	*il, elle*	aurait	souffert
nous	souffririons	*nous*	aurions	souffert
vous	souffririez	*vous*	auriez	souffert
ils, elles	souffriraient	*ils, elles*	auraient	souffert

SUBJONCTIF

Présent		Passé		
il faut que		*il faut que*		
je	souffre	*j'*	aie	souffert
tu	souffres	*tu*	aies	souffert
il, elle	souffre	*il, elle*	ait	souffert
nous	souffrions	*nous*	ayons	souffert
vous	souffriez	*vous*	ayez	souffert
ils, elles	souffrent	*ils, elles*	aient	souffert

IMPÉRATIF

Présent
souffre
souffrons
souffrez

INFINITIF

Présent
souffrir

PARTICIPE

Présent
souffrant

Passé
ayant souffert souffert

CARTE D'IDENTITÉ

➤ C'est un verbe du **3e groupe**.

➤ Aux **temps composés**, il se conjugue avec l'**auxiliaire avoir**.

➤ Il se conjugue **comme un verbe du 1er groupe** :

exemple : je souffre

• à l'**indicatif présent**, à toutes les personnes ;

• à l'**impératif présent**, à la 2e personne du singulier.

« Qui craint de **souffrir**, il **souffre** déjà de ce qu'il craint. »
MONTAIGNE, *Essais*.

Le verbe que je cherche se conjugue comme

soustraire

INDICATIF

Présent		**Imparfait**		**Passé simple**	**Futur simple**	
je	soustr**ais**	*je*	soustr**ayais**	*On ne l'emploie pas.*	*je*	soustr**airai**
tu	soustr**ais**	*tu*	soustr**ayais**		*tu*	soustr**airas**
il, elle	soustr**ait**	*il, elle*	soustr**ayait**		*il, elle*	soustr**aira**
nous	soustr**ayons**	*nous*	soustr**ayions**		*nous*	soustr**airons**
vous	soustr**ayez**	*vous*	soustr**ayiez**		*vous*	soustr**airez**
ils, elles	soustr**aient**	*ils, elles*	soustr**ayaient**		*ils, elles*	soustr**airont**

Passé composé			**Plus-que-parfait**			**Futur antérieur**		
j'	ai	soustrait	*j'*	avais	soustrait	*j'*	aurai	soustrait
tu	as	soustrait	*tu*	avais	soustrait	*tu*	auras	soustrait
il, elle	a	soustrait	*il, elle*	avait	soustrait	*il, elle*	aura	soustrait
nous	avons	soustrait	*nous*	avions	soustrait	*nous*	aurons	soustrait
vous	avez	soustrait	*vous*	aviez	soustrait	*vous*	aurez	soustrait
ils, elles	ont	soustrait	*ils, elles*	avaient	soustrait	*ils, elles*	auront	soustrait

CONDITIONNEL

Présent		**Passé**		
je	soustr**airais**	*j'*	aurais	soustrait
tu	soustr**airais**	*tu*	aurais	soustrait
il, elle	soustr**airait**	*il, elle*	aurait	soustrait
nous	soustr**airions**	*nous*	aurions	soustrait
vous	soustr**airiez**	*vous*	auriez	soustrait
ils, elles	soustr**airaient**	*ils, elles*	auraient	soustrait

SUBJONCTIF

Présent		**Passé**		
il faut que		*il faut que*		
je	soustr**aie**	*j'*	aie	soustrait
tu	soustr**aies**	*tu*	aies	soustrait
il, elle	soustr**aie**	*il, elle*	ait	soustrait
nous	soustr**ayions**	*nous*	ayons	soustrait
vous	soustr**ayiez**	*vous*	ayez	soustrait
ils, elles	soustr**aient**	*ils, elles*	aient	soustrait

IMPÉRATIF

Présent
soustr**ais**
soustr**ayons**
soustr**ayez**

INFINITIF

Présent
soustr**aire**

PARTICIPE

Présent
soustr**ayant**

Passé
ayant soustrait soustr**ait(e)**

CARTE D'IDENTITÉ

➤ C'est un verbe du **3e groupe**.

➤ Aux **temps composés**, il se conjugue avec l'**auxiliaire avoir**.

➤ Il a plusieurs radicaux.
On emploie soustr**ay...** :
*exemple : nous soustr**ayons***
- à l'**indicatif présent**, aux 2 premières personnes du pluriel et **imparfait**, à toutes les personnes ;
- au **subjonctif présent**, aux 2 premières personnes du pluriel ;
- à l'**impératif présent**, aux 2 personnes du pluriel ;
- au **participe présent**.

À l'**imparfait de l'indicatif** et au **présent du subjonctif**, le **y** du radical est suivi du **i** de la terminaison aux 2 premières personnes du pluriel.
*Exemple : nous soustr**ayions***

suffire

INDICATIF

Présent		Imparfait		Passé simple		Futur simple	
je	suffis	*je*	suffisais	*je*	suffis	*je*	suffirai
tu	suffis	*tu*	suffisais	*tu*	suffis	*tu*	suffiras
il, elle	suffit	*il, elle*	suffisait	*il, elle*	suffit	*il, elle*	suffira
nous	suffisons	*nous*	suffisions	*nous*	suffîmes	*nous*	suffirons
vous	suffisez	*vous*	suffisiez	*vous*	suffîtes	*vous*	suffirez
ils, elles	suffisent	*ils, elles*	suffisaient	*ils, elles*	suffirent	*ils, elles*	suffiront

Passé composé			Plus-que-parfait			Futur antérieur		
j'	ai	suffi	*j'*	avais	suffi	*j'*	aurai	suffi
tu	as	suffi	*tu*	avais	suffi	*tu*	auras	suffi
il, elle	a	suffi	*il, elle*	avait	suffi	*il, elle*	aura	suffi
nous	avons	suffi	*nous*	avions	suffi	*nous*	aurons	suffi
vous	avez	suffi	*vous*	aviez	suffi	*vous*	aurez	suffi
ils, elles	ont	suffi	*ils, elles*	avaient	suffi	*ils, elles*	auront	suffi

CONDITIONNEL

Présent		Passé		
je	suffirais	*j'*	aurais	suffi
tu	suffirais	*tu*	aurais	suffi
il, elle	suffirait	*il, elle*	aurait	suffi
nous	suffirions	*nous*	aurions	suffi
vous	suffiriez	*vous*	auriez	suffi
ils, elles	suffiraient	*ils, elles*	auraient	suffi

SUBJONCTIF

Présent		Passé		
il faut que		*il faut que*		
je	suffise	*j'*	aie	suffi
tu	suffises	*tu*	aies	suffi
il, elle	suffise	*il, elle*	ait	suffi
nous	suffisions	*nous*	ayons	suffi
vous	suffisiez	*vous*	ayez	suffi
ils, elles	suffisent	*ils, elles*	aient	suffi

IMPÉRATIF

Présent
suffis
suffisons
suffisez

INFINITIF

Présent
suffire

PARTICIPE

Présent
suffisant

Passé
ayant suffi
suffi

CARTE D'IDENTITÉ

➤ C'est un verbe du **3ᵉ groupe**.

➤ Aux **temps composés**, il se conjugue avec l'**auxiliaire avoir**.

➤ Il a plusieurs radicaux.
On emploie suffis… :
exemple : nous suffisons
• à l'**indicatif présent**, aux 3 personnes du pluriel et **imparfait**, à toutes les personnes ;
• au **subjonctif présent**, à toutes les personnes ;
• à l'**impératif présent**, aux 2 personnes du pluriel ;
• au **participe présent**.

➤ Il présente les **mêmes formes** aux 3 personnes du singulier du **présent** et du **passé simple** de l'**indicatif**. Pour déterminer le **temps employé**, il faut s'appuyer sur le **sens**.
Exemples : Il suffit de passer le pont et c'est tout de suite l'aventure. (présent)
Il se suffit à lui-même durant des années. (passé simple)

Modèle des verbes se terminant par ...suivre

Le verbe que je cherche se conjugue comme

suivre

INDICATIF

Présent		Imparfait		Passé simple		Futur simple	
je	**suis**	*je*	**suivais**	*je*	**suivis**	*je*	**suivrai**
tu	**suis**	*tu*	**suivais**	*tu*	**suivis**	*tu*	**suivras**
il, elle	**suit**	*il, elle*	**suivait**	*il, elle*	**suivit**	*il, elle*	**suivra**
nous	**suivons**	*nous*	**suivions**	*nous*	**suivîmes**	*nous*	**suivrons**
vous	**suivez**	*vous*	**suiviez**	*vous*	**suivîtes**	*vous*	**suivrez**
ils, elles	**suivent**	*ils, elles*	**suivaient**	*ils, elles*	**suivirent**	*ils, elles*	**suivront**

Passé composé			Plus-que-parfait			Futur antérieur		
j'	ai	suivi	*j'*	avais	suivi	*j'*	aurai	suivi
tu	as	suivi	*tu*	avais	suivi	*tu*	auras	suivi
il, elle	a	suivi	*il, elle*	avait	suivi	*il, elle*	aura	suivi
nous	avons	suivi	*nous*	avions	suivi	*nous*	aurons	suivi
vous	avez	suivi	*vous*	aviez	suivi	*vous*	aurez	suivi
ils, elles	ont	suivi	*ils, elles*	avaient	suivi	*ils, elles*	auront	suivi

CONDITIONNEL

Présent		Passé		
je	**suivrais**	*j'*	aurais	suivi
tu	**suivrais**	*tu*	aurais	suivi
il, elle	**suivrait**	*il, elle*	aurait	suivi
nous	**suivrions**	*nous*	aurions	suivi
vous	**suivriez**	*vous*	auriez	suivi
ils, elles	**suivraient**	*ils, elles*	auraient	suivi

SUBJONCTIF

Présent		Passé		
il faut que		*il faut que*		
je	**suive**	*j'*	aie	suivi
tu	**suives**	*tu*	aies	suivi
il, elle	**suive**	*il, elle*	ait	suivi
nous	**suivions**	*nous*	ayons	suivi
vous	**suiviez**	*vous*	ayez	suivi
ils, elles	**suivent**	*ils, elles*	aient	suivi

IMPÉRATIF

Présent
suis
suivons
suivez

INFINITIF

Présent
suivre

PARTICIPE

Présent
suivant

Passé
ayant suivi **suivi(e)**

CARTE D'IDENTITÉ

➤ C'est un verbe du **3e groupe**.

➤ Aux **temps composés**, il se conjugue avec l'**auxiliaire avoir**.

➤ Il a deux radicaux : **suiv.../sui...**

« Je **suis** d'un pas rêveur le sentier solitaire ;
J'aime à revoir encor, pour la dernière fois,
Ce soleil pâlissant, dont la faible lumière
Perce à peine à mes pieds l'obscurité des bois. »

LAMARTINE, *Méditations poétiques.*

se taire

INDICATIF

Présent
je *me* tais
tu *te* tais
il, elle *se* tait
nous *nous* taisons
vous *vous* taisez
ils, elles *se* taisent

Imparfait
je *me* taisais
tu *te* taisais
il, elle *se* taisait
nous *nous* taisions
vous *vous* taisiez
ils, elles *se* taisaient

Passé simple
je *me* tus
tu *te* tus
il, elle *se* tut
nous *nous* tûmes
vous *vous* tûtes
ils, elles *se* turent

Futur simple
je *me* tairai
tu *te* tairas
il, elle *se* taira
nous *nous* tairons
vous *vous* tairez
ils, elles *se* tairont

Passé composé
je *me* suis tu(e)
tu *t'es* tu(e)
il, elle *s'est* tu(e)
nous *nous* sommes tu(e)s
vous *vous* êtes tu(e)s
ils, elles *se* sont tu(e)s

Plus-que-parfait
je *m'*étais tu(e)
tu *t'*étais tu(e)
il, elle *s'*était tu(e)
nous *nous* étions tu(e)s
vous *vous* étiez tu(e)s
ils, elles *s'*étaient tu(e)s

Futur antérieur
je *me* serais tu(e)
tu *te* serais tu(e)
il, elle *se* serait tu(e)
nous *nous* serions tu(e)s
vous *vous* seriez tu(e)s
ils, elles *se* seront tu(e)s

CONDITIONNEL

Présent
je *me* tairais
tu *te* tairais
il, elle *se* tairait
nous *nous* tairions
vous *vous* tairiez
ils, elles *se* tairaient

Passé
je *me* serais tu(e)
tu *te* serais tu(e)
il, elle *se* serait tu(e)
nous *nous* serions tu(e)s
vous *vous* seriez tu(e)s
ils, elles *se* seraient tu(e)s

SUBJONCTIF

Présent
il faut que
je *me* taise
tu *te* taises
il, elle *se* taise
nous *nous* taisions
vous *vous* taisiez
ils, elles *se* taisent

Passé
il faut que
je *me* sois tu(e)
tu *te* sois tu(e)
il, elle *se* soit tu(e)
nous *nous* soyons tu(e)s
vous *vous* soyez tu(e)s
ils, elles *se* soient tu(e)s

IMPÉRATIF

Présent
tais-*toi*
taisons-*nous*
taisez-*vous*

INFINITIF

Présent
se taire

PARTICIPE

Présent
se taisant

Passé
s'étant tu(e) tu(e)

CARTE D'IDENTITÉ

➤ C'est un verbe pronominal du **3e groupe**.

➤ Aux **temps composés**, il se conjugue avec l'**auxiliaire être**.

➤ Il a plusieurs radicaux.
On emploie tais... :

exemple : nous nous taisons

- à l'**indicatif présent**, aux 3 personnes du pluriel et **imparfait**, à toutes les personnes ;
- au **subjonctif présent**, à toutes les personnes ;
- à l'**impératif présent**, aux 2 personnes du pluriel ;
- au **participe présent**.

Le verbe que je cherche se conjugue comme

tenir

INDICATIF

Présent		Imparfait		Passé simple		Futur simple	
je	**tiens**	*je*	**tenais**	*je*	**tins**	*je*	**tiendrai**
tu	**tiens**	*tu*	**tenais**	*tu*	**tins**	*tu*	**tiendras**
il, elle	**tient**	*il, elle*	**tenait**	*il, elle*	**tint**	*il, elle*	**tiendra**
nous	**tenons**	*nous*	**tenions**	*nous*	**tînmes**	*nous*	**tiendrons**
vous	**tenez**	*vous*	**teniez**	*vous*	**tîntes**	*vous*	**tiendrez**
ils, elles	**tiennent**	*ils, elles*	**tenaient**	*ils, elles*	**tinrent**	*ils, elles*	**tiendront**

Passé composé			Plus-que-parfait			Futur antérieur		
j'	ai	tenu	*j'*	avais	tenu	*j'*	aurai	tenu
tu	as	tenu	*tu*	avais	tenu	*tu*	auras	tenu
il, elle	a	tenu	*il, elle*	avait	tenu	*il, elle*	aura	tenu
nous	avons	tenu	*nous*	avions	tenu	*nous*	aurons	tenu
vous	avez	tenu	*vous*	aviez	tenu	*vous*	aurez	tenu
ils, elles	ont	tenu	*ils, elles*	avaient	tenu	*ils, elles*	auront	tenu

CONDITIONNEL

Présent		Passé		
je	**tiendrais**	*j'*	aurais	tenu
tu	**tiendrais**	*tu*	aurais	tenu
il, elle	**tiendrait**	*il, elle*	aurait	tenu
nous	**tiendrions**	*nous*	aurions	tenu
vous	**tiendriez**	*vous*	auriez	tenu
ils, elles	**tiendraient**	*ils, elles*	auraient	tenu

SUBJONCTIF

Présent		Passé		
il faut que		*il faut que*		
je	**tienne**	*j'*	aie	tenu
tu	**tiennes**	*tu*	aies	tenu
il, elle	**tienne**	*il, elle*	ait	tenu
nous	**tenions**	*nous*	ayons	tenu
vous	**teniez**	*vous*	ayez	tenu
ils, elles	**tiennent**	*ils, elles*	aient	tenu

IMPÉRATIF

Présent

tiens
tenons
tenez

INFINITIF

Présent

tenir

PARTICIPE

Présent

tenant

Passé

ayant tenu **tenu(e)**

CARTE D'IDENTITÉ

➤ C'est un verbe du **3e groupe**.

➤ Aux **temps composés**, il se conjugue avec l'**auxiliaire avoir**.

➤ Il a plusieurs radicaux.

➤ Au **passé simple** de l'**indicatif**, il se conjugue en **tin...**.
*Exemple : je **tins***

« Maître Renard, par l'odeur alléché,
Lui **tint** à peu près ce langage :
« Hé ! bonjour, Monsieur du Corbeau.
Que vous êtes joli ! que vous me
semblez beau ! »

La Fontaine, *Le Corbeau et le renard.*

Le verbe que je cherche se conjugue comme

tondre

INDICATIF

Présent		Imparfait		Passé simple		Futur simple	
je	**tonds**	*je*	**tondais**	*je*	**tondis**	*je*	**tondrai**
tu	**tonds**	*tu*	**tondais**	*tu*	**tondis**	*tu*	**tondras**
il, elle	**tond**	*il, elle*	**tondait**	*il, elle*	**tondit**	*il, elle*	**tondra**
nous	**tondons**	*nous*	**tondions**	*nous*	**tondîmes**	*nous*	**tondrons**
vous	**tondez**	*vous*	**tondiez**	*vous*	**tondîtes**	*vous*	**tondrez**
ils, elles	**tondent**	*ils, elles*	**tondaient**	*ils, elles*	**tondirent**	*ils, elles*	**tondront**

Passé composé			Plus-que-parfait			Futur antérieur		
j'	ai	tondu	*j'*	avais	tondu	*j'*	aurai	tondu
tu	as	tondu	*tu*	avais	tondu	*tu*	auras	tondu
il, elle	a	tondu	*il, elle*	avait	tondu	*il, elle*	aura	tondu
nous	avons	tondu	*nous*	avions	tondu	*nous*	aurons	tondu
vous	avez	tondu	*vous*	aviez	tondu	*vous*	aurez	tondu
ils, elles	ont	tondu	*ils, elles*	avaient	tondu	*ils, elles*	auront	tondu

CONDITIONNEL

Présent		Passé		
je	**tondrais**	*j'*	aurais	tondu
tu	**tondrais**	*tu*	aurais	tondu
il, elle	**tondrait**	*il, elle*	aurait	tondu
nous	**tondrions**	*nous*	aurions	tondu
vous	**tondriez**	*vous*	auriez	tondu
ils, elles	**tondraient**	*ils, elles*	auraient	tondu

SUBJONCTIF

Présent *il faut que*		Passé *il faut que*		
je	**tonde**	*j'*	aie	tondu
tu	**tondes**	*tu*	aies	tondu
il, elle	**tonde**	*il, elle*	ait	tondu
nous	**tondions**	*nous*	ayons	tondu
vous	**tondiez**	*vous*	ayez	tondu
ils, elles	**tondent**	*ils, elles*	aient	tondu

IMPÉRATIF

Présent

tonds
tondons
tondez

INFINITIF

Présent

tondre

PARTICIPE

Présent

tondant

Passé

ayant tondu — **tondu(e)**

CARTE D'IDENTITÉ

➤ C'est un verbe du **3e groupe**.

➤ Aux **temps composés**, il se conjugue avec l'**auxiliaire avoir**.

➤ Il garde le **d** du radical tout au long de la conjugaison.
Exemple : je ***tonds***

➤ À la **3e personne du singulier** de l'**indicatif présent**, ce verbe ne prend pas le **t** de la terminaison après le **d** du radical : il **tond**.

« Le pré **est tondu** par le mouton,
le mouton **est tondu** par le berger.
Quoi de plus juste ?
À tondeur, tondeur et demi. »

V. Hugo, *L'Homme qui rit*.

Le verbe que je cherche se conjugue comme

vaincre

INDICATIF

Présent

je	**vaincs**
tu	**vaincs**
il, elle	**vainc**
nous	**vainquons**
vous	**vainquez**
ils, elles	**vainquent**

Imparfait

je	**vainquais**
tu	**vainquais**
il, elle	**vainquait**
nous	**vainquions**
vous	**vainquiez**
ils, elles	**vainquaient**

Passé simple

je	**vainquis**
tu	**vainquis**
il, elle	**vainquit**
nous	**vainquîmes**
vous	**vainquîtes**
ils, elles	**vainquirent**

Futur simple

je	**vaincrai**
tu	**vaincras**
il, elle	**vaincra**
nous	**vaincrons**
vous	**vaincrez**
ils, elles	**vaincront**

Passé composé

j'	ai	vaincu
tu	as	vaincu
il, elle	a	vaincu
nous	avons	vaincu
vous	avez	vaincu
ils, elles	ont	vaincu

Plus-que-parfait

j'	avais	vaincu
tu	avais	vaincu
il, elle	avait	vaincu
nous	avions	vaincu
vous	aviez	vaincu
ils, elles	avaient	vaincu

Futur antérieur

j'	aurai	vaincu
tu	auras	vaincu
il, elle	aura	vaincu
nous	aurons	vaincu
vous	aurez	vaincu
ils, elles	auront	vaincu

CONDITIONNEL

Présent

je	**vaincrais**
tu	**vaincrais**
il, elle	**vaincrait**
nous	**vaincrions**
vous	**vaincriez**
ils, elles	**vaincraient**

Passé

j'	aurais	vaincu
tu	aurais	vaincu
il, elle	aurait	vaincu
nous	aurions	vaincu
vous	auriez	vaincu
ils, elles	auraient	vaincu

SUBJONCTIF

Présent
il faut que

je	**vainque**
tu	**vainques**
il, elle	**vainque**
nous	**vainquions**
vous	**vainquiez**
ils, elles	**vainquent**

Passé
il faut que

j'	aie	vaincu
tu	aies	vaincu
il, elle	ait	vaincu
nous	ayons	vaincu
vous	ayez	vaincu
ils, elles	aient	vaincu

IMPÉRATIF

Présent
vaincs
vainquons
vainquez

INFINITIF

Présent
vaincre

PARTICIPE

Présent
vainquant

Passé
ayant vaincu **vaincu(e)**

CARTE D'IDENTITÉ

➤ C'est un verbe du **3e groupe**.

➤ Aux **temps composés**, il se conjugue avec l'**auxiliaire avoir**.

➤ Il a deux radicaux : **vainc.../vainqu...**
On emploie **vainc...** :

exemple : je ***vaincs***

- à l'**indicatif présent**, aux 3 personnes du singulier et **futur simple**, à toutes les personnes ;
- au **conditionnel présent**, à toutes les personnes ;
- à l'**impératif présent**, à la 2e personne du singulier ;
- au **participe passé**.

« À **vaincre** sans péril, on triomphe sans gloire. »
CORNEILLE, *Le Cid.*

Le verbe que je cherche se conjugue comme

valoir

INDICATIF

Présent
je **vaux**
tu **vaux**
il, elle **vaut**
nous **valons**
vous **valez**
ils, elles **valent**

Imparfait
je **valais**
tu **valais**
il, elle **valait**
nous **valions**
vous **valiez**
ils, elles **valaient**

Passé simple
je **valus**
tu **valus**
il, elle **valut**
nous **valûmes**
vous **valûtes**
ils, elles **valurent**

Futur simple
je **vaudrai**
tu **vaudras**
il, elle **vaudra**
nous **vaudrons**
vous **vaudrez**
ils, elles **vaudront**

Passé composé
j' ai valu
tu as valu
il, elle a valu
nous avons valu
vous avez valu
ils, elles ont valu

Plus-que-parfait
j' avais valu
tu avais valu
il, elle avait valu
nous avions valu
vous aviez valu
ils, elles avaient valu

Futur antérieur
j' aurai valu
tu auras valu
il, elle aura valu
nous aurons valu
vous aurez valu
ils, elles auront valu

CONDITIONNEL

Présent
je **vaudrais**
tu **vaudrais**
il, elle **vaudrait**
nous **vaudrions**
vous **vaudriez**
ils, elles **vaudraient**

Passé
j' aurais valu
tu aurais valu
il, elle aurait valu
nous aurions valu
vous auriez valu
ils, elles auraient valu

SUBJONCTIF

Présent
il faut que
je **vaille**
tu **vailles**
il, elle **vaille**
nous **valions**
vous **valiez**
ils, elles **vaillent**

Passé
il faut que
j' aie valu
tu aies valu
il, elle ait valu
nous ayons valu
vous ayez valu
ils, elles aient valu

IMPÉRATIF

Présent
On ne l'emploie pas.

INFINITIF

Présent
valoir

PARTICIPE

Présent
valant

Passé
ayant valu **valu(e)**

CARTE D'IDENTITÉ

➤ C'est un verbe du **3e groupe**.

➤ Aux **temps composés**, il se conjugue avec l'**auxiliaire avoir**.

➤ Il a plusieurs radicaux.

➤ À l'**indicatif présent**, aux 2 premières personnes du singulier, la terminaison est **x** : je **vaux**, tu **vaux**.

« La façon de donner **vaut** mieux que ce qu'on donne. »
(Proverbe)

Modèle des verbes se terminant par …endre

Le verbe que je cherche se conjugue comme

vendre

INDICATIF

Présent		Imparfait		Passé simple		Futur simple	
je	v**ends**	*je*	v**endais**	*je*	v**endis**	*je*	v**endrai**
tu	v**ends**	*tu*	v**endais**	*tu*	v**endis**	*tu*	v**endras**
il, elle	v**end**	*il, elle*	v**endait**	*il, elle*	v**endit**	*il, elle*	v**endra**
nous	v**endons**	*nous*	v**endions**	*nous*	v**endîmes**	*nous*	v**endrons**
vous	v**endez**	*vous*	v**endiez**	*vous*	v**endîtes**	*vous*	v**endrez**
ils, elles	v**endent**	*ils, elles*	v**endaient**	*ils, elles*	v**endirent**	*ils, elles*	v**endront**

Passé composé			Plus-que-parfait			Futur antérieur		
j'	ai	vendu	*j'*	avais	vendu	*j'*	aurai	vendu
tu	as	vendu	*tu*	avais	vendu	*tu*	auras	vendu
il, elle	a	vendu	*il, elle*	avait	vendu	*il, elle*	aura	vendu
nous	avons	vendu	*nous*	avions	vendu	*nous*	aurons	vendu
vous	avez	vendu	*vous*	aviez	vendu	*vous*	aurez	vendu
ils, elles	ont	vendu	*ils, elles*	avaient	vendu	*ils, elles*	auront	vendu

CONDITIONNEL

Présent		Passé		
je	v**endrais**	*j'*	aurais	vendu
tu	v**endrais**	*tu*	aurais	vendu
il, elle	v**endrait**	*il, elle*	aurait	vendu
nous	v**endrions**	*nous*	aurions	vendu
vous	v**endriez**	*vous*	auriez	vendu
ils, elles	v**endraient**	*ils, elles*	auraient	vendu

SUBJONCTIF

Présent		Passé		
il faut que		*il faut que*		
je	v**ende**	*j'*	aie	vendu
tu	v**endes**	*tu*	aies	vendu
il, elle	v**ende**	*il, elle*	ait	vendu
nous	v**endions**	*nous*	ayons	vendu
vous	v**endiez**	*vous*	ayez	vendu
ils, elles	v**endent**	*ils, elles*	aient	vendu

IMPÉRATIF

Présent
v**ends**
v**endons**
v**endez**

INFINITIF

Présent
v**endre**

PARTICIPE

Présent	Passé	
v**endant**	ayant vendu	v**endu(e)**

CARTE D'IDENTITÉ

➤ C'est un verbe du **3ᵉ groupe**.

➤ Aux **temps composés**, il se conjugue avec l'**auxiliaire avoir**.

➤ Il garde le **d** du radical tout au long de la conjugaison.
*Exemple : je v**ends***

➤ À la **3ᵉ personne du singulier** de l'**indicatif présent**, ce verbe ne prend pas le **t** de la terminaison après le **d** du radical : il v**end**.

« Il ne faut pas **vendre** la peau de l'ours avant de l'avoir tué. »
(Proverbe)

3e groupe

Le verbe que je cherche se conjugue comme

venir

INDICATIF

Présent		Imparfait		Passé simple		Futur simple	
je	**viens**	*je*	**venais**	*je*	**vins**	*je*	**viendrai**
tu	**viens**	*tu*	**venais**	*tu*	**vins**	*tu*	**viendras**
il, elle	**vient**	*il, elle*	**venait**	*il, elle*	**vint**	*il, elle*	**viendra**
nous	**venons**	*nous*	**venions**	*nous*	**vînmes**	*nous*	**viendrons**
vous	**venez**	*vous*	**veniez**	*vous*	**vîntes**	*vous*	**viendrez**
ils, elles	**viennent**	*ils, elles*	**venaient**	*ils, elles*	**vinrent**	*ils, elles*	**viendront**

Passé composé			Plus-que-parfait			Futur antérieur		
je	suis	venu(e)	*j'*	étais	venu(e)	*je*	serai	venu(e)
tu	es	venu(e)	*tu*	étais	venu(e)	*tu*	seras	venu(e)
il, elle	est	venu(e)	*il, elle*	était	venu(e)	*il, elle*	sera	venu(e)
nous	sommes	venu(e)s	*nous*	étions	venu(e)s	*nous*	serons	venu(e)s
vous	êtes	venu(e)s	*vous*	étiez	venu(e)s	*vous*	serez	venu(e)s
ils, elles	sont	venu(e)s	*ils, elles*	étaient	venu(e)s	*ils, elles*	seront	venu(e)s

CONDITIONNEL

Présent		Passé		
je	**viendrais**	*je*	serais	venu(e)
tu	**viendrais**	*tu*	serais	venu(e)
il, elle	**viendrait**	*il, elle*	serait	venu(e)
nous	**viendrions**	*nous*	serions	venu(e)s
vous	**viendriez**	*vous*	seriez	venu(e)s
ils, elles	**viendraient**	*ils, elles*	seraient	venu(e)s

SUBJONCTIF

Présent		Passé		
il faut que		*il faut que*		
je	**vienne**	*je*	sois	venu(e)
tu	**viennes**	*tu*	sois	venu(e)
il, elle	**vienne**	*il, elle*	soit	venu(e)
nous	**venions**	*nous*	soyons	venu(e)s
vous	**veniez**	*vous*	soyez	venu(e)s
ils, elles	**viennent**	*ils, elles*	soient	venu(e)s

IMPÉRATIF

Présent
viens
venons
venez

INFINITIF

Présent
venir

PARTICIPE

Présent
venant

Passé
étant venu(e) **venu(e)**

CARTE D'IDENTITÉ

➤ C'est un verbe du **3e groupe**.

➤ Aux **temps composés**, il se conjugue avec l'**auxiliaire être**.

➤ Il a plusieurs radicaux.

➤ Au **passé simple** de l'**indicatif**, il se conjugue en **vin...** .
Exemple : je ***vins***

« Tout **vient** à point à qui sait attendre. »
(Proverbe)

Modèle des verbes se terminant par …vêtir

Le verbe que je cherche se conjugue comme

vêtir

INDICATIF

Présent

je	**vêts**
tu	**vêts**
il, elle	**vêt**
nous	**vêtons**
vous	**vêtez**
ils, elles	**vêtent**

Imparfait

je	**vêtais**
tu	**vêtais**
il, elle	**vêtait**
nous	**vêtions**
vous	**vêtiez**
ils, elles	**vêtaient**

Passé simple

je	**vêtis**
tu	**vêtis**
il, elle	**vêtit**
nous	**vêtîmes**
vous	**vêtîtes**
ils, elles	**vêtirent**

Futur simple

je	**vêtirai**
tu	**vêtiras**
il, elle	**vêtira**
nous	**vêtirons**
vous	**vêtirez**
ils, elles	**vêtiront**

Passé composé

j'	ai	vêtu
tu	as	vêtu
il, elle	a	vêtu
nous	avons	vêtu
vous	avez	vêtu
ils, elles	ont	vêtu

Plus-que-parfait

j'	avais	vêtu
tu	avais	vêtu
il, elle	avait	vêtu
nous	avions	vêtu
vous	aviez	vêtu
ils, elles	avaient	vêtu

Futur antérieur

j'	aurai	vêtu
tu	auras	vêtu
il, elle	aura	vêtu
nous	aurons	vêtu
vous	aurez	vêtu
ils, elles	auront	vêtu

CONDITIONNEL

Présent

je	**vêtirais**
tu	**vêtirais**
il, elle	**vêtirait**
nous	**vêtirions**
vous	**vêtiriez**
ils, elles	**vêtiraient**

Passé

j'	aurais	vêtu
tu	aurais	vêtu
il, elle	aurait	vêtu
nous	aurions	vêtu
vous	auriez	vêtu
ils, elles	auraient	vêtu

SUBJONCTIF

Présent
il faut que

je	**vête**
tu	**vêtes**
il, elle	**vête**
nous	**vêtions**
vous	**vêtiez**
ils, elles	**vêtent**

Passé
il faut que

j'	aie	vêtu
tu	aies	vêtu
il, elle	ait	vêtu
nous	ayons	vêtu
vous	ayez	vêtu
ils, elles	aient	vêtu

IMPÉRATIF

Présent
vêts
vêtons
vêtez

INFINITIF

Présent
vêtir

PARTICIPE

Présent
vêtant

Passé
ayant vêtu **vêtu(e)**

CARTE D'IDENTITÉ

➤ C'est un verbe du **3e groupe**.

➤ Aux **temps composés**, il se conjugue avec l'**auxiliaire avoir**.

➤ Il garde le **t** et l'**accent circonflexe** du radical tout au long de la conjugaison.
Exemple : je ***vêts***

« Le Temps a laissé son manteau
De vent, de froidure et de pluie,
Et **s'est vêtu** de broderie,
De soleil luisant, clair et beau. »
CH. D'ORLÉANS, *Chansons et rondeaux.*

Le verbe que je cherche se conjugue comme

vivre

INDICATIF

Présent		Imparfait		Passé simple		Futur simple	
je	**vis**	*je*	**vivais**	*je*	**vécus**	*je*	**vivrai**
tu	**vis**	*tu*	**vivais**	*tu*	**vécus**	*tu*	**vivras**
il, elle	**vit**	*il, elle*	**vivait**	*il, elle*	**vécut**	*il, elle*	**vivra**
nous	**vivons**	*nous*	**vivions**	*nous*	**vécûmes**	*nous*	**vivrons**
vous	**vivez**	*vous*	**viviez**	*vous*	**vécûtes**	*vous*	**vivrez**
ils, elles	**vivent**	*ils, elles*	**vivaient**	*ils, elles*	**vécurent**	*ils, elles*	**vivront**

Passé composé			Plus-que-parfait			Futur antérieur		
j'	ai	vécu	*j'*	avais	vécu	*j'*	aurai	vécu
tu	as	vécu	*tu*	avais	vécu	*tu*	auras	vécu
il, elle	a	vécu	*il, elle*	avait	vécu	*il, elle*	aura	vécu
nous	avons	vécu	*nous*	avions	vécu	*nous*	aurons	vécu
vous	avez	vécu	*vous*	aviez	vécu	*vous*	aurez	vécu
ils, elles	ont	vécu	*ils, elles*	avaient	vécu	*ils, elles*	auront	vécu

CONDITIONNEL

Présent		Passé		
je	**vivrais**	*j'*	aurais	vécu
tu	**vivrais**	*tu*	aurais	vécu
il, elle	**vivrait**	*il, elle*	aurait	vécu
nous	**vivrions**	*nous*	aurions	vécu
vous	**vivriez**	*vous*	auriez	vécu
ils, elles	**vivraient**	*ils, elles*	auraient	vécu

SUBJONCTIF

Présent		Passé		
il faut que		*il faut que*		
je	**vive**	*j'*	aie	vécu
tu	**vives**	*tu*	aies	vécu
il, elle	**vive**	*il, elle*	ait	vécu
nous	**vivions**	*nous*	ayons	vécu
vous	**viviez**	*vous*	ayez	vécu
ils, elles	**vivent**	*ils, elles*	aient	vécu

IMPÉRATIF

Présent
vis
vivons
vivez

INFINITIF

Présent
vivre

PARTICIPE

Présent
vivant

Passé
ayant vécu **vécu(e)**

CARTE D'IDENTITÉ

➤ C'est un verbe du **3e groupe**.

➤ Aux **temps composés**, il se conjugue avec l'**auxiliaire avoir**.

➤ Il a plusieurs radicaux.

« Mais elle était au monde, où les plus belles choses
Ont le pire destin.
Et rose elle **a vécu** ce que vivent les roses
L'espace d'un matin. »

MALHERBE, *Consolation à Du Périer.*

Modèle des verbes se terminant par ...voir

Le verbe que je cherche se conjugue comme

voir

INDICATIF

Présent
je	**vois**
tu	**vois**
il, elle	**voit**
nous	**voyons**
vous	**voyez**
ils, elles	**voient**

Imparfait
je	**voyais**
tu	**voyais**
il, elle	**voyait**
nous	**voyions**
vous	**voyiez**
ils, elles	**voyaient**

Passé simple
je	**vis**
tu	**vis**
il, elle	**vit**
nous	**vîmes**
vous	**vîtes**
ils, elles	**virent**

Futur simple
je	**verrai**
tu	**verras**
il, elle	**verra**
nous	**verrons**
vous	**verrez**
ils, elles	**verront**

Passé composé
j'	ai	vu
tu	as	vu
il, elle	a	vu
nous	avons	vu
vous	avez	vu
ils, elles	ont	vu

Plus-que-parfait
j'	avais	vu
tu	avais	vu
il, elle	avait	vu
nous	avions	vu
vous	aviez	vu
ils, elles	avaient	vu

Futur antérieur
j'	aurai	vu
tu	auras	vu
il, elle	aura	vu
nous	aurons	vu
vous	aurez	vu
ils, elles	auront	vu

CONDITIONNEL

Présent
je	**verrais**
tu	**verrais**
il, elle	**verrait**
nous	**verrions**
vous	**verriez**
ils, elles	**verraient**

Passé
j'	aurais	vu
tu	aurais	vu
il, elle	aurait	vu
nous	aurions	vu
vous	auriez	vu
ils, elles	auraient	vu

SUBJONCTIF

Présent
il faut que

je	**voie**
tu	**voies**
il, elle	**voie**
nous	**voyions**
vous	**voyiez**
ils, elles	**voient**

Passé
il faut que

j'	aie	vu
tu	aies	vu
il, elle	ait	vu
nous	ayons	vu
vous	ayez	vu
ils, elles	aient	vu

IMPÉRATIF

Présent
vois
voyons
voyez

INFINITIF

Présent
voir

PARTICIPE

Présent
voyant

Passé
ayant vu **vu(e)**

CARTE D'IDENTITÉ

➤ C'est un verbe du **3e groupe**.

➤ Aux **temps composés**, il se conjugue avec l'**auxiliaire avoir**.

➤ Il a plusieurs radicaux.

➤ On emploie **voy...** :

*exemple : nous **voyons***

- à l'**indicatif présent**, aux 2 premières personnes du pluriel et **imparfait** ;
- au **subjonctif présent**, aux 2 premières personnes du pluriel ;
- à l'**impératif présent**, aux 2 personnes du pluriel ;
- au **participe présent**.

➤ On emploie **ver...** :

*exemple : je **verrai***

- à l'**indicatif futur simple** ;
- au **conditionnel présent**.

À l'**imparfait de l'indicatif** et au **présent du subjonctif**, **y** est suivi de **i** aux 2 premières personnes du pluriel.
*Exemple : nous **voyions***

vouloir

INDICATIF

Présent		Imparfait		Passé simple		Futur simple	
je	veux	*je*	voulais	*je*	voulus	*je*	voudrai
tu	veux	*tu*	voulais	*tu*	voulus	*tu*	voudras
il, elle	veut	*il, elle*	voulait	*il, elle*	voulut	*il, elle*	voudra
nous	voulons	*nous*	voulions	*nous*	voulûmes	*nous*	voudrons
vous	voulez	*vous*	vouliez	*vous*	voulûtes	*vous*	voudrez
ils, elles	veulent	*ils, elles*	voulaient	*ils, elles*	voulurent	*ils, elles*	voudront

Passé composé			Plus-que-parfait			Futur antérieur		
j'	ai	voulu	*j'*	avais	voulu	*j'*	aurai	voulu
tu	as	voulu	*tu*	avais	voulu	*tu*	auras	voulu
il, elle	a	voulu	*il, elle*	avait	voulu	*il, elle*	aura	voulu
nous	avons	voulu	*nous*	avions	voulu	*nous*	aurons	voulu
vous	avez	voulu	*vous*	aviez	voulu	*vous*	aurez	voulu
ils, elles	ont	voulu	*ils, elles*	avaient	voulu	*ils, elles*	auront	voulu

CONDITIONNEL

Présent		Passé		
je	voudrais	*j'*	aurais	voulu
tu	voudrais	*tu*	aurais	voulu
il, elle	voudrait	*il, elle*	aurait	voulu
nous	voudrions	*nous*	aurions	voulu
vous	voudriez	*vous*	auriez	voulu
ils, elles	voudraient	*ils, elles*	auraient	voulu

SUBJONCTIF

Présent		Passé		
il faut que		*il faut que*		
je	veuille	*j'*	aie	voulu
tu	veuilles	*tu*	aies	voulu
il, elle	veuille	*il, elle*	ait	voulu
nous	voulions	*nous*	ayons	voulu
vous	vouliez	*vous*	ayez	voulu
ils, elles	veuillent	*ils, elles*	aient	voulu

IMPÉRATIF

Présent

veuille
On ne l'emploie pas.
veuillez

INFINITIF

Présent

vouloir

PARTICIPE

Présent

voulant

Passé

ayant voulu voulu(e)

CARTE D'IDENTITÉ

➤ C'est un verbe du **3e groupe**.

➤ Aux **temps composés**, il se conjugue avec l'**auxiliaire avoir**.

➤ Il a plusieurs radicaux.

➤ À l'**indicatif présent**, aux 2 premières personnes du singulier, la terminaison est **x** : je veux, tu veux.

« Si tous les gars du monde
Voulaient être marins,
Ils feraient avec leurs barques
Un joli pont sur l'Onde. »

P. Fort, *Ballades françaises.*

On appelle **verbes défectifs** des verbes dont certaines formes de conjugaison ne sont pas utilisées.

advenir

INDICATIF

Présent
il, elle advient
ils, elles adviennent

Imparfait
il, elle advenait
ils, elles advenaient

Passé simple
il, elle advint
ils, elles advinrent

Futur simple
il, elle adviendra
ils, elles adviendront

Passé composé
il, elle est advenu(e)
ils, elles sont advenu(e)s

Plus-que-parfait
il, elle était advenu(e)
ils, elles étaient advenu(e)s

Futur antérieur
il, elle sera advenu(e)
ils, elles seront advenu(e)s

CONDITIONNEL

Présent
il, elle adviendrait
ils, elles adviendraient

Passé
il, elle serait advenu(e)
ils, elles seraient advenu(e)s

SUBJONCTIF

Présent
il faut qu'
il, elle advienne
ils, elles adviennent

Passé
il faut qu'
il, elle soit advenu(e)
ils, elles soient advenu(e)s

INFINITIF

Présent
advenir

PARTICIPE

Présent
advenant

Passé
étant advenu(e) advenu(e)

braire

INDICATIF

Présent
il, elle brait
ils, elles braient

Futur simple
il, elle braira
ils, elles brairont

CONDITIONNEL

Présent
il, elle brairait
ils, elles brairaient

INFINITIF

Présent
braire

clore

INDICATIF

Présent

je	clos
tu	clos
il, elle	clôt
(on ne l'emploie pas)	
(on ne l'emploie pas)	
ils, elles	closent

Futur simple

je	clorai
tu	cloras
il, elle	clora
nous	clorons
vous	clorez
ils, elles	cloront

Passé composé

j'	ai	clos
tu	as	clos
il, elle	a	clos
nous	avons	clos
vous	avez	clos
ils, elles	ont	clos

Plus-que-parfait

j'	avais	clos
tu	avais	clos
il, elle	avait	clos
nous	avions	clos
vous	aviez	clos
ils, elles	avaient	clos

Futur antérieur

j'	aurai	clos
tu	auras	clos
il, elle	aurait	clos
nous	aurons	clos
vous	aurez	clos
ils, elles	auront	clos

CONDITIONNEL

Présent

je	clorais
tu	clorais
il, elle	clorait
nous	clorions
vous	cloriez
ils, elles	cloraient

Passé

j'	aurais	clos
tu	aurais	clos
il, elle	aurait	clos
nous	aurions	clos
vous	auriez	clos
ils, elles	auraient	clos

SUBJONCTIF

Présent
il faut que

je	close
tu	closes
il, elle	close
nous	closions
vous	closiez
ils, elles	closent

Passé
il faut que

j'	aie	clos
tu	aies	clos
il, elle	ait	clos
nous	ayons	clos
vous	ayez	clos
ils, elles	aient	clos

IMPÉRATIF

Présent
clos
(on ne l'emploie pas)
(on ne l'emploie pas)

INFINITIF

Présent
clore

PARTICIPE

Passé
ayant clos

clos(e)

➤ Le verbe **éclore** se conjugue sur le modèle de **clore**, sauf à la 3e personne du singulier de l'indicatif présent : il écl**o**t.

➤ Le verbe **enclore** se conjugue sur le modèle de **clore**, mais existe à toutes les personnes du présent de l'indicatif et de l'impératif : nous enclosons, vous enclosez ; enclosons, enclosez.

déchoir

INDICATIF

Présent
je déchois *(rare)*
tu déchois
il, elle déchoit
nous déchoyons *(rare)*
vous déchoyez *(rare)*
ils, elles déchoient

Passé simple
je déchus
tu déchus
il, elle déchut
nous déchûmes
vous déchûtes
ils, elles déchurent

Futur simple
je déchoirai
tu déchoiras
il, elle déchoira
nous déchoirons
vous déchoirez
ils, elles déchoiront

Passé composé
je suis déchu(e)
tu es déchu(e)
il, elle est déchu(e)
nous sommes déchu(e)s
vous êtes déchu(e)s
ils, elles sont déchu(e)s

Plus-que-parfait
j' étais déchu(e)
tu étais déchu(e)
il, elle était déchu(e)
nous étions déchu(e)s
vous étiez déchu(e)s
ils, elles étaient déchu(e)s

Futur antérieur
je serai déchu(e)
tu seras déchu(e)
il, elle sera déchu(e)
nous serons déchu(e)s
vous serez déchu(e)s
ils, elles seront déchu(e)s

CONDITIONNEL

Présent
je déchoirais
tu déchoirais
il, elle déchoirais
nous déchoirions
vous déchoiriez
ils, elles déchoiraient

Passé
je serais déchu(e)
tu serais déchu(e)
il, elle serait déchu(e)
nous serions déchu(e)s
vous seriez déchu(e)s
ils, elles seraient déchu(e)s

SUBJONCTIF

Présent
il faut que
je déchoie
tu déchoies
il, elle déchoie
nous déchoyions
vous déchoyiez
ils, elles déchoient

Passé
il faut que
je sois déchu(e)
tu sois déchu(e)
il, elle soit déchu(e)
nous soyons déchu(e)s
vous soyez déchu(e)s
ils, elles soient déchu(e)s

INFINITIF

Présent
déchoir

PARTICIPE

Passé
déchu(e)

s'ensuivre

INDICATIF

Présent
il, elle s'ensuit
ils, elles s'ensuivent

Imparfait
il, elle s'ensuivait
ils, elles s'ensuivaient

Passé simple
il, elle s'ensuivit
ils, elles s'ensuivirent

Futur simple
il, elle s'ensuivra
ils, elles s'ensuivront

Passé composé
il, elle s'est ensuivi(e)
ils, elles se sont ensuivi(e)s

Plus-que-parfait
il, elle s'était ensuivi(e)
ils, elles s'étaient ensuivi(e)s

Futur antérieur
il, elle se sera ensuivi(e)
ils, elles se seront ensuivi(e)s

CONDITIONNEL

Présent		Passé		
il, elle	s'ensuivrait	*il, elle*	se serait	ensuivi(e)
ils, elles	s'ensuivraient	*ils, elles*	se seraient	ensuivi(e)s

INFINITIF

Présent
s'ensuivre

SUBJONCTIF

Présent		Passé		
il faut qu'		*il faut qu'*		
il, elle	s'ensuive	*il, elle*	se soit	ensuivi(e)
ils, elles	s'ensuivent	*ils, elles*	se soient	ensuivi(e)s

PARTICIPE

Présent
s'ensuivant

Passé
s'étant ensuivi(e)
ensuivi(e)

faillir

INDICATIF

Passé simple	
je	faillis
tu	faillis
il, elle	faillit
nous	faillîmes
vous	faillîtes
ils, elles	faillirent

Futur simple	
je	faillirai
tu	failliras
il, elle	faillira
nous	faillirons
vous	faillirez
ils, elles	failliront

Passé composé		
j'	ai	failli
tu	as	failli
il, elle	a	failli
nous	avons	failli
vous	avez	failli
ils, elles	ont	failli

Plus-que-parfait		
j'	avais	failli
tu	avais	failli
il, elle	avait	failli
nous	avions	failli
vous	aviez	failli
ils, elles	avaient	failli

Futur antérieur		
j'	aurai	failli
tu	auras	failli
il, elle	aura	failli
nous	aurons	failli
vous	aurez	failli
ils, elles	auront	failli

CONDITIONNEL

Présent	
je	faillirais
tu	faillirais
il, elle	faillirait
nous	faillirions
vous	failliriez
ils, elles	failliraient

Passé		
j'	aurais	failli
tu	aurais	failli
il, elle	aurait	failli
nous	aurions	failli
vous	auriez	failli
ils, elles	auraient	failli

INFINITIF

Présent
faillir

SUBJONCTIF

Passé		
il faut que		
j'	aie	failli
tu	aies	failli
il, elle	ait	failli
nous	ayons	failli
vous	ayez	failli
ils, elles	aient	failli

PARTICIPE

Passé
ayant failli

failli

paître

INDICATIF

Présent

je	pais
tu	pais
il, elle	paît
nous	paissons
vous	paissez
ils, elles	paissent

Imparfait

je	paissais
tu	paissais
il, elle	paissait
nous	paissions
vous	paissiez
ils, elles	paissaient

Futur simple

je	paîtrai
tu	paîtras
il, elle	paîtra
nous	paîtrons
vous	paîtrez
ils, elles	paîtront

CONDITIONNEL

Présent

je	paîtrais
tu	paîtrais
il, elle	paîtrait
nous	paîtrions
vous	paîtriez
ils, elles	paîtraient

SUBJONCTIF

Présent

il faut que

je	paisse
tu	paisses
il, elle	paisse
nous	paissions
vous	paissiez
ils, elles	paissent

IMPÉRATIF

Présent

pais
paissons
paissez

INFINITIF

Présent

paître

PARTICIPE

Présent

paissant

On appelle **verbes impersonnels** les verbes qui ne se conjuguent qu'à la 3e personne du singulier.

falloir

INDICATIF

Présent
il faut

Passé composé
il a fallu

Imparfait
il fallait

Plus-que-parfait
il avait fallu

Passé simple
il fallut

Futur simple
il faudra

Futur antérieur
il aura fallu

CONDITIONNEL

Présent
il faudrait

Passé
il aurait fallu

SUBJONCTIF

Présent
je ne crois pas qu'
il faille

Passé
je ne crois pas qu'
il ait fallu

INFINITIF

Présent
falloir

PARTICIPE

Passé
fallu

grêler

INDICATIF

Présent
il grêle

Passé composé
il a grêlé

Imparfait
il grêlait

Plus-que-parfait
il avait grêlé

Passé simple
il grêla

Futur simple
il grêlera

Futur antérieur
il aura grêlé

CONDITIONNEL

Présent
il grêlerait

Passé
il aurait grêlé

SUBJONCTIF

Présent
il faut qu'
il grêle

Passé
il faut qu'
il ait grêlé

INFINITIF

Présent
grêler

PARTICIPE

Passé
grêlé

neiger

INDICATIF

Présent
il neige

Passé composé
il a neigé

Imparfait
il neigeait

Plus-que-parfait
il avait neigé

Passé simple
il neigea

Futur simple
il neigera

Futur antérieur
il aura neigé

CONDITIONNEL

Présent
il neigerait

Passé
il aurait neigé

SUBJONCTIF

Présent
il faut qu'
il neige

Passé
il faut qu'
il ait neigé

INFINITIF

Présent
neiger

PARTICIPE

Présent
neigeant

Passé
neigé

pleuvoir

INDICATIF

Présent
il pleut

Passé composé
il a plu

Imparfait
il pleuvait

Plus-que-parfait
il avait plu

Passé simple
il plut

Futur simple
il pleuvra

Futur antérieur
il aura plu

CONDITIONNEL

Présent
il pleuvrait

Passé
il aurait plu

SUBJONCTIF

Présent
il faut qu'
il pleuve

Passé
il faut qu'
il ait plu

INFINITIF

Présent
pleuvoir

PARTICIPE

Présent
pleuvant

Passé
plu

tonner

INDICATIF

Présent	Imparfait	Passé simple	Futur simple
il tonne	*il* tonnait	*il* tonna	*il* tonnera
Passé composé	**Plus-que-parfait**		**Futur antérieur**
il a tonné	*il* avait tonné		*il* aura tonné

CONDITIONNEL

Présent	Passé
il tonnerait	*il* aurait tonné

SUBJONCTIF

Présent	Passé
il faut qu' *il* tonne	*il faut qu'* *il* ait tonné

INFINITIF

Présent
tonner

PARTICIPE

Présent	Passé
tonnant	tonné

venter

INDICATIF

Présent	Imparfait	Passé simple	Futur simple
il vente	*il* ventait	*il* venta	*il* ventera
Passé composé	**Plus-que-parfait**		**Futur antérieur**
il a venté	*il* avait venté		*il* aura venté

CONDITIONNEL

Présent	Passé
il venterait	*il* aurait venté

SUBJONCTIF

Présent	Passé
il faut qu' *il* vente	*il faut qu'* *il* ait venté

INFINITIF

Présent
venter

PARTICIPE

Passé
venté

Le verbe que je cherche se conjugue comme

aimer (à la voix passive)

INDICATIF

Présent
je **suis** aimé(e)
tu **es** aimé(e)
il, elle **est** aimé(e)
nous **sommes** aimé(e)s
vous **êtes** aimé(e)s
ils, elles **sont** aimé(e)s

Imparfait
j' **étais** aimé(e)
tu **étais** aimé(e)
il, elle **était** aimé(e)
nous **étions** aimé(e)s
vous **étiez** aimé(e)s
ils, elles **étaient** aimé(e)s

Passé simple
je **fus** aimé(e)
tu **fus** aimé(e)
il, elle **fut** aimé(e)
nous **fûmes** aimé(e)s
vous **fûtes** aimé(e)s
ils, elles **furent** aimé(e)s

Futur simple
je **serai** aimé(e)
tu **seras** aimé(e)
il, elle **sera** aimé(e)
nous **serons** aimé(e)s
vous **serez** aimé(e)s
ils, elles **seraient** aimé(e)s

Passé composé
j' **ai été** aimé(e)
tu **as été** aimé(e)
il, elle **a été** aimé(e)
nous **avons été** aimé(e)s
vous **avez été** aimé(e)s
ils, elles **ont été** aimé(e)s

Plus-que-parfait
j' **avais été** aimé(e)
tu **avais été** aimé(e)
il, elle **avait été** aimé(e)
nous **avions été** aimé(e)s
vous **aviez été** aimé(e)s
ils, elles **avaient été** aimé(e)s

Futur antérieur
j' **aurai été** aimé(e)
tu **auras été** aimé(e)
il, elle **aura été** aimé(e)
nous **aurons été** aimé(e)s
vous **aurez été** aimé(e)s
ils, elles **auront été** aimé(e)s

CONDITIONNEL

Présent
je **serais** aimé(e)
tu **serais** aimé(e)
il, elle **serait** aimé(e)
nous **serions** aimé(e)s
vous **seriez** aimé(e)s
ils, elles **seraient** aimé(e)s

Passé
j' **aurais été** aimé(e)
tu **aurais été** aimé(e)
il, elle **aurait été** aimé(e)
nous **aurions été** aimé(e)s
vous **auriez été** aimé(e)s
ils, elles **auraient été** aimé(e)s

SUBJONCTIF

Présent
il faut que
je **sois** aimé(e)
tu **sois** aimé(e)
il, elle **soit** aimé(e)
nous **soyons** aimé(e)s
vous **soyez** aimé(e)s
ils, elles **soient** aimé(e)s

Passé
il faut que
j' **aie été** aimé(e)
tu **aies été** aimé(e)
il, elle **ait été** aimé(e)
nous **ayons été** aimé(e)s
vous **ayez été** aimé(e)s
ils, elles **aient été** aimé(e)s

IMPÉRATIF

Présent
sois aimé(e)
soyons aimé(e)s
soyez aimé(e)s

INFINITIF

Présent
être aimé(e)

PARTICIPE

Présent
étant aimé(e)

Passé
ayant été aimé(e) aimé(e)

CARTE D'IDENTITÉ

➤ À la **voix passive**, le verbe est toujours conjugué avec l'**auxiliaire être**.

➤ C'est l'**auxiliaire être** qui **indique le temps** de la forme verbale.
Exemple : je suis aimé(e) → présent de l'indicatif,
j'ai été aimé(e) → passé composé de l'indicatif

Voici un exemple du verbe châtier à la voix passive.

« Qui te rend si hardi de troubler mon breuvage ?
Dit cet animal plein de rage :
Tu **seras châtié** de ta témérité. »
La Fontaine, *Le Loup et l'agneau.*

Répertoire des verbes

Mode d'emploi

Tous les verbes répertoriés renvoient à la page d'un verbe modèle.

*Exemple : agrand**ir** **70***
70 renvoie au modèle des verbes du 2e groupe (fin**ir**).

Certains verbes ont un double renvoi :

• verbes à la **forme pronominale**

*Exemple : s'amoll**ir** **70/55***
70 renvoie au modèle des verbes du 2e groupe (fin**ir**).
55 renvoie au modèle des verbes à la forme pronominale (**s'**envol**er**).

• verbes se conjuguant avec **avoir** et **être**

*Exemple : mont**er** A/E **48/68***
48 renvoie au modèle des verbes du 1er groupe conjugués avec *avoir* (chant**er**).
68 renvoie au modèle des verbes du 1er groupe conjugués avec *être* (tomb**er**).

• verbes souvent utilisés à la **voix passive**

*Exemple : affam**er** A/E **48/148***
48 renvoie au modèle des verbes du 1er groupe conjugués avec *avoir* (chant**er**).
148 renvoie au modèle des verbes à la voix passive (être aimé).

Abaisser

= verbe modèle
DÉF = verbe défectif **IMP** = verbe impersonnel

Verbe	Participe passé	Groupe	Auxiliaire	Page du modèle
A				
abaisser	*abaissé*	1er	A	48
abandonner	*abandonné*	1er	A	48
abattre	*abattu*	3e	A	76
abdiquer	*abdiqué*	1er	A	48
abîmer	*abîmé*	1er	A	48
abjurer	*abjuré*	1er	A	48
abolir	*aboli*	2e	A	70
abonder	*abondé*	1er	A	48
abonner	*abonné*	1er	A	48
s'abonner	*abonné*	1er	Ê	55
aborder	*abordé*	1er	A	48
aboutir	*abouti*	2e	A	70
aboyer	*aboyé*	1er	A	54
abréger	*abrégé*	1er	A	44
s'abreuver	*abreuvé*	1er	Ê	55
abriter	*abrité*	1er	A	48
abroger	*abrogé*	1er	A	62
abrutir	*abruti*	2e	A	70
s'absenter	*absenté*	1er	Ê	55
absorber	*absorbé*	1er	A	48
s'abstenir	*abstenu*	3e	Ê	130/55
abuser	*abusé*	1er	A	48
accabler	*accablé*	1er	A	48
accaparer	*accaparé*	1er	A	48
accéder	*accédé (à)*	1er	A	47
accélérer	*accéléré*	1er	A	47
accentuer	*accentué*	1er	A	66
accepter	*accepté*	1er	A	48
accidenter	*accidenté*	1er	A	48
acclamer	*acclamé*	1er	A	48
acclimater	*acclimaté*	1er	A	48
accommoder	*accommodé*	1er	A	48
accompagner	*accompagné*	1er	A	58
accomplir	*accompli*	2e	A	70
accorder	*accordé*	1er	A	48
accoster	*accosté*	1er	A	48
accoucher	*accouché*	1er	A	48
s'accouder	*accoudé*	1er	Ê	55
s'accoupler	*accouplé*	1er	Ê	55
accourir	*accouru*	3e	A Ê	85
s'accoutumer	*accoutumé*	1er	Ê	55
accrocher	*accroché*	1er	A	48
accroître	*accru*	3e	A	72
s'accroupir	*accroupi*	2e	Ê	70/55
accueillir	*accueilli*	3e	A	89
accumuler	*accumulé*	1er	A	48
accuser	*accusé*	1er	A	48
s'acharner	*acharné*	1er	Ê	55
acheminer	*acheminé*	1er	A	48
acheter	*acheté*	1er	A	45
achever	*achevé*	1er	A	67
acquérir	*acquis*	3e	A	73
acquiescer	*acquiescé*	1er	A	49
acquitter	*acquitté*	1er	A	48
actionner	*actionné*	1er	A	48
activer	*activé*	1er	A	48
actualiser	*actualisé*	1er	A	48
adapter	*adapté*	1er	A	48
additionner	*additionné*	1er	A	48
adhérer	*adhéré (à)*	1er	A	47
adjoindre	*adjoint*	3e	A	97
adjuger	*adjugé*	1er	A	62
admettre	*admis*	3e	A	102
administrer	*administré*	1er	A	48
admirer	*admiré*	1er	A	48
s'adonner	*adonné (à)*	1er	Ê	55
adopter	*adopté*	1er	A	48
adorer	*adoré*	1er	A	48
s'adosser	*adossé*	1er	Ê	55
adoucir	*adouci*	2e	A	70
adresser	*adressé*	1er	A	48
advenir	*advenu*	DÉF	Ê	140
aérer	*aéré*	1er	A	47
affaiblir	*affaibli*	2e	A	70
s'affairer	*affairé*	1er	Ê	55
s'affaisser	*affaissé*	1er	Ê	55
s'affaler	*affalé (sur)*	1er	Ê	55
affamer	*affamé*	1er	A Ê	48/148
affecter	*affecté*	1er	A	48
affectionner	*affectionné*	1er	A	48
affermir	*affermi*	2e	A	70
afficher	*affiché*	1er	A	48
s'affilier	*affilié*	1er	Ê	52/55

A = se conjugue avec l'auxiliaire **avoir**
Ê = se conjugue avec l'auxiliaire **être**

Verbe	Participe passé	Groupe	Auxiliaire	Page du modèle
affin**er**	*affiné*	1er	A	48
affirm**er**	*affirmé*	1er	A	48
affleur**er**	*affleuré*	1er	A	48
affli**ger**	*affligé*	1er	A	62
afflu**er**	*afflué*	1er	A	66
affol**er**	*affolé*	1er	A	48
affranch**ir**	*affranchi*	2e	A	70
affront**er**	*affronté*	1er	A	48
affût**er**	*affûté*	1er	A	48
aga**cer**	*agacé*	1er	A	49
agen**cer**	*agencé*	1er	A	49
s'agenou**iller**	*agenouillé*	1er	Ê	69/55
s'aggloméré**r**	*aggloméré*	1er	Ê	47/55
s'agglutin**er**	*agglutiné*	1er	Ê	55
aggrav**er**	*aggravé*	1er	A	48
ag**ir**	*agi*	2e	A	70
agit**er**	*agité*	1er	A	48
agonis**er**	*agonisé*	1er	A	48
agraf**er**	*agrafé*	1er	A	48
agrand**ir**	*agrandi*	2e	A	70
agr**éer**	*agréé*	1er	A	51
agrément**er**	*agrémenté*	1er	A	48
agress**er**	*agressé*	1er	A	48
agripp**er**	*agrippé*	1er	A	48
s'aguerr**ir**	*aguerri*	2e	Ê	70/55
aid**er**	*aidé*	1er	A	48
s'aigr**ir**	*aigri*	2e	Ê	70/55
aigu**iller**	*aiguillé*	1er	A	69
aiguis**er**	*aiguisé*	1er	A	48
aim**er**	*aimé*	1er	A	48
ajourn**er**	*ajourné*	1er	A	48
ajout**er**	*ajouté*	1er	A	48
ajust**er**	*ajusté*	1er	A	48
s'alarm**er**	*alarmé*	1er	Ê	55
alert**er**	*alerté*	1er	A	48
ali**gner**	*aligné*	1er	A	58
s'aliment**er**	*alimenté*	1er	Ê	55
s'alit**er**	*alité*	1er	Ê	55
allait**er**	*allaité*	1er	A	48
all**écher**	*alléché*	1er	A	47
all**éger**	*allégé*	1er	A	47
aller	*allé*	3e	Ê	74
s'all**ier**	*allié*	1er	Ê	52/55
allon**ger**	*allongé*	1er	A	62
allum**er**	*allumé*	1er	A	48
alourd**ir**	*alourdi*	2e	A	70
alt**érer**	*altéré*	1er	A	47
altern**er**	*alterné*	1er	A	48
alun**ir**	*aluni*	2e	A	70
amad**ouer**	*amadoué*	1er	A	66
s'amalgam**er**	*amalgamé*	1er	Ê	55
amarr**er**	*amarré*	1er	A	48
amass**er**	*amassé*	1er	A	48
amélior**er**	*amélioré*	1er	A	48
aména**ger**	*aménagé*	1er	A	62
am**ener**	*amené*	1er	A	67
s'amenuis**er**	*amenuisé*	1er	Ê	55
amerr**ir**	*amerri*	2e	A	70
ameut**er**	*ameuté*	1er	A	48
aminc**ir**	*aminci*	2e	A	70
amnist**ier**	*amnistié*	1er	A	52
amoindr**ir**	*amoindri*	2e	A	70
s'amoll**ir**	*amolli*	2e	Ê	70/55
s'amonc**eler**	*amoncelé*	1er	Ê	46/55
amor**cer**	*amorcé*	1er	A	49
amort**ir**	*amorti*	2e	A	70
amplif**ier**	*amplifié*	1er	A	52
amput**er**	*amputé*	1er	A	48
amus**er**	*amusé*	1er	A	48
analys**er**	*analysé*	1er	A	48
ancr**er**	*ancré*	1er	A	48
anéant**ir**	*anéanti*	2e	A	70
anesthés**ier**	*anesthésié*	1er	A	52
s'angoiss**er**	*angoissé*	1er	Ê	55
anim**er**	*animé*	1er	A	48
annex**er**	*annexé*	1er	A	48
annihil**er**	*annihilé*	1er	A	48
annon**cer**	*annoncé*	1er	A	49
annot**er**	*annoté*	1er	A	48
annul**er**	*annulé*	1er	A	48
anobl**ir**	*anobli*	2e	A	70
ânonn**er**	*ânonné*	1er	A	48
anticip**er**	*anticipé*	1er	A	48
apais**er**	*apaisé*	1er	A	48

Apercevoir

= verbe modèle
DÉF = verbe défectif **IMP** = verbe impersonnel

Verbe	Participe passé	Groupe	Auxiliaire	Page du modèle
aper**cevoir**	*aperçu*	3e	A	117
apit**oyer**	*apitoyé*	1er	A	54
aplan**ir**	*aplani*	2e	A	70
aplat**ir**	*aplati*	2e	A	70
apostroph**er**	*apostrophé*	1er	A	48
appar**aître**	*apparu*	3e	A Ê	81
appare**iller**	*appareillé*	1er	A	69
appar**tenir**	*appartenu*	3e	A	130
appât**er**	*appâté*	1er	A	48
appauvr**ir**	*appauvri*	2e	A	70
app**eler**	*appelé*	1er	A	46
s'appesant**ir**	*appesanti*	2e	Ê	70/55
applaud**ir**	*applaudi*	2e	A	70
appliqu**er**	*appliqué*	1er	A	48
apport**er**	*apporté*	1er	A	48
appos**er**	*apposé*	1er	A	48
appréc**ier**	*apprécié*	1er	A	52
appréhend**er**	*appréhendé*	1er	A	48
ap**prendre**	*appris*	3e	A	115
s'apprêt**er**	*apprêté (à)*	1er	Ê	55
apprivois**er**	*apprivoisé*	1er	A	48
approch**er**	*approché*	1er	A	48
s'approch**er**	*approché*	1er	Ê	55
approfond**ir**	*approfondi*	2e	A	70
s'appropr**ier**	*approprié*	1er	Ê	52/55
approuv**er**	*approuvé*	1er	A	48
approvisionn**er**	*approvisionné*	1er	A	48
app**uyer**	*appuyé*	1er	A	57
arbitr**er**	*arbitré*	1er	A	48
arbor**er**	*arboré*	1er	A	48
s'arc-bout**er**	*arc-bouté*	1er	Ê	55
archiv**er**	*archivé*	1er	A	48
argument**er**	*argumenté*	1er	A	48
arm**er**	*armé*	1er	A	48
s'arm**er**	*armé*	1er	Ê	55
arpent**er**	*arpenté*	1er	A	48
arrach**er**	*arraché*	1er	A	48
arran**ger**	*arrangé*	1er	A	62
s'arran**ger**	*arrangé*	1er	Ê	62/55
arrêt**er**	*arrêté*	1er	A	48
s'arrêt**er**	*arrêté*	1er	Ê	55
arriv**er**	*arrivé*	1er	Ê	68
arrond**ir**	*arrondi*	2e	A	70
arros**er**	*arrosé*	1er	A	48
articul**er**	*articulé*	1er	A	48
aseptis**er**	*aseptisé*	1er	A	48
asper**ger**	*aspergé*	1er	A	62
asphyx**ier**	*asphyxié*	1er	A	52
aspir**er**	*aspiré*	1er	A	48
s'assag**ir**	*assagi*	2e	Ê	70/55
assain**ir**	*assaini*	2e	A	70
assaisonn**er**	*assaisonné*	1er	A	48
assassin**er**	*assassiné*	1er	A	48
asséch**er**	*asséché*	1er	A	47
assembl**er**	*assemblé*	1er	A	48
ass**éner**	*asséné*	1er	A	47
s'**asseoir**	*assis*	3e	Ê	75
asserv**ir**	*asservi*	2e	A	70
assi**éger**	*assiégé*	1er	A	44
assimil**er**	*assimilé*	1er	A	48
assist**er**	*assisté*	1er	A	48
assoc**ier**	*associé*	1er	A	52
assoiff**er**	*assoiffé*	1er	A Ê	48/148
assombr**ir**	*assombri*	2e	A	70
assomm**er**	*assommé*	1er	A	48
assort**ir**	*assorti*	2e	A	70
s'assoup**ir**	*assoupi*	2e	Ê	70/55
assoupl**ir**	*assoupli*	2e	A	70
assourd**ir**	*assourdi*	2e	A	70
assouv**ir**	*assouvi*	2e	A	70
assujett**ir**	*assujetti*	2e	A	70
assum**er**	*assumé*	1er	A	48
assur**er**	*assuré*	1er	A	48
asticot**er**	*asticoté*	1er	A	48
astiqu**er**	*astiqué*	1er	A	48
astr**eindre**	*astreint*	3e	A	111
s'attabl**er**	*attablé*	1er	Ê	55
attach**er**	*attaché*	1er	A	48
attaqu**er**	*attaqué*	1er	A	48
s'attard**er**	*attardé*	1er	Ê	55
att**eindre**	*atteint*	3e	A	111
att**eler**	*attelé*	1er	A	46
att**endre**	*attendu*	3e	A	134
attendr**ir**	*attendri*	2e	A	70

A = se conjugue avec l'auxiliaire **avoir**
Ê = se conjugue avec l'auxiliaire **être**

VERBE	PARTICIPE PASSÉ	GROUPE	AUXILIAIRE	PAGE DU MODÈLE
attent**er**	*attenté (à)*	1er	A	48
atténu**er**	*atténué*	1er	A	66
atterr**ir**	*atterri*	2e	A	70
attest**er**	*attesté*	1er	A	48
attir**er**	*attiré*	1er	A	48
attis**er**	*attisé*	1er	A	48
attrap**er**	*attrapé*	1er	A	48
attrib**uer**	*attribué*	1er	A	66
attrist**er**	*attristé*	1er	A	48
s'attroup**er**	*attroupé*	1er	Ê	55
augment**er**	*augmenté*	1er	A Ê	48/148
auscult**er**	*ausculté*	1er	A	48
autoris**er**	*autorisé*	1er	A	48
aval**er**	*avalé*	1er	A	48
avan**cer**	*avancé*	1er	A	49
avanta**ger**	*avantagé*	1er	A	62
s'aventur**er**	*aventuré*	1er	Ê	55
avert**ir**	*averti*	2e	A	70
aveugl**er**	*aveuglé*	1er	A	48
s'avil**ir**	*avili*	2e	Ê	70/55
avis**er**	*avisé*	1er	A	48
avoir	*eu*	aux.	A	42
avo**uer**	*avoué*	1er	A	66

B

VERBE	PARTICIPE PASSÉ	GROUPE	AUXILIAIRE	PAGE DU MODÈLE
bab**iller**	*babillé*	1er	A	69
bâcl**er**	*bâclé*	1er	A	48
badigeonn**er**	*badigeonné*	1er	A	48
bafo**uer**	*bafoué*	1er	A	66
bafou**iller**	*bafouillé*	1er	Ê	69
se bagarr**er**	*bagarré*	1er	Ê	55
bai**gner**	*baigné*	1er	A	58
bâ**iller**	*bâillé*	1er	A	69
bâillonn**er**	*bâillonné*	1er	A	48
bais**er**	*baisé*	1er	A	48
baiss**er**	*baissé*	1er	A	48
se balad**er**	*baladé*	1er	Ê	55
balan**cer**	*balancé*	1er	A	49
bal**ayer**	*balayé*	1er	A	63
balbut**ier**	*balbutié*	1er	A	52
balis**er**	*balisé*	1er	A	48
ballott**er**	*ballotté*	1er	A	48
band**er**	*bandé*	1er	A	48
bann**ir**	*banni*	2e	A	70
baptis**er**	*baptisé*	1er	A	48
baragouin**er**	*baragouiné*	1er	A	48
barb**er**	*barbé*	1er	A	48
barbot**er**	*barboté*	1er	A	48
barbou**iller**	*barbouillé*	1er	A	69
bard**er**	*bardé*	1er	A	48
bariol**er**	*bariolé*	1er	A	48
barr**er**	*barré*	1er	A	48
barricad**er**	*barricadé*	1er	A	48
barr**ir**	*barri*	2e	A	70
bascul**er**	*basculé*	1er	A	48
bas**er**	*basé*	1er	A	48
bata**iller**	*bataillé*	1er	A	69
bât**ir**	*bâti*	2e	A	70
battre	*battu*	3e	A	76
bavard**er**	*bavardé*	1er	A	48
bav**er**	*bavé*	1er	A	48
bêch**er**	*bêché*	1er	A	48
bég**ayer**	*bégayé*	1er	A	63
bêl**er**	*bêlé*	1er	A	48
bénéfic**ier**	*bénéficié (de)*	1er	A	52
bén**ir**	*béni*	2e	A	70
ber**cer**	*bercé*	1er	A	49
bern**er**	*berné*	1er	A	48
bêtif**ier**	*bêtifié*	1er	A	52
bétonn**er**	*bétonné*	1er	A	48
beugl**er**	*beuglé*	1er	A	48
beurr**er**	*beurré*	1er	A	48
biais**er**	*biaisé*	1er	A	48
bichonn**er**	*bichonné*	1er	A	48
biff**er**	*biffé*	1er	A	48
bifurqu**er**	*bifurqué*	1er	A	48
bin**er**	*biné*	1er	A	48
bivouaqu**er**	*bivouaqué*	1er	A	48
bla**guer**	*blagué*	1er	A	50
blâm**er**	*blâmé*	1er	A	48
blanch**ir**	*blanchi*	2e	A	70
blasph**émer**	*blasphémé*	1er	A	47
blêm**ir**	*blêmi*	2e	A	70

= verbe modèle
DÉF = verbe défectif **IMP** = verbe impersonnel

VERBE	PARTICIPE PASSÉ	GROUPE	AUXILIAIRE	PAGE DU MODÈLE
bless**er**	*blessé*	1er	A	**48**
bleu**ir**	*bleui*	2e	A	**70**
bloqu**er**	*bloqué*	1er	A	**48**
se blott**ir**	*blotti*	2e	Ê	**70/55**
bluff**er**	*bluffé*	1er	A	**48**
boire	*bu*	3e	A	**77**
boit**er**	*boité*	1er	A	**48**
boit**iller**	*boitillé*	1er	A	**69**
bombard**er**	*bombardé*	1er	A	**48**
bomb**er**	*bombé*	1er	A	**48**
bond**ir**	*bondi*	2e	A	**70**
bonif**ier**	*bonifié*	1er	A	**52**
bord**er**	*bordé*	1er	A	**48**
se born**er**	*borné (à)*	1er	Ê	**55**
bott**er**	*botté*	1er	A	**48**
bouch**er**	*bouché*	1er	A	**48**
boucl**er**	*bouclé*	1er	A	**48**
boud**er**	*boudé*	1er	A	**48**
bou**ger**	*bougé*	1er	A	**62**
bougonn**er**	*bougonné*	1er	A	**48**
bouillir	*bouilli*	3e	A	**78**
bouillonn**er**	*bouillonné*	1er	A	**48**
boulevers**er**	*bouleversé*	1er	A	**48**
boulonn**er**	*boulonné*	1er	A	**48**
bouquin**er**	*bouquiné*	1er	A	**48**
bourdonn**er**	*bourdonné*	1er	A	**48**
bourgeonn**er**	*bourgeonné*	1er	A	**48**
bourr**er**	*bourré*	1er	A	**48**
boyscul**er**	*bousculé*	1er	A	**48**
bouton**ner**	*boutonné*	1er	A	**48**
box**er**	*boxé*	1er	A	**48**
boycott**er**	*boycotté*	1er	A	**48**
braconn**er**	*braconné*	1er	A	**48**
brad**er**	*bradé*	1er	A	**48**
bra**iller**	*braillé*	1er	A	**69**
braire		DÉF	A	**140**
bram**er**	*bramé*	1er	A	**48**
branch**er**	*branché*	1er	A	**48**
brand**ir**	*brandi*	2e	A	**70**
branl**er**	*branlé*	1er	A	**48**
braqu**er**	*braqué*	1er	A	**48**
brass**er**	*brassé*	1er	A	**48**

VERBE	PARTICIPE PASSÉ	GROUPE	AUXILIAIRE	PAGE DU MODÈLE
brav**er**	*bravé*	1er	A	**48**
bredou**iller**	*bredouillé*	1er	A	**69**
brev**eter**	*breveté*	1er	A	**45**
bricol**er**	*bricolé*	1er	A	**48**
brid**er**	*bridé*	1er	A	**48**
br**iller**	*brillé*	1er	A	**69**
brim**er**	*brimé*	1er	A	**48**
bringuebal**er**	*bringuebalé*	1er	A	**48**
bris**er**	*brisé*	1er	A	**48**
brod**er**	*brodé*	1er	A	**48**
bronch**er**	*bronché*	1er	A	**48**
bronz**er**	*bronzé*	1er	A	**48**
bross**er**	*brossé*	1er	A	**48**
brou**iller**	*brouillé*	1er	A	**69**
brout**er**	*brouté*	1er	A	**48**
br**oyer**	*broyé*	1er	A	**54**
brûl**er**	*brûlé*	1er	A	**48**
brun**ir**	*bruni*	2e	A	**70**
brusqu**er**	*brusqué*	1er	A	**48**
brutalis**er**	*brutalisé*	1er	A	**48**
but**er**	*buté*	1er	A	**48**
butin**er**	*butiné*	1er	A	**48**

C

VERBE	PARTICIPE PASSÉ	GROUPE	AUXILIAIRE	PAGE DU MODÈLE
caboss**er**	*cabossé*	1er	A Ê	**48/148**
se cabr**er**	*cabré*	1er	Ê	**55**
cach**er**	*caché*	1er	A	**48**
cach**eter**	*cacheté*	1er	A	**61**
cadenass**er**	*cadenassé*	1er	A	**48**
cadr**er**	*cadré*	1er	A	**48**
cafou**iller**	*cafouillé*	1er	A	**69**
cahot**er**	*cahoté*	1er	A	**48**
ca**iller**	*caillé*	1er	A	**69**
cajol**er**	*cajolé*	1er	A	**48**
calcul**er**	*calculé*	1er	A	**48**
cal**er**	*calé*	1er	A	**48**
calfeutr**er**	*calfeutré*	1er	A	**48**
câlin**er**	*câliné*	1er	A	**48**
calm**er**	*calmé*	1er	A	**48**
calomn**ier**	*calomnié*	1er	A	**52**
cambriol**er**	*cambriolé*	1er	A	**48**

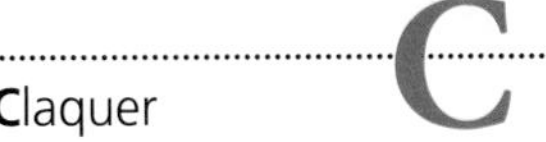

A = se conjugue avec l'auxiliaire **avoir**
Ê = se conjugue avec l'auxiliaire **être**

Verbe	Participe passé	Groupe	Auxiliaire	Page du modèle
camoufl**er**	*camouflé*	**1er**	A	**48**
camp**er**	*campé*	**1er**	A Ê	**48/68**
se camp**er**	*campé*	**1er**	Ê	**55**
canalis**er**	*canalisé*	**1er**	A	**48**
canot**er**	*canoté*	**1er**	A	**48**
cantonn**er**	*cantonné*	**1er**	A	**48**
capitul**er**	*capitulé*	**1er**	A	**48**
capot**er**	*capoté*	**1er**	A	**48**
capt**er**	*capté*	**1er**	A	**48**
captiv**er**	*captivé*	**1er**	A	**48**
captur**er**	*capturé*	**1er**	A	**48**
caqu**eter**	*caqueté*	**1er**	A	**61**
caracol**er**	*caracolé*	**1er**	A	**48**
caractéris**er**	*caractérisé*	**1er**	A	**48**
caress**er**	*caressé*	**1er**	A	**48**
caricatur**er**	*caricaturé*	**1er**	A	**48**
carillonn**er**	*carillonné*	**1er**	A	**48**
carr**eler**	*carrelé*	**1er**	A	**46**
cas**er**	*casé*	**1er**	A	**48**
cass**er**	*cassé*	**1er**	A	**48**
castr**er**	*castré*	**1er**	A	**48**
catapult**er**	*catapulté*	**1er**	A	**48**
catch**er**	*catché*	**1er**	A	**48**
caus**er**	*causé*	**1er**	A	**48**
caval**er**	*cavalé*	**1er**	A	**48**
c**éder**	*cédé*	**1er**	A	**47**
c**eindre**	*ceint*	**3e**	A	**111**
ceintur**er**	*ceinturé*	**1er**	A	**48**
cél**ébrer**	*célébré*	**1er**	A	**47**
censur**er**	*censuré*	**1er**	A	**48**
centralis**er**	*centralisé*	**1er**	A	**48**
centr**er**	*centré*	**1er**	A	**48**
cern**er**	*cerné*	**1er**	A	**48**
certif**ier**	*certifié*	**1er**	A	**52**
cess**er**	*cessé*	**1er**	A	**48**
chagrin**er**	*chagriné*	**1er**	A	**48**
chahut**er**	*chahuté*	**1er**	A	**48**
se chama**iller**	*chamaillé*	**1er**	Ê	**69/55**
chanc**eler**	*chancelé*	**1er**	A	**46**
chan**ger**	*changé*	**1er**	A	**62**
chant**er**	*chanté*	**1er**	A	**48**
chantonn**er**	*chantonné*	**1er**	A	**48**
chapard**er**	*chapardé*	**1er**	A	**48**
char**ger**	*chargé*	**1er**	A	**62**
charm**er**	*charmé*	**1er**	A	**48**
charr**ier**	*charrié*	**1er**	A	**52**
chass**er**	*chassé*	**1er**	A	**48**
chât**ier**	*châtié*	**1er**	A	**52**
chato**uiller**	*chatouillé*	**1er**	A	**69**
chat**oyer**	*chatoyé*	**1er**	A	**54**
châtr**er**	*châtré*	**1er**	A	**48**
chauff**er**	*chauffé*	**1er**	A	**48**
chauss**er**	*chaussé*	**1er**	A	**48**
chavir**er**	*chaviré*	**1er**	A Ê	**48/68**
chemin**er**	*cheminé*	**1er**	A	**48**
cherch**er**	*cherché*	**1er**	A	**48**
chér**ir**	*chéri*	**2e**	A	**70**
chevauch**er**	*chevauché*	**1er**	A	**48**
chiffonn**er**	*chiffonné*	**1er**	A	**48**
chiffr**er**	*chiffré*	**1er**	A	**48**
chip**er**	*chipé*	**1er**	A	**48**
chipot**er**	*chipoté*	**1er**	A	**48**
chiqu**er**	*chiqué*	**1er**	A	**48**
chois**ir**	*choisi*	**2e**	A	**70**
chôm**er**	*chômé*	**1er**	A	**48**
choqu**er**	*choqué*	**1er**	A	**48**
chouchout**er**	*chouchouté*	**1er**	A	**48**
ch**oyer**	*choyé*	**1er**	A	**54**
chronom**étrer**	*chronométré*	**1er**	A	**47**
chuchot**er**	*chuchoté*	**1er**	A	**48**
chut**er**	*chuté*	**1er**	A	**48**
cibl**er**	*ciblé*	**1er**	A	**48**
cicatris**er**	*cicatrisé*	**1er**	A	**48**
ciment**er**	*cimenté*	**1er**	A	**48**
cingl**er**	*cinglé*	**1er**	A	**48**
circul**er**	*circulé*	**1er**	A	**48**
cir**er**	*ciré*	**1er**	A	**48**
cis**eler**	*ciselé*	**1er**	A	**59**
cit**er**	*cité*	**1er**	A	**48**
civilis**er**	*civilisé*	**1er**	A	**48**
claironn**er**	*claironné*	**1er**	A	**48**
clam**er**	*clamé*	**1er**	A	**48**
clapot**er**	*clapoté*	**1er**	A	**48**
claqu**er**	*claqué*	**1er**	A	**48**

= verbe modèle
DÉF = verbe défectif **IMP** = verbe impersonnel

Verbe	*Participe passé*	*Groupe*	*Auxiliaire*	*Page du modèle*
clari**fier**	*clarifié*	**1er**	A	**52**
class**er**	*classé*	**1er**	A	**48**
cli**gner**	*cligné*	**1er**	A	**58**
clignot**er**	*clignoté*	**1er**	A	**48**
cliqu**eter**	*cliqueté*	**1er**	A	**61**
cloisonn**er**	*cloisonné*	**1er**	A	**48**
se cloîtr**er**	*cloîtré*	**1er**	Ê	**55**
clore	*clos*	**DÉF**	A	**141**
clôtur**er**	*clôturé*	**1er**	A	**48**
clo**uer**	*cloué*	**1er**	A	**66**
coagul**er**	*coagulé*	**1er**	A	**48**
se coalis**er**	*coalisé*	**1er**	Ê	**55**
coass**er**	*coassé*	**1er**	A	**48**
coch**er**	*coché*	**1er**	A	**48**
cod**er**	*codé*	**1er**	A	**48**
se co**gner**	*cogné*	**1er**	Ê	**58/55**
cohabit**er**	*cohabité*	**1er**	A	**48**
coiff**er**	*coiffé*	**1er**	A	**48**
coin**cer**	*coincé*	**1er**	A	**49**
coïncid**er**	*coïncidé*	**1er**	A	**48**
collabor**er**	*collaboré (à)*	**1er**	A	**48**
collect**er**	*collecté*	**1er**	A	**48**
collectionn**er**	*collectionné*	**1er**	A	**48**
coll**er**	*collé*	**1er**	A	**48**
colmat**er**	*colmaté*	**1er**	A	**48**
colonis**er**	*colonisé*	**1er**	A	**48**
color**er**	*coloré*	**1er**	A	**48**
colo**rier**	*colorié*	**1er**	A	**52**
colport**er**	*colporté*	**1er**	A	**48**
com**battre**	*combattu*	**3e**	A	**76**
combin**er**	*combiné*	**1er**	A	**48**
combl**er**	*comblé*	**1er**	A	**48**
command**er**	*commandé*	**1er**	A	**48**
commémor**er**	*commémoré*	**1er**	A	**48**
commen**cer**	*commencé*	**1er**	A	**49**
comment**er**	*commenté*	**1er**	A	**48**
commer**cer**	*commercé*	**1er**	A	**49**
commercialis**er**	*commercialisé*	**1er**	A	**48**
com**mettre**	*commis*	**3e**	A	**102**
commun**ier**	*communié*	**1er**	A	**52**
communiqu**er**	*communiqué*	**1er**	A	**48**
compar**aître**	*comparu*	**3e**	A	**81**

Verbe	*Participe passé*	*Groupe*	*Auxiliaire*	*Page du modèle*
compar**er**	*comparé*	**1er**	A	**48**
compat**ir**	*compati (à)*	**2e**	A	**70**
compens**er**	*compensé*	**1er**	A	**48**
compil**er**	*compilé*	**1er**	A	**48**
se com**plaire**	*complu (à)*	**3e**	Ê	**113/55**
compl**éter**	*complété*	**1er**	A	**47**
compliment**er**	*complimenté*	**1er**	A	**48**
compliqu**er**	*compliqué*	**1er**	A	**48**
complot**er**	*comploté*	**1er**	A	**48**
comport**er**	*comporté*	**1er**	A	**48**
compos**er**	*composé*	**1er**	A	**48**
compost**er**	*composté*	**1er**	A	**48**
com**prendre**	*compris*	**3e**	A	**115**
comprim**er**	*comprimé*	**1er**	A	**48**
compro**mettre**	*compromis*	**3e**	A	**102**
compt**er**	*compté*	**1er**	A	**48**
concass**er**	*concassé*	**1er**	A	**48**
concentr**er**	*concentré*	**1er**	A	**48**
concern**er**	*concerné*	**1er**	A	**48**
se concert**er**	*concerté*	**1er**	Ê	**55**
con**cevoir**	*conçu*	**3e**	A	**117**
concil**ier**	*concilié*	**1er**	A	**52**
con**clure**	*conclu*	**3e**	A	**79**
concord**er**	*concordé*	**1er**	A	**48**
con**courir**	*concouru (à)*	**3e**	A	**85**
concurren**cer**	*concurrencé*	**1er**	A	**49**
condamn**er**	*condamné*	**1er**	A	**48**
condens**er**	*condensé*	**1er**	A	**48**
cond**uire**	*conduit*	**3e**	A	**80**
confectionn**er**	*confectionné*	**1er**	A	**48**
confess**er**	*confessé*	**1er**	A	**48**
conf**ier**	*confié*	**1er**	A	**52**
confirm**er**	*confirmé*	**1er**	A	**48**
confisqu**er**	*confisqué*	**1er**	A	**48**
conf**ondre**	*confondu*	**3e**	A	**131**
se conf**ondre**	*confondu*	**3e**	Ê	**131/55**
se conform**er**	*conformé*	**1er**	Ê	**55**
confront**er**	*confronté*	**1er**	A	**48**
cong**édier**	*congédié*	**1er**	A	**52**
cong**eler**	*congelé*	**1er**	A	**59**
congratul**er**	*congratulé*	**1er**	A	**48**
conju**guer**	*conjugué*	**1er**	A	**50**

A = se conjugue avec l'auxiliaire **avoir**
Ê = se conjugue avec l'auxiliaire **être**

Verbe	Participe passé	Groupe	Auxiliaire	Page du modèle
conn**aître**	*connu*	3e	A	81
connect**er**	*connecté*	1er	A	48
con**quérir**	*conquis*	3e	A	73
consacr**er**	*consacré*	1er	A	48
conse**iller**	*conseillé*	1er	A	69
con**sentir**	*consenti (à)*	3e	A	101
conserv**er**	*conservé*	1er	A	48
consid**érer**	*considéré*	1er	A	47
consi**gner**	*consigné*	1er	A	58
consist**er**	*consisté (à, en)*	1er	A	48
consol**er**	*consolé*	1er	A	48
consolid**er**	*consolidé*	1er	A	48
consomm**er**	*consommé*	1er	A	48
conspir**er**	*conspiré*	1er	A	48
consp**uer**	*conspué*	1er	A	66
constat**er**	*constaté*	1er	A	48
constern**er**	*consterné*	1er	A	48
constit**uer**	*constitué*	1er	A	66
cons**truire**	*construit*	3e	A	82
consult**er**	*consulté*	1er	A	48
se consum**er**	*consumé*	1er	Ê	55
contact**er**	*contacté*	1er	A	48
contamin**er**	*contaminé*	1er	A	48
contempl**er**	*contemplé*	1er	A	48
con**tenir**	*contenu*	3e	A	130
content**er**	*contenté*	1er	A	48
cont**er**	*conté*	1er	A	48
contest**er**	*contesté*	1er	A	48
contin**uer**	*continué*	1er	A	66
contourn**er**	*contourné*	1er	A	48
contract**er**	*contracté*	1er	A	48
contr**aindre**	*contraint*	3e	A	86
contrar**ier**	*contrarié*	1er	A	52
contrast**er**	*contrasté*	1er	A	48
contre-attaqu**er**	*contre-attaqué*	1er	A	48
contrebalan**cer**	*contrebalancé*	1er	A	49
contrecarr**er**	*contrecarré*	1er	A	48
contre**dire**	*contredit*	3e	A	83
contre**faire**	*contrefait*	3e	A	95
contr**er**	*contré*	1er	A	48
contrib**uer**	*contribué (à)*	1er	A	66
contrôl**er**	*contrôlé*	1er	A	48
con**vaincre**	*convaincu*	3e	A	132
con**venir**	*convenu (de)*	3e	A Ê	135
conver**ger**	*convergé*	1er	A	62
convers**er**	*conversé*	1er	A	48
convert**ir**	*converti*	2e	A	70
conv**ier**	*convié*	1er	A	52
convoit**er**	*convoité*	1er	A	48
convoqu**er**	*convoqué*	1er	A	48
conv**oyer**	*convoyé*	1er	A	54
coop**érer**	*coopéré (à)*	1er	A	47
coordonn**er**	*coordonné*	1er	A	48
cop**ier**	*copié*	1er	A	52
corn**er**	*corné*	1er	A	48
corresp**ondre**	*correspondu (à)*	3e	A	131
corri**ger**	*corrigé*	1er	A	62
cor**rompre**	*corrompu*	3e	A	121
cotis**er**	*cotisé*	1er	A	48
côt**oyer**	*côtoyé*	1er	A	54
couch**er**	*couché*	1er	A	48
coud**oyer**	*coudoyé*	1er	A	54
coudre	*cousu*	3e	A	84
coul**er**	*coulé*	1er	A	48
coulis**ser**	*coulissé*	1er	A	48
coup**er**	*coupé*	1er	A	48
courb**er**	*courbé*	1er	A	48
courir	*couru*	3e	A	85
couronn**er**	*couronné*	1er	A	48
courrou**cer**	*courroucé*	1er	A	49
cours**er**	*coursé*	1er	A	48
courtis**er**	*courtisé*	1er	A	48
coût**er**	*coûté*	1er	A	48
couv**er**	*couvé*	1er	A	48
c**ouvrir**	*couvert*	3e	A	109
se c**ouvrir**	*couvert*	3e	Ê	109/55
crach**er**	*craché*	1er	A	48
cr**aindre**	*craint*	3e	A	86
se cramponn**er**	*cramponné*	1er	Ê	55
crân**er**	*crâné*	1er	A	48
craqu**er**	*craqué*	1er	A	48
crayonn**er**	*crayonné*	1er	A	48
crédit**er**	*crédité*	1er	A	48
cr**éer**	*créé*	1er	A	51

= verbe modèle
DÉF = verbe défectif **IMP** = verbe impersonnel

VERBE	PARTICIPE PASSÉ	GROUPE	AUXILIAIRE	PAGE DU MODÈLE
crép**ir**	*crépi*	**2e**	A	**70**
crépit**er**	*crépité*	**1er**	A	**48**
creus**er**	*creusé*	**1er**	A	**48**
cr**ever**	*crevé*	**1er**	A	**67**
cr**ier**	*crié*	**1er**	A	**52**
crisp**er**	*crispé*	**1er**	A	**48**
criss**er**	*crissé*	**1er**	A	**48**
critiqu**er**	*critiqué*	**1er**	A	**48**
croass**er**	*croassé*	**1er**	A	**48**
croch**eter**	*crocheté*	**1er**	A	**45**
croire	*cru*	**3e**	A	**87**
crois**er**	*croisé*	**1er**	A	**48**
croître	*crû*	**3e**	A	**88**
croqu**er**	*croqué*	**1er**	A	**48**
croul**er**	*croulé*	**1er**	A	**48**
croup**ir**	*croupi*	**2e**	A Ê	**70**
crous**tiller**	*croustillé*	**1er**	A	**69**
crucif**ier**	*crucifié*	**1er**	A	**52**
cueillir	*cueilli*	**3e**	A	**89**
c**uire**	*cuit*	**3e**	A	**80**
cuisin**er**	*cuisiné*	**1er**	A	**48**
culbut**er**	*culbuté*	**1er**	A	**48**
culmin**er**	*culminé*	**1er**	A	**48**
culpabilis**er**	*culpabilisé*	**1er**	A	**48**
cultiv**er**	*cultivé*	**1er**	A	**48**
se cultiv**er**	*cultivé*	**1er**	Ê	**55**
cumul**er**	*cumulé*	**1er**	A	**48**
cur**er**	*curé*	**1er**	A	**48**

D

VERBE	PARTICIPE PASSÉ	GROUPE	AUXILIAIRE	PAGE DU MODÈLE
dactylograph**ier**	*dactylographié*	**1er**	A	**52**
dai**gner**	*daigné*	**1er**	A	**58**
dall**er**	*dallé*	**1er**	A	**48**
dam**er**	*damé*	**1er**	A	**48**
se dandin**er**	*dandiné*	**1er**	Ê	**55**
dans**er**	*dansé*	**1er**	A	**48**
dat**er**	*daté*	**1er**	A	**48**
déambul**er**	*déambulé*	**1er**	A	**48**
déball**er**	*déballé*	**1er**	A	**48**
se débarbou**iller**	*débarbouillé*	**1er**	Ê	**69/55**
débarqu**er**	*débarqué*	**1er**	A	**48**
débarrass**er**	*débarrassé*	**1er**	A	**48**
dé**battre**	*débattu*	**3e**	A	**76**
débauch**er**	*débauché*	**1er**	A	**48**
débit**er**	*débité*	**1er**	A	**48**
débl**ayer**	*déblayé*	**1er**	A	**63**
débloqu**er**	*débloqué*	**1er**	A	**48**
débois**er**	*déboisé*	**1er**	A	**48**
déboît**er**	*déboîté*	**1er**	A	**48**
débord**er**	*débordé*	**1er**	A Ê	**48/68**
débouch**er**	*débouché*	**1er**	A	**48**
déboucl**er**	*débouclé*	**1er**	A	**48**
déboul**er**	*déboulé*	**1er**	A	**48**
déboulonn**er**	*déboulonné*	**1er**	A	**48**
débours**er**	*déboursé*	**1er**	A	**48**
déboutonn**er**	*déboutonné*	**1er**	A	**48**
débranch**er**	*débranché*	**1er**	A	**48**
débr**ayer**	*débrayé*	**1er**	A	**63**
débrou**iller**	*débrouillé*	**1er**	A	**69**
se débrou**iller**	*débrouillé*	**1er**	Ê	**69/55**
débroussa**iller**	*débroussaillé*	**1er**	A	**69**
début**er**	*débuté*	**1er**	A	**48**
décach**eter**	*décacheté*	**1er**	A	**61**
décal**er**	*décalé*	**1er**	A	**48**
décalqu**er**	*décalqué*	**1er**	A	**48**
décamp**er**	*décampé*	**1er**	A	**48**
décant**er**	*décanté*	**1er**	A	**48**
décap**er**	*décapé*	**1er**	A	**48**
décapit**er**	*décapité*	**1er**	A	**48**
décapsul**er**	*décapsulé*	**1er**	A	**48**
déc**éder**	*décédé*	**1er**	Ê	**47**
déc**eler**	*décelé*	**1er**	A	**59**
décentralis**er**	*décentralisé*	**1er**	A	**48**
décern**er**	*décerné*	**1er**	A	**48**
dé**cevoir**	*déçu*	**3e**	A	**117**
déchaîn**er**	*déchaîné*	**1er**	A	**48**
déchant**er**	*déchanté*	**1er**	A	**48**
déchar**ger**	*déchargé*	**1er**	A	**62**
se déchauss**er**	*déchaussé*	**1er**	Ê	**55**
déchiffr**er**	*déchiffré*	**1er**	A	**48**
déchiqu**eter**	*déchiqueté*	**1er**	A	**61**
déchir**er**	*déchiré*	**1er**	A	**48**
déchoir	*déchu*	**DÉF**	A Ê	**142**

A = se conjugue avec l'auxiliaire **avoir**
Ê = se conjugue avec l'auxiliaire **être**

Verbe	*Participe passé*	*Groupe*	*Auxiliaire*	*Page du modèle*
décid**er**	*décidé*	**1er**	A	**48**
décim**er**	*décimé*	**1er**	A	**48**
déclam**er**	*déclamé*	**1er**	A	**48**
déclar**er**	*déclaré*	**1er**	A	**48**
déclass**er**	*déclassé*	**1er**	A	**48**
déclench**er**	*déclenché*	**1er**	A	**48**
déclin**er**	*décliné*	**1er**	A	**48**
déclo**uer**	*décloué*	**1er**	A	**66**
décoch**er**	*décoché*	**1er**	A	**48**
décod**er**	*décodé*	**1er**	A Ê	**48/148**
décoiff**er**	*décoiffé*	**1er**	A	**48**
décoin**cer**	*décoincé*	**1er**	A	**49**
décol**érer**	*décoléré*	**1er**	A	**47**
décoll**er**	*décollé*	**1er**	A	**48**
décolonis**er**	*décolonisé*	**1er**	A	**48**
décolor**er**	*décoloré*	**1er**	A	**48**
décommand**er**	*décommandé*	**1er**	A	**48**
décompos**er**	*décomposé*	**1er**	A	**48**
décompt**er**	*décompté*	**1er**	A	**48**
déconcert**er**	*déconcerté*	**1er**	A	**48**
décong**eler**	*décongelé*	**1er**	A	**59**
déconnect**er**	*déconnecté*	**1er**	A	**48**
déconse**iller**	*déconseillé*	**1er**	A	**69**
déconsid**érer**	*déconsidéré*	**1er**	A	**47**
décontenan**cer**	*décontenancé*	**1er**	A	**49**
décontract**er**	*décontracté*	**1er**	A	**48**
décor**er**	*décoré*	**1er**	A	**48**
décortiqu**er**	*décortiqué*	**1er**	A	**48**
dé**coudre**	*décousu*	**3e**	A	**84**
découl**er**	*découlé*	**1er**	A	**48**
découp**er**	*découpé*	**1er**	A	**48**
découra**ger**	*découragé*	**1er**	A	**62**
dé**couvrir**	*découvert*	**3e**	A	**109**
décrass**er**	*décrassé*	**1er**	A	**48**
décr**éter**	*décrété*	**1er**	A	**47**
dé**crire**	*décrit*	**3e**	A	**94**
décroch**er**	*décroché*	**1er**	A	**48**
dé**croître**	*décru*	**3e**	A	**72**
déculott**er**	*déculotté*	**1er**	A Ê	**48/148**
décupl**er**	*décuplé*	**1er**	A	**48**
dédai**gner**	*dédaigné*	**1er**	A	**58**
dédica**cer**	*dédicacé*	**1er**	A	**49**
déd**ier**	*dédié*	**1er**	A	**52**
se dé**dire**	*dédit*	**3e**	Ê	**83/55**
dédomma**ger**	*dédommagé*	**1er**	A	**62**
dédoubl**er**	*dédoublé*	**1er**	A	**48**
dé**duire**	*déduit*	**3e**	A	**80**
dé**faire**	*défait*	**3e**	A	**95**
dé**fendre**	*défendu*	**3e**	A	**134**
déferl**er**	*déferlé*	**1er**	A	**48**
défic**eler**	*déficelé*	**1er**	A	**61**
déf**ier**	*défié*	**1er**	A	**52**
se déf**ier**	*défié*	**1er**	Ê	**52/55**
défigur**er**	*défiguré*	**1er**	A	**48**
défil**er**	*défilé*	**1er**	A	**48**
défin**ir**	*défini*	**2e**	A	**70**
défon**cer**	*défoncé*	**1er**	A	**49**
déform**er**	*déformé*	**1er**	A	**48**
se défoul**er**	*défoulé*	**1er**	Ê	**55**
défr**ayer**	*défrayé*	**1er**	A	**63**
défrich**er**	*défriché*	**1er**	A	**48**
défroiss**er**	*défroissé*	**1er**	A	**48**
déga**ger**	*dégagé*	**1er**	A	**62**
dégain**er**	*dégainé*	**1er**	A	**48**
dégarn**ir**	*dégarni*	**2e**	A	**70**
dég**eler**	*dégelé*	**1er**	A Ê	**59**
dégén**érer**	*dégénéré*	**1er**	A Ê	**47**
dégivr**er**	*dégivré*	**1er**	A	**48**
dégonfl**er**	*dégonflé*	**1er**	A	**48**
dégoulin**er**	*dégouliné*	**1er**	A	**48**
dégourd**ir**	*dégourdi*	**2e**	A	**70**
dégoût**er**	*dégoûté*	**1er**	A	**48**
dégrad**er**	*dégradé*	**1er**	A	**48**
dégraf**er**	*dégrafé*	**1er**	A	**48**
dégringol**er**	*dégringolé*	**1er**	A	**48**
dégross**ir**	*dégrossi*	**2e**	A	**70**
déguerp**ir**	*déguerpi*	**2e**	A	**70**
déguis**er**	*déguisé*	**1er**	A	**48**
dégust**er**	*dégusté*	**1er**	A	**48**
déjeun**er**	*déjeuné*	**1er**	A	**48**
déj**ouer**	*déjoué*	**1er**	A	**66**
se délabr**er**	*délabré*	**1er**	Ê	**55**
déla**cer**	*délacé*	**1er**	A	**49**
délaiss**er**	*délaissé*	**1er**	A	**48**

= verbe modèle
DÉF = verbe défectif **IMP** = verbe impersonnel

Verbe	Participe passé	Groupe	Auxiliaire	Page du modèle
se délass**er**	*délassé*	**1**er	Ê	**55**
dél**ayer**	*délayé*	**1**er	A	**63**
se délect**er**	*délecté*	**1**er	Ê	**55**
dél**éguer**	*délégué*	**1**er	A	**53**
délest**er**	*délesté*	**1**er	A	**48**
délib**érer**	*délibéré*	**1**er	A	**47**
dél**ier**	*délié*	**1**er	A	**52**
délimit**er**	*délimité*	**1**er	A	**48**
délir**er**	*déliré*	**1**er	A	**48**
délivr**er**	*délivré*	**1**er	A	**48**
délo**ger**	*délogé*	**1**er	A	**62**
demand**er**	*demandé*	**1**er	A	**48**
déman**ger**	*démangé*	**1**er	A	**62**
déman**teler**	*démantelé*	**1**er	A	**59**
se démaqu**iller**	*démaquillé*	**1**er	Ê	**69/55**
démarqu**er**	*démarqué*	**1**er	A	**48**
se démarqu**er**	*démarqué*	**1**er	Ê	**55**
démarr**er**	*démarré*	**1**er	A	**48**
démasqu**er**	*démasqué*	**1**er	A	**48**
démêl**er**	*démêlé*	**1**er	A	**48**
déména**ger**	*déménagé*	**1**er	A	**62**
se dém**ener**	*démené*	**1**er	Ê	**67/55**
dém**entir**	*démenti*	**3**e	A	**101**
dé**mettre**	*démis*	**3**e	A	**102**
se dé**mettre**	*démis*	**3**e	Ê	**102/55**
demeur**er**	*demeuré*	**1**er	A Ê	**48/68**
démissionn**er**	*démissionné*	**1**er	A	**48**
démobilis**er**	*démobilisé*	**1**er	A	**48**
démocratis**er**	*démocratisé*	**1**er	A	**48**
se démod**er**	*démodé*	**1**er	Ê	**55**
démol**ir**	*démoli*	**2**e	A	**70**
démont**er**	*démonté*	**1**er	A	**48**
démontr**er**	*démontré*	**1**er	A	**48**
démoralis**er**	*démoralisé*	**1**er	A	**48**
se démoralis**er**	*démoralisé*	**1**er	Ê	**55**
dém**ordre**	*démordu (de)*	**3**e	A	**103**
démoul**er**	*démoulé*	**1**er	A	**48**
se démun**ir**	*démuni*	**2**e	Ê	**70/55**
dénatur**er**	*dénaturé*	**1**er	A	**48**
dénei**ger**	*déneigé*	**1**er	A	**62**
dénich**er**	*déniché*	**1**er	A	**48**
dénigr**er**	*dénigré*	**1**er	A	**48**
dénombr**er**	*dénombré*	**1**er	A	**48**
dénomm**er**	*dénommé*	**1**er	A	**48**
dénon**cer**	*dénoncé*	**1**er	A	**49**
dénot**er**	*dénoté*	**1**er	A	**48**
dén**ouer**	*dénoué*	**1**er	A	**66**
dénoyaut**er**	*dénoyauté*	**1**er	A	**48**
dénud**er**	*dénudé*	**1**er	A	**48**
dépann**er**	*dépanné*	**1**er	A	**48**
dépaqu**eter**	*dépaqueté*	**1**er	A	**61**
dépar**er**	*déparé*	**1**er	A	**48**
départa**ger**	*départagé*	**1**er	A	**62**
se dé**partir**	*départi*	**3**e	Ê	**110/55**
dépass**er**	*dépassé*	**1**er	A	**48**
dépays**er**	*dépaysé*	**1**er	A	**48**
dépêch**er**	*dépêché*	**1**er	A	**48**
se dépêch**er**	*dépêché*	**1**er	Ê	**55**
dépei**gner**	*dépeigné*	**1**er	A Ê	**58/148**
dép**eindre**	*dépeint*	**3**e	A	**111**
dép**endre**	*dépendu*	**3**e	A	**134**
dépens**er**	*dépensé*	**1**er	A	**48**
dépér**ir**	*dépéri*	**2**e	A	**70**
se dépêtr**er**	*dépêtré*	**1**er	Ê	**55**
dépeupl**er**	*dépeuplé*	**1**er	A	**48**
dépist**er**	*dépisté*	**1**er	A	**48**
dépla**cer**	*déplacé*	**1**er	A	**49**
dé**plaire**	*déplu (à)*	**3**e	A	**113**
dépl**ier**	*déplié*	**1**er	A	**52**
déplor**er**	*déploré*	**1**er	A	**48**
dépl**oyer**	*déployé*	**1**er	A	**54**
dépoll**uer**	*dépollué*	**1**er	A	**66**
déport**er**	*déporté*	**1**er	A	**48**
dépos**er**	*déposé*	**1**er	A	**48**
dépossé**der**	*dépossédé*	**1**er	A	**47**
dépou**iller**	*dépouillé*	**1**er	A	**69**
dépréc**ier**	*déprécié*	**1**er	A	**52**
déprim**er**	*déprimé*	**1**er	A	**48**
déracin**er**	*déraciné*	**1**er	A	**48**
dérai**ller**	*déraillé*	**1**er	A	**69**
déraisonn**er**	*déraisonné*	**1**er	A	**48**
déran**ger**	*dérangé*	**1**er	A	**62**
dérap**er**	*dérapé*	**1**er	A	**48**
dér**égler**	*déréglé*	**1**er	A	**47**

A = se conjugue avec l'auxiliaire **avoir**
Ê = se conjugue avec l'auxiliaire **être**

Verbe	Participe passé	Groupe	Auxiliaire	Page du modèle
dérid**er**	*déridé*	**1er**	A	**48**
dériv**er**	*dérivé*	**1er**	A	**48**
dérob**er**	*dérobé*	**1er**	A	**48**
se dérob**er**	*dérobé*	**1er**	Ê	**55**
déroul**er**	*déroulé*	**1er**	A	**48**
dérout**er**	*dérouté*	**1er**	Ê	**68**
désag**réger**	*désagrégé*	**1er**	A	**44**
désal**térer**	*désaltéré*	**1er**	A	**47**
désamor**cer**	*désamorcé*	**1er**	A	**49**
désapprouv**er**	*désapprouvé*	**1er**	A	**48**
désarçonn**er**	*désarçonné*	**1er**	A	**48**
désarm**er**	*désarmé*	**1er**	A	**48**
désavanta**ger**	*désavantagé*	**1er**	A	**62**
désav**ouer**	*désavoué*	**1er**	A	**66**
des**celler**	*descellé*	**1er**	A	**60**
des**cendre**	*descendu*	**3e**	A Ê	**134**
déséquilibr**er**	*déséquilibré*	**1er**	A	**48**
désert**er**	*déserté*	**1er**	A	**48**
se désertif**ier**	*désertifié*	**1er**	Ê	**52/55**
déses**pérer**	*désespéré*	**1er**	A	**47**
désha**biller**	*déshabillé*	**1er**	A	**69**
désherb**er**	*désherbé*	**1er**	A	**48**
déshérit**er**	*déshérité*	**1er**	A	**48**
déshonor**er**	*déshonoré*	**1er**	A	**48**
dési**gner**	*désigné*	**1er**	A	**58**
désinfect**er**	*désinfecté*	**1er**	A	**48**
désin**tégrer**	*désintégré*	**1er**	A	**47**
se désintéress**er**	*désintéressé*	**1er**	Ê	**55**
désintoxiqu**er**	*désintoxiqué*	**1er**	A	**48**
désir**er**	*désiré*	**1er**	A	**48**
se désist**er**	*désisté*	**1er**	Ê	**55**
désob**éir**	*désobéi (à)*	**2e**	A	**70**
désol**er**	*désolé*	**1er**	A	**48**
se désolidaris**er**	*désolidarisé (de)*	**1er**	Ê	**55**
désorganis**er**	*désorganisé*	**1er**	A	**48**
désorient**er**	*désorienté*	**1er**	A	**48**
désoss**er**	*désossé*	**1er**	A	**48**
se dessais**ir**	*dessaisi*	**2e**	Ê	**70/55**
dessal**er**	*dessalé*	**1er**	A	**48**
des**sécher**	*desséché*	**1er**	A	**47**
desserr**er**	*desserré*	**1er**	A	**48**
des**servir**	*desservi*	**3e**	A	**123**
dessin**er**	*dessiné*	**1er**	A	**48**
déstabilis**er**	*déstabilisé*	**1er**	A	**48**
destin**er**	*destiné*	**1er**	A	**48**
destit**uer**	*destitué*	**1er**	A	**66**
désun**ir**	*désuni*	**2e**	A	**70**
détach**er**	*détaché*	**1er**	A	**48**
déta**iller**	*détaillé*	**1er**	A	**69**
détal**er**	*détalé*	**1er**	A	**48**
détartr**er**	*détartré*	**1er**	A	**48**
détax**er**	*détaxé*	**1er**	A	**48**
détect**er**	*détecté*	**1er**	A	**48**
dét**eindre**	*déteint*	**3e**	A	**111**
dét**eler**	*dételé*	**1er**	A	**46**
dét**endre**	*détendu*	**3e**	A	**134**
dé**tenir**	*détenu*	**3e**	A	**130**
détérior**er**	*détérioré*	**1er**	A	**48**
détermin**er**	*déterminé*	**1er**	A	**48**
déterr**er**	*déterré*	**1er**	A	**48**
détest**er**	*détesté*	**1er**	A	**48**
détourn**er**	*détourné*	**1er**	A	**48**
détraqu**er**	*détraqué*	**1er**	A	**48**
détremp**er**	*détrempé*	**1er**	A	**48**
détromp**er**	*détrompé*	**1er**	A	**48**
détrôn**er**	*détrôné*	**1er**	A	**48**
dé**truire**	*détruit*	**3e**	A	**82**
déval**er**	*dévalé*	**1er**	A	**48**
dévalis**er**	*dévalisé*	**1er**	A	**48**
dévaloris**er**	*dévalorisé*	**1er**	A	**48**
déval**uer**	*dévalué*	**1er**	A	**66**
devan**cer**	*devancé*	**1er**	A	**49**
dévast**er**	*dévasté*	**1er**	A	**48**
développ**er**	*développé*	**1er**	A	**48**
de**venir**	*devenu*	**3e**	Ê	**135**
dévers**er**	*déversé*	**1er**	A	**48**
dé**vêtir**	*dévêtu*	**3e**	A	**136**
dév**ier**	*dévié*	**1er**	A	**52**
devin**er**	*deviné*	**1er**	A	**48**
dévisa**ger**	*dévisagé*	**1er**	A	**62**
déviss**er**	*dévissé*	**1er**	A	**48**
dévoil**er**	*dévoilé*	**1er**	A	**48**
devoir	*dû, due*	**3e**	A	**90**
dévor**er**	*dévoré*	**1er**	A	**48**

= verbe modèle
DÉF = verbe défectif **IMP** = verbe impersonnel

Verbe	*Participe passé*	*Groupe*	*Auxiliaire*	*Page du modèle*
se dévou**er**	*dévoué*	**1er**	Ê	**66/55**
diagnostiqu**er**	*diagnostiqué*	**1er**	A	**48**
dialo**guer**	*dialogué*	**1er**	A	**50**
dict**er**	*dicté*	**1er**	A	**48**
diffam**er**	*diffamé*	**1er**	A	**48**
différenc**ier**	*différencié*	**1er**	A	**52**
diff**érer**	*différé*	**1er**	A	**47**
diffus**er**	*diffusé*	**1er**	A	**48**
dig**érer**	*digéré*	**1er**	A	**47**
dilapid**er**	*dilapidé*	**1er**	A	**48**
dilat**er**	*dilaté*	**1er**	A	**48**
dil**uer**	*dilué*	**1er**	A	**66**
dimin**uer**	*diminué*	**1er**	A Ê	**66**
dîn**er**	*dîné*	**1er**	A	**48**
dire	*dit*	**3e**	A	**91**
diri**ger**	*dirigé*	**1er**	A	**62**
discern**er**	*discerné*	**1er**	A	**48**
dis**courir**	*discouru*	**3e**	A	**85**
discrédit**er**	*discrédité*	**1er**	A	**48**
se disculp**er**	*disculpé*	**1er**	Ê	**55**
discut**er**	*discuté*	**1er**	A	**48**
dis**joindre**	*disjoint*	**3e**	A	**97**
disloqu**er**	*disloqué*	**1er**	A	**48**
dispar**aître**	*disparu*	**3e**	A Ê	**81**
dispens**er**	*dispensé*	**1er**	A	**48**
dispers**er**	*dispersé*	**1er**	A	**48**
dispos**er**	*disposé*	**1er**	A	**48**
disput**er**	*disputé*	**1er**	A	**48**
disqualif**ier**	*disqualifié*	**1er**	A	**52**
dissémin**er**	*disséminé*	**1er**	A	**48**
dissimul**er**	*dissimulé*	**1er**	A	**48**
dissip**er**	*dissipé*	**1er**	A	**48**
dissoc**ier**	*dissocié*	**1er**	A	**52**
dis**soudre**	*dissout*	**3e**	A	**92**
dissuad**er**	*dissuadé*	**1er**	A	**48**
distan**cer**	*distancé*	**1er**	A	**49**
dist**iller**	*distillé*	**1er**	A	**69**
distin**guer**	*distingué*	**1er**	A	**50**
dist**raire**	*distrait*	**3e**	A	**126**
distrib**uer**	*distribué*	**1er**	A	**66**
diva**guer**	*divagué*	**1er**	A	**50**
diver**ger**	*divergé*	**1er**	A	**62**
diversif**ier**	*diversifié*	**1er**	A	**52**
divert**ir**	*diverti*	**2e**	A	**70**
divis**er**	*divisé*	**1er**	A	**48**
divor**cer**	*divorcé*	**1er**	A Ê	**49**
divul**guer**	*divulgué*	**1er**	A	**50**
se document**er**	*documenté*	**1er**	Ê	**55**
dodelin**er**	*dodeliné*	**1er**	A	**48**
domestiqu**er**	*domestiqué*	**1er**	A	**48**
domin**er**	*dominé*	**1er**	A	**48**
dompt**er**	*dompté*	**1er**	A	**48**
donn**er**	*donné*	**1er**	A	**48**
dop**er**	*dopé*	**1er**	A	**48**
dor**er**	*doré*	**1er**	A	**48**
dorlot**er**	*dorloté*	**1er**	A	**48**
dormir	*dormi*	**3e**	A	**93**
dos**er**	*dosé*	**1er**	A	**48**
dot**er**	*doté*	**1er**	A	**48**
doubl**er**	*doublé*	**1er**	A Ê	**48/148**
se douch**er**	*douché*	**1er**	Ê	**55**
dout**er**	*douté (de)*	**1er**	A	**48**
dra**guer**	*dragué*	**1er**	A	**50**
dramatis**er**	*dramatisé*	**1er**	A	**48**
se drap**er**	*drapé*	**1er**	Ê	**55**
dress**er**	*dressé*	**1er**	A	**48**
dribbl**er**	*dribblé*	**1er**	A	**48**
dro**guer**	*drogué*	**1er**	A	**50**
dur**cir**	*durci*	**2e**	A	**70**
dur**er**	*duré*	**1er**	A	**48**
dynamis**er**	*dynamisé*	**1er**	A	**48**
dynamit**er**	*dynamité*	**1er**	A	**48**

E

Verbe	*Participe passé*	*Groupe*	*Auxiliaire*	*Page du modèle*
ébah**ir**	*ébahi*	**2e**	A	**70**
s'é**battre**	*ébattu*	**3e**	Ê	**76/55**
ébauch**er**	*ébauché*	**1er**	A	**48**
éblou**ir**	*ébloui*	**2e**	A	**70**
ébor**gner**	*éborgné*	**1er**	A	**58**
ébouillant**er**	*ébouillanté*	**1er**	A	**48**
s'éboul**er**	*éboulé*	**1er**	Ê	**55**
ébouriff**er**	*ébouriffé*	**1er**	A	**48**
ébranl**er**	*ébranlé*	**1er**	A	**48**

A = se conjugue avec l'auxiliaire **avoir**
Ê = se conjugue avec l'auxiliaire **être**

Verbe	Participe passé	Groupe	Auxiliaire	Page du modèle
ébrécher	*ébréché*	1er	A	47
s'ébrouer	*ébroué*	1er	Ê	66
ébruiter	*ébruité*	1er	A	48
écailler	*écaillé*	1er	A	69
écarquiller	*écarquillé*	1er	A	69
écarteler	*écartelé*	1er	A	59
écarter	*écarté*	1er	A	48
échafauder	*échafaudé*	1er	A	48
échanger	*échangé*	1er	A	62
échapper	*échappé (à)*	1er	A Ê	48/68
s'échapper	*échappé*	1er	Ê	55
écharper	*écharpé*	1er	A	48
s'échauffer	*échauffé*	1er	Ê	55
échelonner	*échelonné*	1er	A	48
échouer	*échoué*	1er	A Ê	66
éclabousser	*éclaboussé*	1er	A	48
éclaircir	*éclairci*	2e	A	70
éclairer	*éclairé*	1er	A	48
s'éclairer	*éclairé*	1er	Ê	55
éclater	*éclaté*	1er	A Ê	48
éclipser	*éclipsé*	1er	A	48
éclore	*éclos*	DÉF	A	141
écœurer	*écœuré*	1er	A	48
économiser	*économisé*	1er	A	48
écoper	*écopé*	1er	A	48
écorcher	*écorché*	1er	A	48
écosser	*écossé*	1er	A	48
écouler	*écoulé*	1er	A	48
s'écouler	*écoulé*	1er	Ê	55
écourter	*écourté*	1er	A	48
écouter	*écouté*	1er	A	48
écraser	*écrasé*	1er	A	48
s'écrier	*écrié*	1er	Ê	52/55
écrire	*écrit*	3e	A	94
écrouer	*écroué*	1er	A	66
s'écrouler	*écroulé*	1er	Ê	55
écumer	*écumé*	1er	A	48
édifier	*édifié*	1er	A	52
éditer	*édité*	1er	A	48
éduquer	*éduqué*	1er	A	48
effacer	*effacé*	1er	A	49
effaroucher	*effarouché*	1er	A	48
effectuer	*effectué*	1er	A	66
effeuiller	*effeuillé*	1er	A	69
s'effilocher	*effiloché*	1er	Ê	55
effleurer	*effleuré*	1er	A	48
s'effondrer	*effondré*	1er	Ê	55
s'efforcer	*efforcé*	1er	Ê	49/55
effrayer	*effrayé*	1er	A	63
s'effriter	*effrité*	1er	Ê	55
égaler	*égalé*	1er	A	48
égaliser	*égalisé*	1er	A	48
égarer	*égaré*	1er	A	48
égayer	*égayé*	1er	A	63
égorger	*égorgé*	1er	A	62
s'égosiller	*égosillé*	1er	Ê	69/55
égoutter	*égoutté*	1er	A	48
égratigner	*égratigné*	1er	A	58
égrener	*égrené*	1er	A	67
éjecter	*éjecté*	1er	A	48
élaborer	*élaboré*	1er	A	48
élaguer	*élagué*	1er	A	50
s'élancer	*élancé*	1er	Ê	49/55
élargir	*élargi*	2e	A	70
électrifier	*électrifié*	1er	A	52
électriser	*électrisé*	1er	A	48
s'électrocuter	*électrocuté*	1er	Ê	55
élever	*élevé*	1er	A	67
s'élever	*élevé*	1er	Ê	67/55
éliminer	*éliminé*	1er	A	48
élire	*élu*	3e	A	98
éloigner	*éloigné*	1er	A	58
élucider	*élucidé*	1er	A	48
éluder	*éludé*	1er	A	48
émanciper	*émancipé*	1er	A	48
émaner	*émané*	1er	A	48
emballer	*emballé*	1er	A	48
embarquer	*embarqué*	1er	A	48
embarrasser	*embarrassé*	1er	A	48
s'embarrasser	*embarrassé (de)*	1er	Ê	55
embaucher	*embauché*	1er	A	48
embaumer	*embaumé*	1er	A	48
embellir	*embelli*	2e	A Ê	70
embêter	*embêté*	1er	A	48

= verbe modèle
DÉF = verbe défectif **IMP** = verbe impersonnel

VERBE	PARTICIPE PASSÉ	GROUPE	AUXILIAIRE	PAGE DU MODÈLE
emboît**er**	*emboîté*	1er	A	48
s'embourb**er**	*embourbé*	1er	Ê	55
emboute**iller**	*embouteillé*	1er	A	69
embout**ir**	*embouti*	2e	A	70
embras**er**	*embrasé*	1er	A	48
embrass**er**	*embrassé*	1er	A	48
embr**ayer**	*embrayé*	1er	A	63
embrigad**er**	*embrigadé*	1er	A	48
embroch**er**	*embroché*	1er	A	48
embrou**iller**	*embrouillé*	1er	A	69
emb**uer**	*embué*	1er	A	66
s'embusqu**er**	*embusqué*	1er	Ê	55
émer**ger**	*émergé*	1er	A	62
émerve**iller**	*émerveillé*	1er	A	69
é**mettre**	*émis*	3e	A	102
émiett**er**	*émietté*	1er	A	48
émigr**er**	*émigré*	1er	A	48
emmagasin**er**	*emmagasiné*	1er	A	48
emmaillot**er**	*emmailloté*	1er	A	48
emmanch**er**	*emmanché*	1er	A	48
emmêl**er**	*emmêlé*	1er	A	48
emména**ger**	*emménagé*	1er	A	62
emm**e**n**er**	*emmené*	1er	A	67
s'emmitoufl**er**	*emmitouflé*	1er	Ê	55
emmur**er**	*emmuré*	1er	A	48
émouss**er**	*émoussé*	1er	A	48
émoust**iller**	*émoustillé*	1er	A	69
empa**iller**	*empaillé*	1er	A	69
empaqu**eter**	*empaqueté*	1er	A	61
s'empar**er**	*emparé (de)*	1er	Ê	55
empêch**er**	*empêché*	1er	A	48
s'empêch**er**	*empêché (de)*	1er	Ê	55
emp**e**s**er**	*empesé*	1er	A	67
empest**er**	*empesté*	1er	A	48
s'empêtr**er**	*empêtré*	1er	Ê	55
empierr**er**	*empierré*	1er	A	48
empi**é**t**er**	*empiété*	1er	A	47
s'empiffr**er**	*empiffré*	1er	Ê	55
empil**er**	*empilé*	1er	A	48
empir**er**	*empiré*	1er	A	48
empl**ir**	*empli*	2e	A	70
empl**oyer**	*employé*	1er	A	54

VERBE	PARTICIPE PASSÉ	GROUPE	AUXILIAIRE	PAGE DU MODÈLE
empoch**er**	*empoché*	1er	A	48
empoi**gner**	*empoigné*	1er	A	58
empoisonn**er**	*empoisonné*	1er	A	48
emport**er**	*emporté*	1er	A	48
s'empourpr**er**	*empourpré*	1er	Ê	55
s'empress**er**	*empressé*	1er	Ê	55
emprisonn**er**	*emprisonné*	1er	A	48
emprunt**er**	*emprunté*	1er	A	48
encadr**er**	*encadré*	1er	A	48
encaiss**er**	*encaissé*	1er	A	48
encastr**er**	*encastré*	1er	A	48
encaustiqu**er**	*encaustiqué*	1er	A	48
encens**er**	*encensé*	1er	A	48
encercl**er**	*encerclé*	1er	A	48
enchaîn**er**	*enchaîné*	1er	A	48
enchant**er**	*enchanté*	1er	A	48
s'enchevêtr**er**	*enchevêtré*	1er	Ê	55
enclench**er**	*enclenché*	1er	A	48
enclore	*enclos*	DÉF	A	141
encoll**er**	*encollé*	1er	A	48
encombr**er**	*encombré*	1er	A	48
s'encord**er**	*encordé*	1er	A	55
encoura**ger**	*encouragé*	1er	A	62
en**courir**	*encouru*	3e	A	85
encrass**er**	*encrassé*	1er	A	48
s'endett**er**	*endetté*	1er	Ê	55
endi**guer**	*endigué*	1er	A	50
s'endimanch**er**	*endimanché*	1er	Ê	55
endomma**ger**	*endommagé*	1er	A	62
en**dormir**	*endormi*	3e	A	93
endoss**er**	*endossé*	1er	A	48
end**uire**	*enduit*	3e	A	80
endurc**ir**	*endurci*	2e	A	70
endur**er**	*enduré*	1er	A	48
énerv**er**	*énervé*	1er	A	48
enferm**er**	*enfermé*	1er	A	48
s'enferr**er**	*enferré*	1er	Ê	55
enfil**er**	*enfilé*	1er	A	48
enflamm**er**	*enflammé*	1er	A	48
enfl**er**	*enflé*	1er	A	48
enfon**cer**	*enfoncé*	1er	A	49
enfou**ir**	*enfoui*	2e	A	70

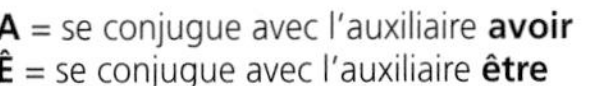
A = se conjugue avec l'auxiliaire **avoir**
Ê = se conjugue avec l'auxiliaire **être**

VERBE	PARTICIPE PASSÉ	GROUPE	AUXILIAIRE	PAGE DU MODÈLE
enfourch**er**	*enfourché*	**1er**	A	**48**
enfourn**er**	*enfourné*	**1er**	A	**48**
enf**reindre**	*enfreint*	**3e**	A	**111**
s'en**fuir**	*enfui*	**3e**	Ê	**96/55**
enfum**er**	*enfumé*	**1er**	A	**48**
enga**ger**	*engagé*	**1er**	A	**62**
s'enga**ger**	*engagé*	**1er**	Ê	**62/55**
engendr**er**	*engendré*	**1er**	A	**48**
englob**er**	*englobé*	**1er**	A	**48**
englout**ir**	*englouti*	**2e**	A	**70**
engon**cer**	*engoncé*	**1er**	A	**49**
engor**ger**	*engorgé*	**1er**	A	**62**
engouffr**er**	*engouffré*	**1er**	A	**48**
s'engouffr**er**	*engouffré*	**1er**	Ê	**55**
s'engourd**ir**	*engourdi*	**2e**	Ê	**70/55**
engraiss**er**	*engraissé*	**1er**	A	**48**
engran**ger**	*engrangé*	**1er**	A	**62**
s'enivr**er**	*enivré*	**1er**	Ê	**55**
enjamb**er**	*enjambé*	**1er**	A	**48**
enjoliv**er**	*enjolivé*	**1er**	A	**48**
enla**cer**	*enlacé*	**1er**	A	**49**
enlaid**ir**	*enlaidi*	**2e**	A Ê	**70**
enl**ever**	*enlevé*	**1er**	A	**67**
s'enlis**er**	*enlisé*	**1er**	Ê	**55**
ennu**yer**	*ennuyé*	**1er**	A	**57**
énon**cer**	*énoncé*	**1er**	A	**49**
s'enorgueill**ir**	*enorgueilli*	**2e**	Ê	**70/55**
s'en**quérir**	*enquis*	**3e**	Ê	**73/55**
enquêt**er**	*enquêté*	**1er**	A	**48**
enra**ger**	*enragé*	**1er**	A	**62**
enr**ayer**	*enrayé*	**1er**	A	**63**
enregistr**er**	*enregistré*	**1er**	A	**48**
s'enrhum**er**	*enrhumé*	**1er**	Ê	**55**
enrich**ir**	*enrichi*	**2e**	A	**70**
enrob**er**	*enrobé*	**1er**	A	**48**
enrôl**er**	*enrôlé*	**1er**	A	**48**
enroul**er**	*enroulé*	**1er**	A	**48**
s'ensabl**er**	*ensablé*	**1er**	Ê	**55**
ensei**gner**	*enseigné*	**1er**	A	**58**
ensemen**cer**	*ensemencé*	**1er**	A	**49**
ensevel**ir**	*enseveli*	**2e**	A	**70**
ensorc**eler**	*ensorcelé*	**1er**	A	**46**
s'ensuivre	*ensuivi*	**DÉF**	Ê	**142**
enta**iller**	*entaillé*	**1er**	A	**69**
entam**er**	*entamé*	**1er**	A	**48**
entartr**er**	*entartré*	**1er**	A	**48**
entass**er**	*entassé*	**1er**	A	**48**
ent**endre**	*entendu*	**3e**	A	**134**
enterr**er**	*enterré*	**1er**	A	**48**
s'entêt**er**	*entêté*	**1er**	Ê	**55**
enthousiasm**er**	*enthousiasmé*	**1er**	A	**48**
s'enthousiasm**er**	*enthousiasmé*	**1er**	Ê	**55**
entonn**er**	*entonné*	**1er**	A	**48**
entort**iller**	*entortillé*	**1er**	A	**69**
entour**er**	*entouré*	**1er**	A	**48**
s'entraid**er**	*entraidé*	**1er**	Ê	**55**
entraîn**er**	*entraîné*	**1er**	A	**48**
entrav**er**	*entravé*	**1er**	A	**48**
entrebâ**iller**	*entrebâillé*	**1er**	A	**69**
entrechoqu**er**	*entrechoqué*	**1er**	A	**48**
entrecoup**er**	*entrecoupé*	**1er**	A	**48**
entrecrois**er**	*entrecroisé*	**1er**	A	**48**
entrela**cer**	*entrelacé*	**1er**	A	**49**
entremêl**er**	*entremêlé*	**1er**	A	**48**
entrepos**er**	*entreposé*	**1er**	A	**48**
entre**prendre**	*entrepris*	**3e**	A	**115**
entr**er**	*entré*	**1er**	Ê	**68**
entre**tenir**	*entretenu*	**3e**	A	**130**
s'entre**tenir**	*entretenu*	**3e**	Ê	**130/55**
s'entre-t**uer**	*entre-tué*	**1er**	Ê	**66/55**
entre**voir**	*entrevu*	**3e**	A	**138**
entr**ouvrir**	*entrouvert*	**3e**	A	**109**
énum**é**r**er**	*énuméré*	**1er**	A	**47**
envah**ir**	*envahi*	**2e**	A	**70**
s'envas**er**	*envasé*	**1er**	Ê	**55**
envelopp**er**	*enveloppé*	**1er**	A	**48**
s'envenim**er**	*envenimé*	**1er**	Ê	**55**
env**ier**	*envié*	**1er**	A	**52**
environn**er**	*environné*	**1er**	A	**48**
envisa**ger**	*envisagé*	**1er**	A	**62**
s'envol**er**	*envolé*	**1er**	Ê	**55**
envoût**er**	*envoûté*	**1er**	A	**48**
envoyer	*envoyé*	**1er**	A	**56**
épaiss**ir**	*épaissi*	**2e**	A	**70**

= verbe modèle
DÉF = verbe défectif **IMP** = verbe impersonnel

Verbe	*Participe passé*	*Groupe*	*Auxiliaire*	*Page du modèle*
s'épanch**er**	*épanché*	**1**er	Ê	**55**
s'épanou**ir**	*épanoui*	**2**e	Ê	**70/55**
épar**gner**	*épargné*	**1**er	A	**58**
éparp**iller**	*éparpillé*	**1**er	A	**69**
épat**er**	*épaté*	**1**er	A	**48**
épaul**er**	*épaulé*	**1**er	A	**48**
ép**eler**	*épelé*	**1**er	A	**46**
épépin**er**	*épépiné*	**1**er	A	**48**
éperonn**er**	*éperonné*	**1**er	A	**48**
épi**cer**	*épicé*	**1**er	A	**49**
ép**ier**	*épié*	**1**er	A	**52**
épil**er**	*épilé*	**1**er	A	**48**
épilo**guer**	*épilogué*	**1**er	A	**50**
épingl**er**	*épinglé*	**1**er	A	**48**
épluch**er**	*épluché*	**1**er	A	**48**
épon**ger**	*épongé*	**1**er	A	**62**
s'époumon**er**	*époumoné*	**1**er	Ê	**55**
épous**er**	*épousé*	**1**er	A	**48**
épouss**eter**	*épousseté*	**1**er	A	**61**
époustoufl**er**	*époustouflé*	**1**er	A	**48**
épouvant**er**	*épouvanté*	**1**er	A	**48**
s'é**prendre**	*épris*	**3**e	Ê	**115/55**
éprouv**er**	*éprouvé*	**1**er	A	**48**
épuis**er**	*épuisé*	**1**er	A	**48**
épur**er**	*épuré*	**1**er	A	**48**
équilibr**er**	*équilibré*	**1**er	A	**48**
équip**er**	*équipé*	**1**er	A	**48**
équi**valoir**	*équivalu (à)*	**3**e	A	**133**
érafl**er**	*éraflé*	**1**er	A	**48**
éreint**er**	*éreinté*	**1**er	A	**48**
ergot**er**	*ergoté*	**1**er	A	**48**
éri**ger**	*érigé*	**1**er	A	**62**
err**er**	*erré*	**1**er	A	**48**
escalad**er**	*escaladé*	**1**er	A	**48**
escamot**er**	*escamoté*	**1**er	A	**48**
s'esclaff**er**	*esclaffé*	**1**er	Ê	**55**
escompt**er**	*escompté*	**1**er	A	**48**
escort**er**	*escorté*	**1**er	A	**48**
s'escrim**er**	*escrimé*	**1**er	Ê	**55**
escroqu**er**	*escroqué*	**1**er	A	**48**
espa**cer**	*espacé*	**1**er	A	**49**
esp**érer**	*espéré*	**1**er	A	**47**

Verbe	*Participe passé*	*Groupe*	*Auxiliaire*	*Page du modèle*
espionn**er**	*espionné*	**1**er	A	**48**
esquint**er**	*esquinté*	**1**er	A	**48**
esquiss**er**	*esquissé*	**1**er	A	**48**
esquiv**er**	*esquivé*	**1**er	A	**48**
essaim**er**	*essaimé*	**1**er	A	**48**
ess**ayer**	*essayé*	**1**er	A	**63**
essor**er**	*essoré*	**1**er	A	**48**
essouffl**er**	*essoufflé*	**1**er	A	**48**
ess**uyer**	*essuyé*	**1**er	A	**57**
estim**er**	*estimé*	**1**er	A	**48**
estomp**er**	*estompé*	**1**er	A	**48**
estrop**ier**	*estropié*	**1**er	A	**52**
s'estrop**ier**	*estropié*	**1**er	Ê	**52/55**
établ**ir**	*établi*	**2**e	A	**70**
s'éta**ger**	*étagé*	**1**er	Ê	**62/55**
étal**er**	*étalé*	**1**er	A	**48**
étanch**er**	*étanché*	**1**er	A	**48**
ét**ayer**	*étayé*	**1**er	A	**63**
ét**eindre**	*éteint*	**3**e	A	**111**
ét**endre**	*étendu*	**3**e	A	**134**
s'ét**endre**	*étendu*	**3**e	Ê	**134/55**
s'éternis**er**	*éternisé*	**1**er	Ê	**55**
étern**uer**	*éternué*	**1**er	A	**66**
étêt**er**	*étêté*	**1**er	A	**48**
étinc**eler**	*étincelé*	**1**er	A	**46**
s'étiol**er**	*étiolé*	**1**er	Ê	**55**
étiqu**eter**	*étiqueté*	**1**er	A	**61**
étir**er**	*étiré*	**1**er	A	**48**
étoff**er**	*étoffé*	**1**er	A	**48**
étonn**er**	*étonné*	**1**er	A	**48**
étouff**er**	*étouffé*	**1**er	A	**48**
étourd**ir**	*étourdi*	**2**e	A	**70**
étrangl**er**	*étranglé*	**1**er	A	**48**
être	*été*	**aux.**	A	**43**
étr**eindre**	*étreint*	**3**e	A	**111**
étrenn**er**	*étrenné*	**1**er	A	**48**
étr**iller**	*étrillé*	**1**er	A	**69**
étrip**er**	*étripé*	**1**er	A	**48**
étud**ier**	*étudié*	**1**er	A	**52**
évac**uer**	*évacué*	**1**er	A	**66**
s'évad**er**	*évadé*	**1**er	Ê	**55**
éval**uer**	*évalué*	**1**er	A	**66**

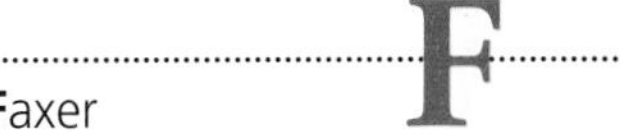

A = se conjugue avec l'auxiliaire **avoir**
Ê = se conjugue avec l'auxiliaire **être**

Verbe	*Participe passé*	*Groupe*	*Auxiliaire*	*Page du modèle*
évangélis**er**	*évangélisé*	1er	A	**48**
s'évanou**ir**	*évanoui*	2e	Ê	**70/55**
s'évapor**er**	*évaporé*	1er	Ê	**55**
év**eiller**	*éveillé*	1er	A	**69**
évent**er**	*éventé*	1er	A	**48**
éventr**er**	*éventré*	1er	A	**48**
s'évert**uer**	*évertué*	1er	Ê	**66/55**
évid**er**	*évidé*	1er	A	**48**
évin**cer**	*évincé*	1er	A	**49**
évit**er**	*évité*	1er	A	**48**
évol**uer**	*évolué*	1er	A	**66**
évoqu**er**	*évoqué*	1er	A	**48**
exacerb**er**	*exacerbé*	1er	A	**48**
exag**érer**	*exagéré*	1er	A	**47**
exalt**er**	*exalté*	1er	A	**48**
examin**er**	*examiné*	1er	A	**48**
exasp**érer**	*exaspéré*	1er	A	**47**
exau**cer**	*exaucé*	1er	A	**49**
exc**éder**	*excédé*	1er	A	**47**
exc**eller**	*excellé*	1er	A	**60**
excit**er**	*excité*	1er	A	**48**
s'exclam**er**	*exclamé*	1er	Ê	**55**
ex**clure**	*exclu*	3e	A	**79**
excommun**ier**	*excommunié*	1er	A	**52**
excus**er**	*excusé*	1er	A	**48**
exécut**er**	*exécuté*	1er	A	**48**
exempt**er**	*exempté (de)*	1er	A	**48**
exer**cer**	*exercé*	1er	A	**49**
exhal**er**	*exhalé*	1er	A	**48**
exhib**er**	*exhibé*	1er	A	**48**
exhort**er**	*exhorté*	1er	A	**48**
exhum**er**	*exhumé*	1er	A	**48**
exi**ger**	*exigé*	1er	A	**62**
exil**er**	*exilé*	1er	A	**48**
exist**er**	*existé*	1er	A	**48**
s'expatr**ier**	*expatrié*	1er	Ê	**52/55**
expéd**ier**	*expédié*	1er	A	**52**
expériment**er**	*expérimenté*	1er	A	**48**
expertis**er**	*expertisé*	1er	A	**48**
exp**ier**	*expié*	1er	A	**52**
expir**er**	*expiré*	1er	A Ê	**48/68**
explicit**er**	*explicité*	1er	A	**48**

Verbe	*Participe passé*	*Groupe*	*Auxiliaire*	*Page du modèle*
expliqu**er**	*expliqué*	1er	A	**48**
exploit**er**	*exploité*	1er	A	**48**
explor**er**	*exploré*	1er	A	**48**
explos**er**	*explosé*	1er	A	**48**
export**er**	*exporté*	1er	A	**48**
expos**er**	*exposé*	1er	A	**48**
exprim**er**	*exprimé*	1er	A	**48**
expropr**ier**	*exproprié*	1er	A	**52**
expuls**er**	*expulsé*	1er	A	**48**
s'extas**ier**	*extasié*	1er	Ê	**52/55**
exté**nuer**	*exténué*	1er	A	**66**
extermin**er**	*exterminé*	1er	A	**48**
extirp**er**	*extirpé*	1er	A	**48**
extorqu**er**	*extorqué*	1er	A	**48**
ext**raire**	*extrait*	3e	A	**126**
exult**er**	*exulté*	1er	A	**48**

F

Verbe	*Participe passé*	*Groupe*	*Auxiliaire*	*Page du modèle*
fabriqu**er**	*fabriqué*	1er	A	**48**
fâch**er**	*fâché*	1er	A	**48**
facilit**er**	*facilité*	1er	A	**48**
façonn**er**	*façonné*	1er	A	**48**
factur**er**	*facturé*	1er	A	**48**
faiblir	*faibli*	2e	A	**70**
faillir	*failli*	DÉF	A	**143**
faire	*fait*	3e	A	**95**
se faire	*fait*	3e	Ê	**95/55**
falloir	*fallu*	IMP	A	**145**
falsif**ier**	*falsifié*	1er	A	**52**
se familiaris**er**	*familiarisé*	1er	Ê	**55**
fan**er**	*fané*	1er	A	**48**
fanfaronn**er**	*fanfaronné*	1er	A	**48**
far**cir**	*farci*	2e	A	**70**
se fard**er**	*fardé*	1er	Ê	**55**
fascin**er**	*fasciné*	1er	A	**48**
fati**guer**	*fatigué*	1er	A	**50**
fauch**er**	*fauché*	1er	A	**48**
se faufil**er**	*faufilé*	1er	Ê	**55**
fauss**er**	*faussé*	1er	A	**48**
favoris**er**	*favorisé*	1er	A	**48**
fax**er**	*faxé*	1er	A	**48**

= verbe modèle
DÉF = verbe défectif **IMP** = verbe impersonnel

Verbe	Participe passé	Groupe	Auxiliaire	Page du modèle
fécond**er**	*fécondé*	1er	A	48
f**eindre**	*feint*	3e	A	111
feint**er**	*feinté*	1er	A	48
fêl**er**	*fêlé*	1er	A	48
félicit**er**	*félicité*	1er	A	48
se fend**iller**	*fendillé*	1er	Ê	69/55
f**endre**	*fendu*	3e	A	134
ferment**er**	*fermenté*	1er	A	48
ferm**er**	*fermé*	1er	A	48
ferr**er**	*ferré*	1er	A	48
fertilis**er**	*fertilisé*	1er	A	48
fêt**er**	*fêté*	1er	A	48
feuill**eter**	*feuilleté*	1er	A	61
se fian**cer**	*fiancé*	1er	Ê	49/55
fic**eler**	*ficelé*	1er	A	46
se f**ier**	*fié*	1er	Ê	52/55
fi**ger**	*figé*	1er	A	62
fignol**er**	*fignolé*	1er	A	48
figur**er**	*figuré*	1er	A	48
fil**er**	*filé*	1er	A	48
film**er**	*filmé*	1er	A	48
filtr**er**	*filtré*	1er	A	48
finan**cer**	*financé*	1er	A	49
(verbe modèle) fin**ir**	*fini*	2e	A	70
fissur**er**	*fissuré*	1er	A	48
fix**er**	*fixé*	1er	A	48
flageol**er**	*flageolé*	1er	A	48
flair**er**	*flairé*	1er	A	48
flamb**er**	*flambé*	1er	A	48
flamb**oyer**	*flamboyé*	1er	A	54
flanch**er**	*flanché*	1er	A	48
flân**er**	*flâné*	1er	A	48
flanqu**er**	*flanqué*	1er	A	48
flatt**er**	*flatté*	1er	A	48
fl**é**ch**er**	*fléché*	1er	A	47
fléch**ir**	*fléchi*	2e	A	70
flétr**ir**	*flétri*	2e	A	70
fleur**ir**	*fleuri*	2e	A	70
flirt**er**	*flirté*	1er	A	48
flott**er**	*flotté*	1er	A	48
foisonn**er**	*foisonné*	1er	A	48
folâtr**er**	*folâtré*	1er	A	48

Verbe	Participe passé	Groupe	Auxiliaire	Page du modèle
foment**er**	*fomenté*	1er	A	48
fon**cer**	*foncé*	1er	A	49
fonctionn**er**	*fonctionné*	1er	A	48
fond**er**	*fondé*	1er	A	48
f**ondre**	*fondu*	3e	A	131
for**cer**	*forcé*	1er	A	49
forc**ir**	*forci*	2e	A	70
for**er**	*foré*	1er	A	48
for**ger**	*forgé*	1er	A	62
se formalis**er**	*formalisé (de)*	1er	Ê	55
format**er**	*formaté*	1er	A	48
form**er**	*formé*	1er	A	48
formul**er**	*formulé*	1er	A	48
fortif**ier**	*fortifié*	1er	A	52
foudr**oyer**	*foudroyé*	1er	A	54
fouett**er**	*fouetté*	1er	A	48
fou**iller**	*fouillé*	1er	A	69
fouin**er**	*fouiné*	1er	A	48
foul**er**	*foulé*	1er	A	48
fourm**iller**	*fourmillé*	1er	A	69
fourn**ir**	*fourni*	2e	A	70
fourr**er**	*fourré*	1er	A	48
se fourv**oyer**	*fourvoyé*	1er	Ê	54/55
fracass**er**	*fracassé*	1er	A	48
fractionn**er**	*fractionné*	1er	A	48
fractur**er**	*fracturé*	1er	A	48
fragment**er**	*fragmenté*	1er	A	48
fraîch**ir**	*fraîchi*	2e	A	70
franch**ir**	*franchi*	2e	A	70
frapp**er**	*frappé*	1er	A	48
fraternis**er**	*fraternisé*	1er	A	48
fraud**er**	*fraudé*	1er	A	48
fr**ayer**	*frayé*	1er	A	63
fredonn**er**	*fredonné*	1er	A	48
frein**er**	*freiné*	1er	A	48
frém**ir**	*frémi*	2e	A	70
fréquent**er**	*fréquenté*	1er	A	48
frét**iller**	*frétillé*	1er	A	69
frictionn**er**	*frictionné*	1er	A	48
frigorif**ier**	*frigorifié*	1er	A	52
se frip**er**	*fripé*	1er	Ê	55
fris**er**	*frisé*	1er	A	48

A = se conjugue avec l'auxiliaire **avoir**
Ê = se conjugue avec l'auxiliaire **être**

Verbe	Participe passé	Groupe	Auxiliaire	Page du modèle
frissonn**er**	*frissonné*	1er	A	**48**
froiss**er**	*froissé*	1er	A	**48**
frôl**er**	*frôlé*	1er	A	**48**
fron**cer**	*froncé*	1er	A	**49**
frott**er**	*frotté*	1er	A	**48**
fructif**ier**	*fructifié*	1er	A	**52**
frustr**er**	*frustré*	1er	A	**48**
fu**guer**	*fugué*	1er	A	**50**
fuir	*fui*	3e	A	**96**
fum**er**	*fumé*	1er	A	**48**
fur**eter**	*fureté*	1er	A	**45**
fus**er**	*fusé*	1er	A	**48**
fus**iller**	*fusillé*	1er	A	**69**
fusionn**er**	*fusionné*	1er	A	**48**
G				
gâch**er**	*gâché*	1er	A	**48**
ga**gner**	*gagné*	1er	A	**58**
galop**er**	*galopé*	1er	A	**48**
galvanis**er**	*galvanisé*	1er	A	**48**
galvaud**er**	*galvaudé*	1er	A	**48**
gambad**er**	*gambadé*	1er	A	**48**
garant**ir**	*garanti*	2e	A	**70**
gard**er**	*gardé*	1er	A	**48**
gar**er**	*garé*	1er	A	**48**
se gargaris**er**	*gargarisé*	1er	Ê	**55**
gargou**iller**	*gargouillé*	1er	A	**69**
garn**ir**	*garni*	2e	A	**70**
garrott**er**	*garrotté*	1er	A	**48**
gasp**iller**	*gaspillé*	1er	A	**69**
gât**er**	*gâté*	1er	A	**48**
gaul**er**	*gaulé*	1er	A	**48**
gav**er**	*gavé*	1er	A	**48**
gaz**er**	*gazé*	1er	A	**48**
gazou**iller**	*gazouillé*	1er	A	**69**
g**eindre**	*geint*	3e	A	**111**
g**eler**	*gelé*	1er	A	**59**
gém**ir**	*gémi*	2e	A	**70**
se gendarm**er**	*gendarmé*	1er	Ê	**55**
gên**er**	*gêné*	1er	A	**48**
généralis**er**	*généralisé*	1er	A	**48**

Verbe	Participe passé	Groupe	Auxiliaire	Page du modèle
ger**cer**	*gercé*	1er	A	**49**
g**érer**	*géré*	1er	A	**47**
germ**er**	*germé*	1er	A	**48**
gesticul**er**	*gesticulé*	1er	A	**48**
gicl**er**	*giclé*	1er	A	**48**
gifl**er**	*giflé*	1er	A	**48**
gigot**er**	*gigoté*	1er	A	**48**
gla**cer**	*glacé*	1er	A	**49**
glan**er**	*glané*	1er	A	**48**
glap**ir**	*glapi*	2e	A	**70**
gliss**er**	*glissé*	1er	A	**48**
se glorif**ier**	*glorifié (de)*	1er	Ê	**52/55**
glouss**er**	*gloussé*	1er	A	**48**
gob**er**	*gobé*	1er	A	**48**
god**iller**	*godillé*	1er	A	**69**
se goinfr**er**	*goinfré*	1er	Ê	**55**
gomm**er**	*gommé*	1er	A	**48**
gondol**er**	*gondolé*	1er	A	**48**
gonfl**er**	*gonflé*	1er	A	**48**
se gor**ger**	*gorgé*	1er	Ê	**62/55**
goudronn**er**	*goudronné*	1er	A	**48**
goût**er**	*goûté*	1er	A	**48**
goutt**er**	*goutté*	1er	A	**48**
gouvern**er**	*gouverné*	1er	A	**48**
gra**cier**	*gracié*	1er	A	**52**
grad**uer**	*gradué*	1er	A	**66**
graiss**er**	*graissé*	1er	A	**48**
grand**ir**	*grandi*	2e	A Ê	**70**
grapp**iller**	*grappillé*	1er	A	**69**
gratif**ier**	*gratifié*	1er	A	**52**
gratin**er**	*gratiné*	1er	A	**48**
gratt**er**	*gratté*	1er	A	**48**
grav**er**	*gravé*	1er	A	**48**
grav**ir**	*gravi*	2e	A	**70**
gravit**er**	*gravité*	1er	A	**48**
gr**éer**	*gréé*	1er	A	**51**
greff**er**	*greffé*	1er	A	**48**
grêler	*grêlé*	IMP	A	**145**
grelott**er**	*grelotté*	1er	A	**48**
grés**iller**	*grésillé*	1er	A	**69**
gribou**iller**	*gribouillé*	1er	A	**69**
griff**er**	*griffé*	1er	A	**48**

G

Griffonner

= verbe modèle
DÉF = verbe défectif **IMP** = verbe impersonnel

Verbe	Participe passé	Groupe	Auxiliaire	Page du modèle
griffonn**er**	*griffonné*	**1er**	A	**48**
grignot**er**	*grignoté*	**1er**	A	**48**
grilla**ger**	*grillagé*	**1er**	A	**62**
gr**iller**	*grillé*	**1er**	A	**69**
grima**cer**	*grimacé*	**1er**	A	**49**
grim**er**	*grimé*	**1er**	A	**48**
grimp**er**	*grimpé*	**1er**	A	**48**
grin**cer**	*grincé*	**1er**	Ê	**49**
se gripp**er**	*grippé*	**1er**	Ê	**55**
gris**er**	*grisé*	**1er**	A	**48**
grisonn**er**	*grisonné*	**1er**	A	**48**
gro**gner**	*grogné*	**1er**	A	**58**
gromm**eler**	*grommelé*	**1er**	A	**46**
grond**er**	*grondé*	**1er**	A	**48**
gross**ir**	*grossi*	**2e**	A	**70**
grou**iller**	*grouillé*	**1er**	A	**69**
group**er**	*groupé*	**1er**	A	**48**
guér**ir**	*guéri*	**2e**	A	**70**
guerr**oyer**	*guerroyé*	**1er**	A	**54**
guett**er**	*guetté*	**1er**	A	**48**
guid**er**	*guidé*	**1er**	A	**48**
gui**gner**	*guigné*	**1er**	A	**58**
guillotin**er**	*guillotiné*	**1er**	A	**48**
H				
habilit**er**	*habilité*	**1er**	A	**48**
hab**iller**	*habillé*	**1er**	A	**69**
habit**er**	*habité*	**1er**	A	**48**
habit**uer**	*habitué*	**1er**	A	**66**
hach**er**	*haché*	**1er**	A	**48**
hachur**er**	*hachuré*	**1er**	A	**48**
haïr	*haï*	**2e**	A	**71**
hâl**er**	*hâlé*	**1er**	A	**48**
hal**eter**	*haleté*	**1er**	A	**45**
handicap**er**	*handicapé*	**1er**	A	**48**
hant**er**	*hanté*	**1er**	A	**48**
happ**er**	*happé*	**1er**	A	**48**
haran**guer**	*harangué*	**1er**	A	**50**
harc**eler**	*harcelé*	**1er**	A	**59**
harmonis**er**	*harmonisé*	**1er**	A	**48**
harnach**er**	*harnaché*	**1er**	A	**48**
harponn**er**	*harponné*	**1er**	A	**48**
hasard**er**	*hasardé*	**1er**	A	**48**
hât**er**	*hâté*	**1er**	A	**48**
se hât**er**	*hâté*	**1er**	Ê	**55**
hauss**er**	*haussé*	**1er**	A	**48**
héber**ger**	*hébergé*	**1er**	A	**62**
hél**er**	*hélé*	**1er**	A	**47**
henn**ir**	*henni*	**2e**	A	**70**
herboris**er**	*herborisé*	**1er**	A	**48**
hériss**er**	*hérissé*	**1er**	A	**48**
hérit**er**	*hérité*	**1er**	A	**48**
hésit**er**	*hésité*	**1er**	A	**48**
heurt**er**	*heurté*	**1er**	A	**48**
hibern**er**	*hiberné*	**1er**	A	**48**
hiss**er**	*hissé*	**1er**	A	**48**
hivern**er**	*hiverné*	**1er**	A	**48**
hoch**er**	*hoché*	**1er**	A	**48**
homolo**guer**	*homologué*	**1er**	A	**50**
honor**er**	*honoré*	**1er**	A	**48**
horrif**ier**	*horrifié*	**1er**	A	**52**
horripil**er**	*horripilé*	**1er**	A	**48**
hospitalis**er**	*hospitalisé*	**1er**	A	**48**
housp**iller**	*houspillé*	**1er**	A	**69**
h**uer**	*hué*	**1er**	A	**66**
huil**er**	*huilé*	**1er**	A	**48**
hulul**er**	*hululé*	**1er**	A	**48**
humect**er**	*humecté*	**1er**	A	**48**
hum**er**	*humé*	**1er**	A	**48**
humidif**ier**	*humidifié*	**1er**	A	**52**
humil**ier**	*humilié*	**1er**	A	**52**
hurl**er**	*hurlé*	**1er**	A	**48**
hydrat**er**	*hydraté*	**1er**	A	**48**
hypnotis**er**	*hypnotisé*	**1er**	A	**48**
I				
idéalis**er**	*idéalisé*	**1er**	A	**48**
identif**ier**	*identifié*	**1er**	A	**52**
ignor**er**	*ignoré*	**1er**	A	**48**
illumin**er**	*illuminé*	**1er**	A	**48**
illustr**er**	*illustré*	**1er**	A	**48**
s'illustr**er**	*illustré*	**1er**	Ê	**55**

A = se conjugue avec l'auxiliaire **avoir**
Ê = se conjugue avec l'auxiliaire **être**

Verbe	*Participe passé*	*Groupe*	*Auxiliaire*	*Page du modèle*
imagin**er**	*imaginé*	**1er**	A	**48**
imbib**er**	*imbibé*	**1er**	A	**48**
s'imbriqu**er**	*imbriqué*	**1er**	Ê	**55**
imit**er**	*imité*	**1er**	A	**48**
immatricul**er**	*immatriculé*	**1er**	A	**48**
immer**ger**	*immergé*	**1er**	A	**62**
immigr**er**	*immigré*	**1er**	A	**48**
s'immis**cer**	*immiscé*	**1er**	Ê	**49/55**
immobilis**er**	*immobilisé*	**1er**	A	**48**
immol**er**	*immolé*	**1er**	A	**48**
immortalis**er**	*immortalisé*	**1er**	A	**48**
immunis**er**	*immunisé*	**1er**	A	**48**
s'impatient**er**	*impatienté*	**1er**	Ê	**55**
imperméabilis**er**	*imperméabilisé*	**1er**	A	**48**
implant**er**	*implanté*	**1er**	A	**48**
impliqu**er**	*impliqué*	**1er**	A	**48**
implor**er**	*imploré*	**1er**	A	**48**
import**er**	*importé*	**1er**	A	**48**
importun**er**	*importuné*	**1er**	A	**48**
impos**er**	*imposé*	**1er**	A	**55**
s'impos**er**	*imposé*	**1er**	Ê	**68/55**
impr**égner**	*imprégné*	**1er**	A	**65**
impressionn**er**	*impressionné*	**1er**	A	**48**
imprim**er**	*imprimé*	**1er**	A	**48**
improvis**er**	*improvisé*	**1er**	A	**48**
imput**er**	*imputé*	**1er**	A	**48**
inaugur**er**	*inauguré*	**1er**	A	**48**
incarc**érer**	*incarcéré*	**1er**	A	**47**
incarn**er**	*incarné*	**1er**	A	**48**
incend**ier**	*incendié*	**1er**	A	**52**
incin**érer**	*incinéré*	**1er**	A	**47**
incis**er**	*incisé*	**1er**	A	**48**
incit**er**	*incité*	**1er**	A	**48**
inclin**er**	*incliné*	**1er**	A	**48**
in**clure**	*inclus*	**3e**	A	**79**
incommod**er**	*incommodé*	**1er**	A	**48**
incorpor**er**	*incorporé*	**1er**	A	**48**
incrimin**er**	*incriminé*	**1er**	A	**48**
s'incrust**er**	*incrusté*	**1er**	Ê	**55**
inculp**er**	*inculpé*	**1er**	A	**48**
inculqu**er**	*inculqué*	**1er**	A	**48**
indemnis**er**	*indemnisé*	**1er**	A	**48**
indi**gner**	*indigné*	**1er**	A	**58**
indiqu**er**	*indiqué*	**1er**	A	**48**
indispos**er**	*indisposé*	**1er**	A	**48**
industrialis**er**	*industrialisé*	**1er**	A	**48**
s'infect**er**	*infecté*	**1er**	Ê	**55**
infest**er**	*infesté*	**1er**	A	**48**
s'infiltr**er**	*infiltré*	**1er**	Ê	**55**
infli**ger**	*infligé*	**1er**	A	**62**
influen**cer**	*influencé*	**1er**	A	**49**
infl**uer**	*influé (sur)*	**1er**	A	**66**
informatis**er**	*informatisé*	**1er**	A	**48**
inform**er**	*informé*	**1er**	A	**48**
infus**er**	*infusé*	**1er**	A	**48**
s'ingén**ier**	*ingénié (à)*	**1er**	Ê	**52/55**
s'ing**érer**	*ingéré*	**1er**	Ê	**47/55**
ingurgit**er**	*ingurgité*	**1er**	A	**48**
inhal**er**	*inhalé*	**1er**	A	**48**
inhum**er**	*inhumé*	**1er**	A	**48**
init**ier**	*initié*	**1er**	A	**52**
inject**er**	*injecté*	**1er**	A	**48**
injur**ier**	*injurié*	**1er**	A	**52**
innocent**er**	*innocenté*	**1er**	A	**48**
innov**er**	*innové*	**1er**	A	**48**
inond**er**	*inondé*	**1er**	A	**48**
inqui**éter**	*inquiété*	**1er**	A	**47**
ins**crire**	*inscrit*	**3e**	A	**94**
insensibilis**er**	*insensibilisé*	**1er**	A	**48**
ins**érer**	*inséré*	**1er**	A	**47**
insin**uer**	*insinué*	**1er**	A	**66**
s'insin**uer**	*insinué*	**1er**	Ê	**66/55**
insist**er**	*insisté*	**1er**	A	**48**
insonoris**er**	*insonorisé*	**1er**	A	**48**
inspect**er**	*inspecté*	**1er**	A	**48**
inspir**er**	*inspiré*	**1er**	A	**48**
install**er**	*installé*	**1er**	A	**48**
instaur**er**	*instauré*	**1er**	A	**48**
instit**uer**	*institué*	**1er**	A	**66**
ins**truire**	*instruit*	**3e**	A	**82**
insult**er**	*insulté*	**1er**	A	**48**
s'insur**ger**	*insurgé (contre)*	**1er**	Ê	**62/55**
int**égrer**	*intégré*	**1er**	A	**47**
intent**er**	*intenté*	**1er**	A	**48**

= verbe modèle
DÉF = verbe défectif **IMP** = verbe impersonnel

Verbe	Participe passé	Groupe	Auxiliaire	Page du modèle
intercal**er**	*intercalé*	1er	A	48
interc**éder**	*intercédé*	1er	A	47
intercept**er**	*intercepté*	1er	A	48
inter**dire**	*interdit*	3[e]	A	83
intéress**er**	*intéressé*	1er	A	48
intern**er**	*interné*	1er	A	48
interp**eller**	*interpellé*	1er	A	60
s'interpos**er**	*interposé*	1er	Ê	55
interpr**éter**	*interprété*	1er	A	47
interro**ger**	*interrogé*	1er	A	62
inter**rompre**	*interrompu*	3[e]	A	121
inter**venir**	*intervenu*	3[e]	Ê	135
intervert**ir**	*interverti*	2[e]	A	70
interview**er**	*interviewé*	1er	A	48
intim**er**	*intimé*	1er	A	48
intimid**er**	*intimidé*	1er	A	48
intitul**er**	*intitulé*	1er	A	48
intoxiqu**er**	*intoxiqué*	1er	A	48
intri**guer**	*intrigué*	1er	A	50
intro**duire**	*introduit*	3[e]	A	80
invectiv**er**	*invectivé*	1er	A	48
invent**er**	*inventé*	1er	A	48
invers**er**	*inversé*	1er	A	48
invest**ir**	*investi*	2[e]	A	70
invit**er**	*invité*	1er	A	48
invoqu**er**	*invoqué*	1er	A	48
ironis**er**	*ironisé*	1er	A	48
irrad**ier**	*irradié*	1er	A	52
irri**guer**	*irrigué*	1er	A	50
irrit**er**	*irrité*	1er	A	48
isol**er**	*isolé*	1er	A	48
J				
jacass**er**	*jacassé*	1er	A	48
jaill**ir**	*jailli*	2[e]	A	70
jalonn**er**	*jalonné*	1er	A	48
jalous**er**	*jalousé*	1er	A	48
japp**er**	*jappé*	1er	A	48
jardin**er**	*jardiné*	1er	A	48
jas**er**	*jasé*	1er	A	48
jau**ger**	*jaugé*	1er	A	62
jaun**ir**	*jauni*	2[e]	A	70
jeter	*jeté*	1er	A	61
se jet**er**	*jeté*	1er	Ê	61/55
jeûn**er**	*jeûné*	1er	A	48
joindre	*joint*	3[e]	A	97
jonch**er**	*jonché*	1er	A	48
jongl**er**	*jonglé*	1er	A	48
jo**uer**	*joué*	1er	A	66
jou**ir**	*joui (de)*	2[e]	A	70
jubil**er**	*jubilé*	1er	A	48
juch**er**	*juché*	1er	A	48
ju**ger**	*jugé*	1er	A	62
jugul**er**	*jugulé*	1er	A	48
jum**eler**	*jumelé*	1er	A	46
jur**er**	*juré*	1er	A	48
justif**ier**	*justifié*	1er	A	52
juxtapos**er**	*juxtaposé*	1er	A	48
K				
kidnapp**er**	*kidnappé*	1er	A	48
kilom**étrer**	*kilométré*	1er	A	47
klaxonn**er**	*klaxonné*	1er	A	48
L				
labour**er**	*labouré*	1er	A	48
la**cer**	*lacé*	1er	A	49
lac**érer**	*lacéré*	1er	A	47
lâch**er**	*lâché*	1er	A	48
laïcis**er**	*laïcisé*	1er	A	48
laiss**er**	*laissé*	1er	A	48
lambin**er**	*lambiné*	1er	A	48
se lament**er**	*lamenté*	1er	Ê	55
lamin**er**	*laminé*	1er	A	48
lan**cer**	*lancé*	1er	A	49
lan**ger**	*langé*	1er	A	62
langu**ir**	*langui*	2[e]	A	70
lap**er**	*lapé*	1er	A	48
lapid**er**	*lapidé*	1er	A	48
laqu**er**	*laqué*	1er	A	48
lard**er**	*lardé*	1er	A	48

Verbe	Participe passé	Groupe	Auxiliaire	Page du modèle
lar**guer**	*largué*	1er	A	50
larm**oyer**	*larmoyé*	1er	A	54
lass**er**	*lassé*	1er	A	48
lav**er**	*lavé*	1er	A	48
léch**er**	*léché*	1er	A	47
légalis**er**	*légalisé*	1er	A	48
légend**er**	*légendé*	1er	A	48
légif**érer**	*légiféré*	1er	A	47
léguer	*légué*	1er	A	53
l**éser**	*lésé*	1er	A	47
lésin**er**	*lésiné*	1er	A	48
lessiv**er**	*lessivé*	1er	A	48
lest**er**	*lesté*	1er	A	48
se leurr**er**	*leurré*	1er	Ê	55
l**ever**	*levé*	1er	A	67
se l**ever**	*levé*	1er	Ê	67/55
lézard**er**	*lézardé*	1er	A	48
lib**eller**	*libellé*	1er	A	60
lib**érer**	*libéré*	1er	A	47
licenc**ier**	*licencié*	1er	A	52
l**ier**	*lié*	1er	A	52
ligatur**er**	*ligaturé*	1er	A	48
ligot**er**	*ligoté*	1er	A	48
se li**guer**	*ligué*	1er	Ê	50/55
lim**er**	*limé*	1er	A	48
limit**er**	*limité*	1er	A	48
liqué**fier**	*liquéfié*	1er	A	52
liquid**er**	*liquidé*	1er	A	48
lire	*lu*	3e	A	98
liss**er**	*lissé*	1er	A	48
list**er**	*listé*	1er	A	48
livr**er**	*livré*	1er	A	48
localis**er**	*localisé*	1er	A	48
lo**ger**	*logé*	1er	A	62
lon**ger**	*longé*	1er	A	62
lor**gner**	*lorgné*	1er	A	58
lot**ir**	*loti*	2e	A	70
louch**er**	*louché*	1er	A	48
l**ouer**	*loué*	1er	A	66
loup**er**	*loupé*	1er	A	48
louv**oyer**	*louvoyé*	1er	A	54
se lov**er**	*lové*	1er	Ê	55
lubrif**ier**	*lubrifié*	1er	A	52
luire	*lui*	3e	A	99
lustr**er**	*lustré*	1er	A	48
lutt**er**	*lutté*	1er	A	48
lux**er**	*luxé*	1er	A	48
lynch**er**	*lynché*	1er	A	48

M

Verbe	Participe passé	Groupe	Auxiliaire	Page du modèle
mac**érer**	*macéré*	1er	A	47
mâch**er**	*mâché*	1er	A	48
mâchonn**er**	*mâchonné*	1er	A	48
magnétis**er**	*magnétisé*	1er	A	48
magnétoscop**er**	*magnétoscopé*	1er	A	48
maigr**ir**	*maigri*	3e	A	70
main**tenir**	*maintenu*	3e	A	130
maîtris**er**	*maîtrisé*	1er	A	48
major**er**	*majoré*	1er	A	48
malax**er**	*malaxé*	1er	A	48
malm**ener**	*malmené*	1er	A	67
maltrait**er**	*maltraité*	1er	A	48
man**ger**	*mangé*	1er	A	62
man**ier**	*manié*	1er	A	52
manifest**er**	*manifesté*	1er	A	48
manigan**cer**	*manigancé*	1er	A	49
manipul**er**	*manipulé*	1er	A	48
manœuvr**er**	*manœuvré*	1er	A	48
manqu**er**	*manqué*	1er	A	48
maqu**iller**	*maquillé*	1er	A	69
marchand**er**	*marchandé*	1er	A	48
march**er**	*marché*	1er	A	48
mar**ier**	*marié*	1er	A	52
se mar**ier**	*marié*	1er	Ê	52/55
marin**er**	*mariné*	1er	A	48
marmonn**er**	*marmonné*	1er	A	48
marqu**er**	*marqué*	1er	A	48
mar**teler**	*martelé*	1er	A	59
martyris**er**	*martyrisé*	1er	A	48
masqu**er**	*masqué*	1er	A	48
massacr**er**	*massacré*	1er	A	48
mass**er**	*massé*	1er	A	48
mastiqu**er**	*mastiqué*	1er	A	48

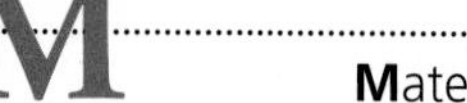

= verbe modèle
DÉF = verbe défectif **IMP** = verbe impersonnel

VERBE	PARTICIPE PASSÉ	GROUPE	AUXILIAIRE	PAGE DU MODÈLE
mat**er**	*maté*	1er	A	48
se matérialis**er**	*matérialisé*	1er	Ê	55
matraqu**er**	*matraqué*	1er	A	48
maudire	*maudit*	3e	A	100
maugr**éer**	*maugréé*	1er	A	51
méconn**aître**	*méconnu*	3e	A	81
mécontent**er**	*mécontenté*	1er	A	48
mé**dire**	*médit (sur, de)*	3e	A	83
médit**er**	*médité*	1er	A	48
se méf**ier**	*méfié*	1er	Ê	52/55
mélan**ger**	*mélangé*	1er	A	62
mêl**er**	*mêlé*	1er	A	48
se mêl**er**	*mêlé*	1er	Ê	55
mémoris**er**	*mémorisé*	1er	A	48
mena**cer**	*menacé*	1er	A	49
ména**ger**	*ménagé*	1er	A	62
mend**ier**	*mendié*	1er	A	52
m**e**n**er**	*mené*	1er	A	67
mentionn**er**	*mentionné*	1er	A	48
mentir	*menti (à)*	3e	A	101
se mé**prendre**	*mépris*	3e	Ê	115/55
mépris**er**	*méprisé*	1er	A	48
mérit**er**	*mérité*	1er	A	48
mésestim**er**	*mésestimé*	1er	A	48
mesur**er**	*mesuré*	1er	A	48
métamorphos**er**	*métamorphosé*	1er	A	48
mettre	*mis*	3e	A	102
se mettre	*mis*	3e	Ê	102/55
meubl**er**	*meublé*	1er	A	48
meugl**er**	*meuglé*	1er	A	48
miaul**er**	*miaulé*	1er	A	48
mijot**er**	*mijoté*	1er	A	48
milit**er**	*milité*	1er	A	48
mim**er**	*mimé*	1er	A	48
minaud**er**	*minaudé*	1er	A	48
minc**ir**	*minci*	2e	A	70
min**er**	*miné*	1er	A	48
minimis**er**	*minimisé*	1er	A	48
minut**er**	*minuté*	1er	A	48
se mir**er**	*miré*	1er	Ê	55
miroit**er**	*miroité*	1er	A	48
mis**er**	*misé*	1er	A	48

VERBE	PARTICIPE PASSÉ	GROUPE	AUXILIAIRE	PAGE DU MODÈLE
mitonn**er**	*mitonné*	1er	A	48
mitra**iller**	*mitraillé*	1er	A	69
mobilis**er**	*mobilisé*	1er	A	48
mod**eler**	*modelé*	1er	A	59
mod**érer**	*modéré*	1er	A	47
modernis**er**	*modernisé*	1er	A	48
modif**ier**	*modifié*	1er	A	52
modul**er**	*modulé*	1er	A	48
mois**ir**	*moisi*	2e	A	70
moissonn**er**	*moissonné*	1er	A	48
molest**er**	*molesté*	1er	A	48
moll**ir**	*molli*	2e	A	70
monn**ayer**	*monnayé*	1er	A	63
monopolis**er**	*monopolisé*	1er	A	48
mont**er**	*monté*	1er	A Ê	48/68
montr**er**	*montré*	1er	A	48
se moqu**er**	*moqué*	1er	Ê	55
morc**eler**	*morcelé*	1er	A	46
mord**iller**	*mordillé*	1er	A	69
m**ordre**	*mordu*	3e	A	103
se morf**ondre**	*morfondu*	3e	Ê	131/55
mortif**ier**	*mortifié*	1er	A	52
motiv**er**	*motivé*	1er	A	48
mouchard**er**	*mouchardé*	1er	A	48
se mouch**er**	*mouché*	1er	Ê	55
moudre	*moulu*	3e	A	104
mou**iller**	*mouillé*	1er	A	69
moul**er**	*moulé*	1er	A	48
mourir	*mort*	3e	Ê	105
mouss**er**	*moussé*	1er	A	48
m**uer**	*mué*	1er	A	66
mug**ir**	*mugi*	2e	A	70
multipl**ier**	*multiplié*	1er	A	52
se mun**ir**	*muni*	2e	Ê	70/55
mur**er**	*muré*	1er	A	48
mûr**ir**	*mûri*	2e	A	70
murmur**er**	*murmuré*	1er	A	48
musard**er**	*musardé*	1er	A	48
muscl**er**	*musclé*	1er	A	48
mus**eler**	*muselé*	1er	A	46
mut**er**	*muté*	1er	A	48
mutil**er**	*mutilé*	1er	A	48

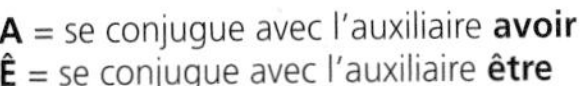

VERBE	PARTICIPE PASSÉ	GROUPE	AUXILIAIRE	PAGE DU MODÈLE
se mutin**er**	*mutiné*	1er	Ê	**55**
mystif**ier**	*mystifié*	1er	A	**52**

N

VERBE	PARTICIPE PASSÉ	GROUPE	AUXILIAIRE	PAGE DU MODÈLE
na**ger**	*nagé*	1er	A	**62**
naître	*né*	3e	Ê	**106**
napp**er**	*nappé*	1er	A	**48**
nar**guer**	*nargué*	1er	A	**50**
narr**er**	*narré*	1er	A	**48**
nationalis**er**	*nationalisé*	1er	A	**48**
natt**er**	*natté*	1er	A	**48**
naturalis**er**	*naturalisé*	1er	A	**48**
navi**guer**	*navigué*	1er	A	**50**
nécessit**er**	*nécessité*	1er	A	**48**
négli**ger**	*négligé*	1er	A	**62**
négoc**ier**	*négocié*	1er	A	**52**
neiger	*neigé*	IMP	A	**146**
nett**oyer**	*nettoyé*	1er	A	**54**
neutralis**er**	*neutralisé*	1er	A	**48**
nich**er**	*niché*	1er	A	**48**
n**ier**	*nié*	1er	A	**52**
nive**ler**	*nivelé*	1er	A	**46**
noirc**ir**	*noirci*	2e	A	**70**
nomm**er**	*nommé*	1er	A	**48**
not**er**	*noté*	1er	A	**48**
notif**ier**	*notifié*	1er	A	**52**
nou**er**	*noué*	1er	A	**66**
nourr**ir**	*nourri*	2e	A	**70**
n**oyer**	*noyé*	1er	A	**54**
nuan**cer**	*nuancé*	1er	A	**49**
nuire	*nui*	3e	A	**107**
numérot**er**	*numéroté*	1er	A	**48**

O

VERBE	PARTICIPE PASSÉ	GROUPE	AUXILIAIRE	PAGE DU MODÈLE
obé**ir**	*obéi*	2e	A	**70**
object**er**	*objecté*	1er	A	**48**
obli**ger**	*obligé*	1er	A	**62**
obliqu**er**	*obliqué*	1er	A	**48**
oblit**érer**	*oblitéré*	1er	A	**47**
obnubil**er**	*obnubilé*	1er	A	**48**
obscurc**ir**	*obscurci*	2e	A	**70**
obs**éder**	*obsédé*	1er	A	**47**
observ**er**	*observé*	1er	A	**48**
s'obstin**er**	*obstiné*	1er	Ê	**55**
obstr**uer**	*obstrué*	1er	A	**66**
obtemp**érer**	*obtempéré (à)*	1er	A	**47**
ob**tenir**	*obtenu*	3e	A	**130**
occasionn**er**	*occasionné*	1er	A	**48**
occup**er**	*occupé*	1er	A	**48**
s'occup**er**	*occupé*	1er	Ê	**55**
octr**oyer**	*octroyé*	1er	A	**54**
offens**er**	*offensé*	1er	A	**48**
offrir	*offert*	3e	A	**108**
offusqu**er**	*offusqué*	1er	A	**48**
o**mettre**	*omis*	3e	A	**102**
ondul**er**	*ondulé*	1er	A	**48**
op**érer**	*opéré*	1er	A	**47**
oppos**er**	*opposé*	1er	A	**48**
s'oppos**er**	*opposé*	1er	Ê	**55**
oppress**er**	*oppressé*	1er	A	**48**
opprim**er**	*opprimé*	1er	A	**48**
opt**er**	*opté*	1er	A	**48**
ordonn**er**	*ordonné*	1er	A	**48**
organis**er**	*organisé*	1er	A	**48**
orient**er**	*orienté*	1er	A	**48**
orn**er**	*orné*	1er	A	**48**
orthograph**ier**	*orthographié*	1er	A	**52**
osc**iller**	*oscillé*	1er	A	**69**
os**er**	*osé*	1er	A	**48**
ôt**er**	*ôté*	1er	A	**48**
oubl**ier**	*oublié*	1er	A	**52**
our**ler**	*ourlé*	1er	A	**48**
outra**ger**	*outragé*	1er	A	**62**
outrepass**er**	*outrepassé*	1er	A	**48**
ouvrir	*ouvert*	3e	A	**109**
s'oxyd**er**	*oxydé*	1er	Ê	**55**

P

VERBE	PARTICIPE PASSÉ	GROUPE	AUXILIAIRE	PAGE DU MODÈLE
pacif**ier**	*pacifié*	1er	A	**52**
pactis**er**	*pactisé*	1er	A	**48**
pag**ayer**	*pagayé*	1er	A	**63**

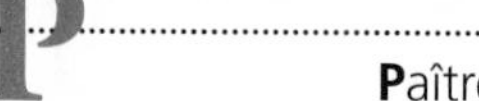

Paître

= verbe modèle
DÉF = verbe défectif **IMP** = verbe impersonnel

Verbe	Participe passé	Groupe	Auxiliaire	Page du modèle
paître		DÉF	A	144
palabrer	*palabré*	1er	A	48
pâlir	*pâli*	2e	A	70
pallier	*pallié*	1er	A	52
palper	*palpé*	1er	A	48
palpiter	*palpité*	1er	A	48
se pâmer	*pâmé*	1er	Ê	55
paniquer	*paniqué*	1er	A	48
panser	*pansé*	1er	A	48
papilloter	*papilloté*	1er	A	48
papoter	*papoté*	1er	A	48
parachever	*parachevé*	1er	A	67
parachuter	*parachuté*	1er	A	48
parader	*paradé*	1er	A	48
paraître	*paru*	3e	A Ê	81
paralyser	*paralysé*	1er	A	48
parcourir	*parcouru*	3e	A	85
pardonner	*pardonné (à)*	1er	A	48
parer	*paré*	1er	A	48
se parer	*paré*	1er	Ê	55
paresser	*paressé*	1er	A	48
parfumer	*parfumé*	1er	A	48
parier	*parié*	1er	A	52
parlementer	*parlementé*	1er	A	48
parler	*parlé*	1er	A	48
parodier	*parodié*	1er	A	52
parquer	*parqué*	1er	A	48
parrainer	*parrainé*	1er	A	48
parsemer	*parsemé*	1er	A	67
partager	*partagé*	1er	A	62
participer	*participé*	1er	A	48
se particulariser	*particularisé*	1er	Ê	55
partir	*parti*	3e	Ê	110
parvenir	*parvenu (à)*	3e	Ê	135
passer	*passé*	1er	A Ê	48/68
se passer	*passé*	1er	Ê	55
passionner	*passionné*	1er	A	48
pasteuriser	*pasteurisé*	1er	A	48
patauger	*pataugé*	1er	A	62
patienter	*patienté*	1er	A	48
patiner	*patiné*	1er	A	48
pâtir	*pâti*	2e	A	70
patronner	*patronné*	1er	A	48
patrouiller	*patrouillé*	1er	A	69
se pavaner	*pavané*	1er	Ê	55
paver	*pavé*	1er	A	48
pavoiser	*pavoisé*	1er	A	48
payer	*payé*	1er	A	63
pécher	*péché*	1er	A	48
pêcher	*pêché*	1er	A	48
pédaler	*pédalé*	1er	A	48
peigner	*peigné*	1er	A	58
peindre	*peint*	3e	A	111
peiner	*peiné*	1er	A	48
peinturlurer	*peinturluré*	1er	A	48
peler	*pelé*	1er	A	59
se pelotonner	*pelotonné*	1er	Ê	55
pénaliser	*pénalisé*	1er	A	48
pencher	*penché*	1er	A	48
se pencher	*penché*	1er	Ê	55
pendre	*pendu*	3e	A	134
pénétrer	*pénétré*	1er	A	47
penser	*pensé*	1er	A	48
pépier	*pépié*	1er	A	52
percer	*percé*	1er	A	49
percevoir	*perçu*	3e	A	117
se percher	*perché*	1er	Ê	55
percuter	*percuté*	1er	A	48
perdre	*perdu*	3e	A	112
perfectionner	*perfectionné*	1er	A	48
perforer	*perforé*	1er	A	48
périr	*péri*	2e	A	70
perler	*perlé*	1er	A	48
permettre	*permis*	3e	A	102
permuter	*permuté*	1er	A	48
pérorer	*péroré*	1er	A	48
perpétrer	*perpétré*	1er	A	47
perpétuer	*perpétué*	1er	A	66
perquisitionner	*perquisitionné*	1er	A	48
persécuter	*persécuté*	1er	A	48
persévérer	*persévéré*	1er	A	47
persister	*persisté*	1er	A	48
personnaliser	*personnalisé*	1er	A	48
personnifier	*personnifié*	1er	A	52

A = se conjugue avec l'auxiliaire **avoir**
Ê = se conjugue avec l'auxiliaire **être**

Verbe	Participe passé	Groupe	Auxiliaire	Page du modèle
persuad**er**	*persuadé*	1er	A	48
perturb**er**	*perturbé*	1er	A	48
pervert**ir**	*perverti*	2e	A	70
p**eser**	*pesé*	1er	A	67
pest**er**	*pesté*	1er	A	48
pétarad**er**	*pétaradé*	1er	A	48
péter	*pété*	1er	A	47
pé**tiller**	*pétillé*	1er	A	69
pétrif**ier**	*pétrifié*	1er	A	52
pétr**ir**	*pétri*	2e	A	70
peupl**er**	*peuplé*	1er	A	48
photocop**ier**	*photocopié*	1er	A	52
photograph**ier**	*photographié*	1er	A	52
piaff**er**	*piaffé*	1er	A	48
pia**iller**	*piaillé*	1er	A	69
pianot**er**	*pianoté*	1er	A	48
piaul**er**	*piaulé*	1er	A	48
picor**er**	*picoré*	1er	A	48
picot**er**	*picoté*	1er	A	48
pi**éger**	*piégé*	1er	A	44
piétin**er**	*piétiné*	1er	A	48
pil**er**	*pilé*	1er	A	48
p**iller**	*pillé*	1er	A	69
pilonn**er**	*pilonné*	1er	A	48
pilot**er**	*piloté*	1er	A	48
pin**cer**	*pincé*	1er	A	49
pioch**er**	*pioché*	1er	A	48
pip**er**	*pipé*	1er	A	48
pique-niqu**er**	*pique-niqué*	1er	A	48
piqu**er**	*piqué*	1er	A	48
pirat**er**	*piraté*	1er	A	48
pistonn**er**	*pistonné*	1er	A	48
pivot**er**	*pivoté*	1er	A	48
placard**er**	*placardé*	1er	A	48
pla**cer**	*placé*	1er	A	49
plafonn**er**	*plafonné*	1er	A	48
plag**ier**	*plagié*	1er	A	52
plaid**er**	*plaidé*	1er	A	48
pl**aindre**	*plaint*	3e	A	86
plaire	*plu (à)*	3e	A	113
plaisant**er**	*plaisanté*	1er	A	48
plan**er**	*plané*	1er	A	48
planif**ier**	*planifié*	1er	A	52
plant**er**	*planté*	1er	A	48
plaqu**er**	*plaqué*	1er	A	48
plastif**ier**	*plastifié*	1er	A	52
plastiqu**er**	*plastiqué*	1er	A	48
plâtr**er**	*plâtré*	1er	A	48
pleur**er**	*pleurer*	1er	A	48
pleurnich**er**	*pleurniché*	1er	A	48
pleuvoir	*plu*	IMP	A	146
pl**ier**	*plié*	1er	A	52
pliss**er**	*plissé*	1er	A	48
plomb**er**	*plombé*	1er	A	48
plon**ger**	*plongé*	1er	A	62
pl**oyer**	*ployé*	1er	A	54
plum**er**	*plumé*	1er	A	48
poch**er**	*poché*	1er	A	48
poignard**er**	*poignardé*	1er	A	48
poinçonn**er**	*poinçonné*	1er	A	48
p**oindre**	*point*	3e	A	97
point**er**	*pointé*	1er	A	48
poiss**er**	*poissé*	1er	A	48
poivr**er**	*poivré*	1er	A	48
polaris**er**	*polarisé*	1er	A	48
pol**ir**	*poli*	2e	A	70
pol**luer**	*pollué*	1er	A	66
polycop**ier**	*polycopié*	1er	A	52
pomp**er**	*pompé*	1er	A	48
se pomponn**er**	*pomponné*	1er	Ê	55
pon**cer**	*poncé*	1er	A	49
ponc**tuer**	*ponctué*	1er	A	66
p**ondre**	*pondu*	3e	A	131
port**er**	*porté*	1er	A	48
pos**er**	*posé*	1er	A	48
poss**éder**	*posséder*	1er	A	47
post**er**	*posté*	1er	A	48
postul**er**	*postulé*	1er	A	48
poudr**er**	*poudré*	1er	A	48
pouff**er**	*pouffé*	1er	A	48
pouponn**er**	*pouponné*	1er	A	48
pourchass**er**	*pourchassé*	1er	A	48
se pourlé**cher**	*pourléché*	1er	Ê	47/55
pourr**ir**	*pourri*	2e	A Ê	70

= verbe modèle
DÉF = verbe défectif **IMP** = verbe impersonnel

Verbe	Participe passé	Groupe	Auxiliaire	Page du modèle
pour**suivre**	*poursuivi*	3e	A	**128**
pouss**er**	*poussé*	1er	A	**48**
pouvoir	*pu*	3e	A	**114**
pratiqu**er**	*pratiqué*	1er	A	**48**
pré**céd**er	*précédé*	1er	A	**47**
prêch**er**	*prêché*	1er	A	**48**
précipit**er**	*précipité*	1er	A	**48**
se précipit**er**	*précipité*	1er	Ê	**55**
précis**er**	*précisé*	1er	A	**48**
préconis**er**	*préconisé*	1er	A	**48**
pré**dire**	*prédit*	3e	A	**83**
prédispos**er**	*prédisposé*	1er	A	**48**
prédomin**er**	*prédominé*	1er	A	**48**
préfa**cer**	*préfacé*	1er	A	**49**
préf**ér**er	*préféré*	1er	A	**47**
se prélass**er**	*prélassé*	1er	Ê	**55**
prél**ev**er	*prélevé*	1er	A	**67**
prémédit**er**	*prémédité*	1er	A	**48**
se prémun**ir**	*prémuni*	2e	Ê	**70/55**
prendre	*pris*	3e	A	**115**
préoccup**er**	*préoccupé*	1er	A	**48**
se préoccup**er**	*préoccupé*	1er	Ê	**55**
prépar**er**	*préparé*	1er	A	**48**
présa**ger**	*présagé*	1er	A	**62**
pres**crire**	*prescrit*	3e	A	**94**
présent**er**	*présenté*	1er	A	**48**
préserv**er**	*préservé*	1er	A	**48**
présid**er**	*présidé*	1er	A	**48**
pres**sentir**	*pressenti*	3e	A	**101**
press**er**	*pressé*	1er	A	**48**
pressur**er**	*pressuré*	1er	A	**48**
présum**er**	*présumé*	1er	A	**48**
pré**tendre**	*prétendu*	3e	A	**134**
prêt**er**	*prêté*	1er	A	**48**
prétext**er**	*prétexté*	1er	A	**48**
pré**valoir**	*prévalu*	3e	A	**133**
se pré**valoir**	*prévalu (de)*	3e	Ê	**133/55**
pré**venir**	*prévenu*	3e	A	**135**
prévoir	*prévu*	3e	A	**116**
pri**er**	*prié*	1er	A	**52**
prim**er**	*primé*	1er	A	**48**
privatis**er**	*privatisé*	1er	A	**48**
priv**er**	*privé*	1er	A	**48**
privilé**gier**	*privilégié*	1er	A	**52**
pro**céd**er	*procédé*	1er	A	**47**
proclam**er**	*proclamé*	1er	A	**48**
procr**éer**	*procréé*	1er	A	**51**
procur**er**	*procuré*	1er	A	**48**
prodi**guer**	*prodigué*	1er	A	**50**
pro**duire**	*produit*	3e	A	**80**
profan**er**	*profané*	1er	A	**48**
prof**ér**er	*proféré*	1er	A	**47**
se profil**er**	*profilé*	1er	Ê	**55**
profit**er**	*profité (à, de)*	1er	A	**48**
programm**er**	*programmé*	1er	A	**48**
progress**er**	*progressé*	1er	A	**48**
pro**jet**er	*projeté*	1er	A	**61**
prolif**ér**er	*proliféré*	1er	A	**47**
prolon**ger**	*prolongé*	1er	A	**62**
prom**en**er	*promené*	1er	A	**67**
pro**mettre**	*promis*	3e	A	**102**
promul**guer**	*promulgué*	1er	A	**50**
prôn**er**	*prôné*	1er	A	**48**
pronon**cer**	*prononcé*	1er	A	**49**
propa**ger**	*propagé*	1er	A	**62**
propos**er**	*proposé*	1er	A	**48**
propuls**er**	*propulsé*	1er	A	**48**
pros**crire**	*proscrit*	3e	A	**94**
prospect**er**	*prospecté*	1er	A	**48**
prosp**ér**er	*prospéré*	1er	A	**47**
se prostern**er**	*prosterné*	1er	Ê	**55**
prot**éger**	*protégé*	1er	A	**44**
protest**er**	*protesté*	1er	A	**48**
prouv**er**	*prouvé*	1er	A	**48**
pro**venir**	*provenu (de)*	3e	Ê	**135**
provoqu**er**	*provoqué*	1er	A	**48**
psychanalys**er**	*psychanalysé*	1er	A	**48**
publi**er**	*publié*	1er	A	**52**
pu**er**	*pué*	1er	A	**66**
puis**er**	*puisé*	1er	A	**48**
pullul**er**	*pullulé*	1er	A	**48**
pulvéris**er**	*pulvérisé*	1er	A	**48**
pun**ir**	*puni*	2e	A	**70**
pur**ger**	*purgé*	1er	A	**62**

A = se conjugue avec l'auxiliaire **avoir**
Ê = se conjugue avec l'auxiliaire **être**

Verbe	*Participe passé*	Groupe	Auxiliaire	Page du modèle
purif**ier**	*purifié*	**1er**	A	**52**
se putréf**ier**	*putréfié*	**1er**	Ê	**52/55**
Q				
quadr**iller**	*quadrillé*	**1er**	A	**69**
quadrupl**er**	*quadruplé*	**1er**	A	**48**
qualif**ier**	*qualifié*	**1er**	A	**52**
quémand**er**	*quémandé*	**1er**	A	**48**
se que**reller**	*querellé*	**1er**	Ê	**60/55**
questionn**er**	*questionné*	**1er**	A	**48**
quêt**er**	*quêté*	**1er**	A	**48**
quintupl**er**	*quintuplé*	**1er**	A	**48**
quitt**er**	*quitté*	**1er**	A	**48**
R				
rabâch**er**	*rabâché*	**1er**	A	**48**
rabaiss**er**	*rabaissé*	**1er**	A	**48**
ra**battre**	*rabattu*	**3e**	A	**76**
rabot**er**	*raboté*	**1er**	A	**48**
rabrou**er**	*rabroué*	**1er**	A	**66**
raccommod**er**	*raccommodé*	**1er**	A	**48**
raccompa**gner**	*raccompagné*	**1er**	A	**58**
raccord**er**	*raccordé*	**1er**	A	**48**
raccourc**ir**	*raccourci*	**2e**	A	**70**
raccroch**er**	*raccroché*	**1er**	A	**48**
rach**eter**	*racheté*	**1er**	A	**45**
rackett**er**	*racketté*	**1er**	A	**48**
racl**er**	*raclé*	**1er**	A	**48**
racol**er**	*racolé*	**1er**	A	**48**
racont**er**	*raconté*	**1er**	A	**48**
rad**ier**	*radié*	**1er**	A	**52**
radiograph**ier**	*radiographié*	**1er**	A	**52**
radot**er**	*radoté*	**1er**	A	**48**
se radouc**ir**	*radouci*	**2e**	Ê	**70/55**
raffermi**r**	*raffermi*	**2e**	A	**70**
raffin**er**	*raffiné*	**1er**	A	**48**
raffol**er**	*raffolé (de)*	**1er**	A	**48**
rafistol**er**	*rafistolé*	**1er**	A	**48**
rafraîch**ir**	*rafraîchi*	**2e**	A	**70**
ragaillard**ir**	*ragaillardi*	**2e**	A	**70**
ra**ger**	*ragé*	**1er**	A	**62**
raid**ir**	*raidi*	**2e**	A	**70**
ra**iller**	*raillé*	**1er**	A	**69**
raisonn**er**	*raisonné*	**1er**	A	**48**
rajeun**ir**	*rajeuni*	**2e**	A Ê	**70**
rajout**er**	*rajouté*	**1er**	A	**48**
rajust**er**	*rajusté*	**1er**	A	**48**
ralent**ir**	*ralenti*	**2e**	A	**70**
râl**er**	*râlé*	**1er**	A	**48**
rall**ier**	*rallié*	**1er**	A	**52**
rallon**ger**	*rallongé*	**1er**	A	**62**
rallum**er**	*rallumé*	**1er**	A	**48**
ramass**er**	*ramassé*	**1er**	A	**48**
ram**ener**	*ramené*	**1er**	A	**67**
ram**er**	*ramé*	**1er**	A	**48**
se ramif**ier**	*ramifié*	**1er**	Ê	**52/55**
ramoll**ir**	*ramolli*	**2e**	A	**70**
ramon**er**	*ramoné*	**1er**	A	**48**
ramp**er**	*rampé*	**1er**	A	**48**
ranc**ir**	*ranci*	**2e**	A	**70**
rançonn**er**	*rançonné*	**1er**	A	**48**
ran**ger**	*rangé*	**1er**	A	**62**
se ran**ger**	*rangé*	**1er**	Ê	**62/55**
ranim**er**	*ranimé*	**1er**	A	**48**
rapatr**ier**	*rapatrié*	**1er**	A	**52**
râp**er**	*râpé*	**1er**	A	**48**
rapetiss**er**	*rapetissé*	**1er**	A	**48**
rapiécer	*rapiécé*	**1er**	A	**64**
rapp**eler**	*rappelé*	**1er**	A	**46**
rapport**er**	*rapporté*	**1er**	A	**48**
rapproch**er**	*rapproché*	**1er**	A	**48**
se raréf**ier**	*raréfié*	**1er**	Ê	**52/55**
ras**er**	*rasé*	**1er**	A	**48**
rassas**ier**	*rassasié*	**1er**	A	**52**
rassembl**er**	*rassemblé*	**1er**	A	**48**
se r**asseoir**	*rassi*	**3e**	Ê	**75**
rassur**er**	*rassuré*	**1er**	A	**48**
se ratatin**er**	*ratatiné*	**1er**	Ê	**55**
rat**er**	*raté*	**1er**	A	**48**
ratif**ier**	*ratifié*	**1er**	A	**52**
rationn**er**	*rationné*	**1er**	A	**48**
ratiss**er**	*ratissé*	**1er**	A	**48**

= verbe modèle
DÉF = verbe défectif **IMP** = verbe impersonnel

Verbe	Participe passé	Groupe	Auxiliaire	Page du modèle
rattach**er**	*rattaché*	1er	A	**48**
rattrap**er**	*rattrapé*	1er	A	**48**
se rattrap**er**	*rattrapé*	1er	Ê	**55**
ratur**er**	*raturé*	1er	A	**48**
rava**ger**	*ravagé*	1er	A	**62**
raval**er**	*ravalé*	1er	A	**48**
ravigot**er**	*ravigoté*	1er	A	**48**
ravin**er**	*raviné*	1er	A	**48**
rav**ir**	*ravi*	2e	A	**70**
se ravis**er**	*ravisé*	1er	Ê	**55**
ravita**iller**	*ravitaillé*	1er	A	**69**
raviv**er**	*ravivé*	1er	A	**48**
r**ayer**	*rayé*	1er	A	**63**
rayonn**er**	*rayonné*	1er	A	**48**
se réadapt**er**	*réadapté*	1er	Ê	**55**
réaffirm**er**	*réaffirmé*	1er	A	**48**
réag**ir**	*réagi (à)*	2e	A	**70**
réalis**er**	*réalisé*	1er	A	**48**
réaména**ger**	*réaménagé*	1er	A	**62**
réanim**er**	*réanimé*	1er	A	**48**
réappar**aître**	*réapparu*	3e	A Ê	**81**
réap**prendre**	*réappris*	3e	A	**115**
rebât**ir**	*rebâti*	2e	A	**70**
re**battre**	*rebattu*	3e	A	**76**
se reb**eller**	*rebellé*	1er	Ê	**60/55**
se rebiff**er**	*rebiffé*	1er	Ê	**55**
rebois**er**	*reboisé*	1er	A	**48**
rebond**ir**	*rebondi*	2e	A	**70**
reboucher	*rebouché*	1er	A	**48**
rebrouss**er**	*rebroussé*	1er	A	**48**
rebut**er**	*rebuté*	1er	A	**48**
recal**er**	*recalé*	1er	A	**48**
récapitul**er**	*récapitulé*	1er	A	**48**
rec**eler**	*recelé*	1er	A	**59**
recens**er**	*recensé*	1er	A	**48**
réceptionn**er**	*réceptionné*	1er	A	**48**
re**cevoir**	*reçu*	3e	A	**117**
réchapp**er**	*réchappé (à, de)*	1er	A	**48**
rechar**ger**	*rechargé*	1er	A	**62**
réchauff**er**	*réchauffé*	1er	A	**48**
se réchauff**er**	*réchauffé*	1er	Ê	**55**
recherch**er**	*recherché*	1er	A	**48**
rechi**gner**	*rechigné (à)*	1er	A	**58**
rechut**er**	*rechuté*	1er	A	**48**
récidiv**er**	*récidivé*	1er	A	**48**
récit**er**	*récité*	1er	A	**48**
réclam**er**	*réclamé*	1er	A	**48**
reclass**er**	*reclassé*	1er	A	**48**
recoiff**er**	*recoiffé*	1er	A	**48**
recoll**er**	*recollé*	1er	A	**48**
récolt**er**	*récolté*	1er	A	**48**
recommand**er**	*recommandé*	1er	A	**48**
recommen**cer**	*recommencé*	1er	A	**49**
récompens**er**	*récompensé*	1er	A	**48**
recompt**er**	*recompté*	1er	A	**48**
réconcil**ier**	*réconcilié*	1er	A	**52**
recon**duire**	*reconduit*	3e	A	**80**
réconfort**er**	*réconforté*	1er	A	**48**
reconn**aître**	*reconnu*	3e	A	**81**
reconqu**érir**	*reconquis*	3e	A	**73**
reconstit**uer**	*reconstitué*	1er	A	**66**
recons**truire**	*reconstruit*	3e	A	**82**
reconvert**ir**	*reconverti*	2e	A	**70**
recop**ier**	*recopié*	1er	A	**52**
recouch**er**	*recouché*	1er	A	**48**
re**coudre**	*recousu*	3e	A	**84**
recoup**er**	*recoupé*	1er	A	**48**
recourb**er**	*recourbé*	1er	A	**48**
re**courir**	*recouru (à)*	3e	A	**85**
recouvr**er**	*recouvré*	1er	A	**48**
rec**ouvrir**	*recouvert*	3e	A	**109**
se récr**ier**	*récrié*	1er	Ê	**52/55**
ré**crire**	*récrit*	3e	A	**94**
se recroquev**iller**	*recroquevillé*	1er	Ê	**69/55**
recrut**er**	*recruté*	1er	A	**48**
rectif**ier**	*rectifié*	1er	A	**52**
re**cueillir**	*recueilli*	3e	A	**89**
se re**cueillir**	*recueilli*	3e	Ê	**89/55**
recul**er**	*reculé*	1er	A	**48**
récup**érer**	*récupéré*	1er	A	**47**
récur**er**	*récuré*	1er	A	**48**
recycl**er**	*recyclé*	1er	A	**48**
redemand**er**	*redemandé*	1er	A	**48**
redémarr**er**	*redémarré*	1er	A	**48**

A = se conjugue avec l'auxiliaire **avoir**
Ê = se conjugue avec l'auxiliaire **être**

Verbe	Participe passé	Groupe	Auxiliaire	Page du modèle
redescendre	*redescendu*	3e	A Ê	134
redevenir	*redevenu*	3e	Ê	135
rediffuser	*rediffusé*	1er	A	48
rédiger	*rédigé*	1er	A	62
redire	*redit*	3e	A	83
redonner	*redonné*	1er	A	48
redoubler	*redoublé*	1er	A	48
redouter	*redouté*	1er	A	48
redresser	*redressé*	1er	A	48
réduire	*réduit*	3e	A	80
réécrire	*réécrit*	3e	A	94
réélire	*réélu*	3e	A	98
refaire	*refait*	3e	A	95
se référer	*référé*	1er	Ê	47/55
refermer	*refermé*	1er	A	48
réfléchir	*réfléchi*	2e	A	70
refléter	*reflété*	1er	A	47
refluer	*reflué*	1er	A	66
réformer	*réformé*	1er	A	48
refouler	*refoulé*	1er	A	48
réfréner	*réfréné*	1er	A	47
refroidir	*refroidi*	2e	A	70
se réfugier	*réfugié*	1er	Ê	52/55
refuser	*refusé*	1er	A	48
réfuter	*réfuté*	1er	A	48
regagner	*regagné*	1er	A	58
se régaler	*régalé*	1er	Ê	55
regarder	*regardé*	1er	A	48
régenter	*régenté*	1er	A	48
réglementer	*réglementé*	1er	A	48
régler	*réglé*	1er	A	47
régner	*régné*	1er	A	65
regonfler	*regonflé*	1er	A	48
regorger	*regorgé (de)*	1er	A	62
régresser	*régressé*	1er	A	48
regretter	*regretté*	1er	A	48
regrouper	*regroupé*	1er	A	48
régulariser	*régularisé*	1er	A	48
réhabiliter	*réhabilité*	1er	A	48
rehausser	*rehaussé*	1er	A	48
réintégrer	*réintégré*	1er	A	47
réitérer	*réitéré*	1er	A	47

Verbe	Participe passé	Groupe	Auxiliaire	Page du modèle
rejaillir	*rejailli*	2e	A	70
rejeter	*rejeté*	1er	A	61
rejoindre	*rejoint*	3e	A	97
rejouer	*rejoué*	1er	A	48
réjouir	*réjoui*	2e	A	70
relâcher	*relâché*	1er	A	48
relancer	*relancé*	1er	A	49
relater	*relaté*	1er	A	48
se relaxer	*relaxé*	1er	Ê	55
relayer	*relayé*	1er	A	63
reléguer	*relégué*	1er	A	53
relever	*relevé*	1er	A	67
relier	*relié*	1er	A	52
relire	*relu*	3e	A	98
reloger	*relogé*	1er	A	62
reluire	*relui*	3e	A	99
remâcher	*remâché*	1er	A	48
remanier	*remanié*	1er	A	52
se remarier	*remarié*	1er	Ê	52/55
remarquer	*remarqué*	1er	A	48
remballer	*remballé*	1er	A	48
rembarquer	*rembarqué*	1er	A	48
rembarrer	*rembarré*	1er	A	48
remblayer	*remblayé*	1er	A	63
rembourrer	*rembourré*	1er	A	48
rembourser	*remboursé*	1er	A	48
se rembrunir	*rembruni*	2e	Ê	70/55
remédier	*remédié (à)*	1er	A	52
se remémorer	*remémoré*	1er	Ê	55
remercier	*remercié*	1er	A	52
remettre	*remis*	3e	A	102
remonter	*remonté*	1er	A Ê	48/68
remontrer	*remontré*	1er	A	48
remorquer	*remorqué*	1er	A	48
rempailler	*rempaillé*	1er	A	69
remplacer	*remplacé*	1er	A	49
remplir	*rempli*	2e	A	70
remporter	*remporté*	1er	A	48
remuer	*remué*	1er	A	66
rémunérer	*rémunéré*	1er	A	47
renâcler	*renâclé*	1er	A	48
renchérir	*renchéri*	2e	A	70

R

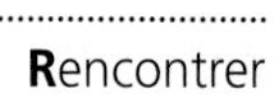

Rencontrer

= verbe modèle
DÉF = verbe défectif **IMP** = verbe impersonnel

Verbe	*Participe passé*	*Groupe*	*Auxiliaire*	*Page du modèle*
rencontr**er**	*rencontré*	**1er**	A	**48**
se ren**dormir**	*rendormi*	**3e**	Ê	**93/55**
r**endre**	*rendu*	**3e**	A	**134**
renferm**er**	*renfermé*	**1er**	A	**48**
renflo**uer**	*renfloué*	**1er**	A	**66**
renfon**cer**	*renfoncé*	**1er**	A	**49**
renfor**cer**	*renforcé*	**1er**	A	**49**
se rengor**ger**	*rengorgé*	**1er**	Ê	**62/55**
ren**ier**	*renié*	**1er**	A	**52**
renifl**er**	*reniflé*	**1er**	A	**48**
renon**cer**	*renoncé*	**1er**	A	**49**
reno**uer**	*renoué*	**1er**	A	**66**
renouv**eler**	*renouvelé*	**1er**	A	**46**
rénov**er**	*rénové*	**1er**	A	**48**
rensei**gner**	*renseigné*	**1er**	A	**58**
rentabilis**er**	*rentabilisé*	**1er**	A	**48**
rentr**er**	*rentré*	**1er**	A Ê	**48/68**
renvers**er**	*renversé*	**1er**	A	**48**
r**envoyer**	*renvoyé*	**1er**	A	**56**
réorganis**er**	*réorganisé*	**1er**	A	**48**
se rep**aître**	*repu*	**3e**	Ê	**81/55**
rép**andre**	*répandu*	**3e**	A	**118**
repar**aître**	*reparu*	**3e**	A Ê	**81**
répar**er**	*réparé*	**1er**	A	**48**
reparl**er**	*reparlé*	**1er**	A	**48**
re**partir**	*reparti*	**3e**	Ê	**110**
répart**ir**	*réparti*	**2e**	A	**70**
repass**er**	*repassé*	**1er**	A Ê	**48/68**
repêch**er**	*repêché*	**1er**	A	**48**
rep**eindre**	*repeint*	**3e**	A	**111**
se rep**entir**	*repenti*	**3e**	Ê	**101/55**
répercut**er**	*répercuté*	**1er**	A	**48**
rep**érer**	*repéré*	**1er**	A	**47**
rép**éter**	*répété*	**1er**	A	**47**
repeupl**er**	*repeuplé*	**1er**	A	**48**
repiqu**er**	*repiqué*	**1er**	A	**48**
repla**cer**	*replacé*	**1er**	A	**49**
repl**ier**	*replié*	**1er**	A	**52**
répliqu**er**	*répliqué*	**1er**	A	**48**
rép**ondre**	*répondu*	**3e**	A	**131**
report**er**	*reporté*	**1er**	A	**48**
repos**er**	*reposé*	**1er**	A	**48**
repouss**er**	*repoussé*	**1er**	A	**48**
re**prendre**	*repris*	**3e**	A	**115**
représent**er**	*représenté*	**1er**	A	**48**
réprimand**er**	*réprimandé*	**1er**	A	**48**
réprim**er**	*réprimé*	**1er**	A	**48**
repris**er**	*reprisé*	**1er**	A	**48**
reproch**er**	*reproché*	**1er**	A	**48**
reprod**uire**	*reproduit*	**3e**	A	**80**
se reprod**uire**	*reproduit*	**3e**	Ê	**80/55**
réprouv**er**	*réprouvé*	**1er**	A	**48**
répu**gner**	*répugné*	**1er**	A	**58**
re**quérir**	*requis*	**3e**	A	**73**
réquisitionn**er**	*réquisitionné*	**1er**	A	**48**
réserv**er**	*réservé*	**1er**	A	**48**
résid**er**	*résidé*	**1er**	A	**48**
se rési**gner**	*résigné*	**1er**	Ê	**58/55**
résil**ier**	*résilié*	**1er**	A	**52**
résist**er**	*résisté*	**1er**	A	**48**
résonn**er**	*résonné*	**1er**	A	**48**
résorb**er**	*résorbé*	**1er**	A	**48**
résoudre	*résolu*	**3e**	A	**119**
se résoudre	*résolu (à)*	**3e**	Ê	**119/55**
respect**er**	*respecté*	**1er**	A	**48**
respir**er**	*respiré*	**1er**	A	**48**
resplend**ir**	*resplendi*	**2e**	A	**70**
responsabilis**er**	*responsabilisé*	**1er**	A	**48**
resqu**iller**	*resquillé*	**1er**	A	**69**
se ressais**ir**	*ressaisi*	**2e**	Ê	**70/55**
ressass**er**	*ressassé*	**1er**	A	**48**
ressembl**er**	*ressemblé*	**1er**	A	**48**
resse**meler**	*ressemelé*	**1er**	A	**46**
ress**entir**	*ressenti*	**3e**	A	**101**
resserr**er**	*resserré*	**1er**	A	**48**
res**servir**	*resservi*	**3e**	A	**123**
res**sortir**	*ressorti*	**3e**	A Ê	**124**
ressuscit**er**	*ressuscité*	**1er**	A Ê	**48**
restaur**er**	*restauré*	**1er**	A	**48**
se restaur**er**	*restauré*	**1er**	Ê	**55**
rest**er**	*resté*	**1er**	Ê	**68**
restit**uer**	*restitué*	**1er**	A	**66**
restr**eindre**	*restreint*	**3e**	A	**111**
résum**er**	*résumé*	**1er**	A	**48**

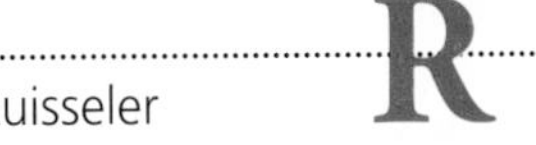

A = se conjugue avec l'auxiliaire **avoir**
Ê = se conjugue avec l'auxiliaire **être**

VERBE	*PARTICIPE PASSÉ*	*GROUPE*	*AUXILIAIRE*	*PAGE DU MODÈLE*
rétabl**ir**	*rétabli*	**2**e	A	**70**
retap**er**	*retapé*	**1**er	A	**48**
retard**er**	*retardé*	**1**er	A	**48**
re**tenir**	*retenu*	**3**e	A	**130**
retent**ir**	*retenti*	**2**e	A	**70**
retir**er**	*retiré*	**1**er	A	**48**
se retir**er**	*retiré*	**1**er	Ê	**55**
retomb**er**	*retombé*	**1**er	Ê	**68**
rétorqu**er**	*rétorqué*	**1**er	A	**48**
retouch**er**	*retouché*	**1**er	A	**48**
retourn**er**	*retourné*	**1**er	A Ê	**48/68**
retra**cer**	*retracé*	**1**er	A	**49**
se rétract**er**	*rétracté*	**1**er	Ê	**55**
retrait**er**	*retraité*	**1**er	A	**48**
retranch**er**	*retranché*	**1**er	A	**48**
retrans**mettre**	*retranmsis*	**3**e	A	**102**
rétréc**ir**	*rétréci*	**2**e	A	**70**
rétrib**uer**	*rétribué*	**1**er	A	**66**
rétrograd**er**	*rétrogradé*	**1**er	A	**48**
retrouss**er**	*retroussé*	**1**er	A	**48**
retrouv**er**	*retrouvé*	**1**er	A	**48**
réuni**fier**	*réunifié*	**1**er	A	**52**
réun**ir**	*réuni*	**2**e	A	**70**
réuss**ir**	*réussi*	**2**e	A	**70**
réutilis**er**	*réutilisé*	**1**er	A	**48**
re**valoir**	*revalu*	**3**e	A	**133**
revaloris**er**	*revalorisé*	**1**er	A	**48**
rêvass**er**	*rêvassé*	**1**er	A	**48**
réve**iller**	*réveillé*	**1**er	A	**69**
réveillonn**er**	*réveillonné*	**1**er	A	**48**
rév**éler**	*révélé*	**1**er	A	**47**
revendiqu**er**	*revendiqué*	**1**er	A	**48**
rev**endre**	*revendu*	**3**e	A	**134**
re**venir**	*revenu*	**3**e	Ê	**135**
rêv**er**	*rêvé*	**1**er	A	**48**
réverb**érer**	*réverbéré*	**1**er	A	**47**
reverd**ir**	*reverdi*	**2**e	A	**70**
rév**érer**	*révéré*	**1**er	A	**47**
re**vêtir**	*revêtu*	**3**e	A	**136**
revigor**er**	*revigoré*	**1**er	A	**48**
révis**er**	*révisé*	**1**er	A	**48**
re**vivre**	*revécu*	**3**e	A	**137**
re**voir**	*revu*	**3**e	A	**138**
se révolt**er**	*révolté*	**1**er	Ê	**55**
révolutionn**er**	*révolutionné*	**1**er	A	**48**
révoqu**er**	*révoqué*	**1**er	A	**48**
se révuls**er**	*révulsé*	**1**er	Ê	**55**
rhab**iller**	*rhabillé*	**1**er	A	**69**
rican**er**	*ricané*	**1**er	A	**48**
ricoch**er**	*ricoché*	**1**er	A	**48**
rid**er**	*ridé*	**1**er	A	**48**
ridiculis**er**	*ridiculisé*	**1**er	A	**48**
rigol**er**	*rigolé*	**1**er	A	**48**
rim**er**	*rimé*	**1**er	A	**48**
rin**cer**	*rincé*	**1**er	A	**49**
ripost**er**	*riposté*	**1**er	A	**48**
rire	*ri*	**3**e	A	**120**
risqu**er**	*risqué*	**1**er	A	**48**
rissol**er**	*rissolé*	**1**er	A	**48**
rivalis**er**	*rivalisé*	**1**er	A	**48**
riv**er**	*rivé*	**1**er	A	**48**
rod**er**	*rodé*	**1**er	A	**48**
rôd**er**	*rôdé*	**1**er	A	**48**
ro**gner**	*rogné*	**1**er	A	**58**
rompre	*rompu*	**3**e	A	**121**
ronchonn**er**	*ronchonné*	**1**er	A	**48**
ronfl**er**	*ronflé*	**1**er	A	**48**
ron**ger**	*rongé*	**1**er	A	**62**
ronronn**er**	*ronronné*	**1**er	A	**48**
ross**er**	*rossé*	**1**er	A	**48**
rôt**ir**	*rôti*	**2**e	A	**70**
roucoul**er**	*roucoulé*	**1**er	A	**48**
ro**uer**	*roué*	**1**er	A	**66**
rouge**oyer**	*rougeoyé*	**1**er	A	**54**
roug**ir**	*rougi*	**2**e	A	**70**
rou**iller**	*rouillé*	**1**er	A	**69**
roul**er**	*roulé*	**1**er	A	**48**
rousp**éter**	*rouspété*	**1**er	A	**47**
rud**oyer**	*rudoyé*	**1**er	A	**54**
r**uer**	*rué*	**1**er	A	**66**
se r**uer**	*rué*	**1**er	Ê	**66/55**
rug**ir**	*rugi*	**2**e	A	**70**
ruin**er**	*ruiné*	**1**er	A	**48**
ruiss**eler**	*ruisselé*	**1**er	A	**46**

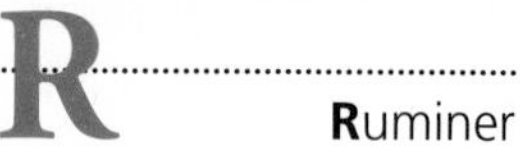

= verbe modèle
DÉF = verbe défectif **IMP** = verbe impersonnel

Verbe	*Participe passé*	*Groupe*	*Auxiliaire*	*Page du modèle*
rumin**er**	*ruminé*	1er	A	48
rus**er**	*rusé*	1er	A	48
rythm**er**	*rythmé*	1er	A	48
S				
sabl**er**	*sablé*	1er	A	48
sabord**er**	*sabordé*	1er	A	48
sabot**er**	*saboté*	1er	A	48
sacca**ger**	*saccagé*	1er	A	62
sacr**er**	*sacré*	1er	A	48
sacrif**ier**	*sacrifié*	1er	A	52
sai**gner**	*saigné*	1er	A	58
sais**ir**	*saisi*	2e	A	70
sal**er**	*salé*	1er	A	48
sal**ir**	*sali*	2e	A	70
saliv**er**	*salivé*	1er	A	48
sal**uer**	*salué*	1er	A	66
sanctionn**er**	*sanctionné*	1er	A	48
sangl**er**	*sanglé*	1er	A	48
sanglot**er**	*sangloté*	1er	A	48
sap**er**	*sapé*	1er	A	48
sarcl**er**	*sarclé*	1er	A	48
satis**faire**	*satisfait*	3e	A	95
sau**cer**	*saucé*	1er	A	49
saupoudr**er**	*saupoudré*	1er	A	48
saut**er**	*sauté*	1er	A	48
saut**iller**	*sautillé*	1er	A	69
sauvegard**er**	*sauvegardé*	1er	A	48
sauv**er**	*sauvé*	1er	A	48
savoir	*su*	3e	A	122
savonn**er**	*savonné*	1er	A	48
savour**er**	*savouré*	1er	A	48
scalp**er**	*scalpé*	1er	A	48
scandalis**er**	*scandalisé*	1er	A	48
scand**er**	*scandé*	1er	A	48
scann**er**	*scanné*	1er	A	48
sc**eller**	*scellé*	1er	A	60
schématis**er**	*schématisé*	1er	A	48
sc**ier**	*scié*	1er	A	52
scind**er**	*scindé*	1er	A	48
scint**iller**	*scintillé*	1er	A	69

Verbe	*Participe passé*	*Groupe*	*Auxiliaire*	*Page du modèle*
scotch**er**	*scotché*	1er	A	48
scrut**er**	*scruté*	1er	A	48
sculpt**er**	*sculpté*	1er	A	48
s**écher**	*séché*	1er	A	47
second**er**	*secondé*	1er	A	48
sec**ouer**	*secoué*	1er	A	66
se**courir**	*secouru*	3e	A	85
sécr**éter**	*sécrété*	1er	A	47
sectionn**er**	*sectionné*	1er	A	48
sécuris**er**	*sécurisé*	1er	A	48
séd**uire**	*séduit*	3e	A	80
séjourn**er**	*séjourné*	1er	A	48
sélectionn**er**	*sélectionné*	1er	A	48
s**eller**	*sellé*	1er	A	60
sembl**er**	*semblé*	1er	A	48
semer	*semé*	1er	A	67
sensibilis**er**	*sensibilisé*	1er	A	48
sentir	*senti*	3e	A	101
sépar**er**	*séparé*	1er	A	48
séquestr**er**	*séquestré*	1er	A	48
serin**er**	*seriné*	1er	A	48
sermonn**er**	*sermonné*	1er	A	48
serpent**er**	*serpenté*	1er	A	48
serr**er**	*serré*	1er	A	48
sert**ir**	*serti*	2e	A	70
servir	*servi*	3e	A	123
sév**ir**	*sévi (contre)*	2e	A	70
s**evrer**	*sevré*	1er	A	67
shoot**er**	*shooté*	1er	A	48
sid**érer**	*sidéré*	1er	A	47
si**éger**	*siégé*	1er	A	44
siffl**er**	*sifflé*	1er	A	48
sifflot**er**	*siffloté*	1er	A	48
signal**er**	*signalé*	1er	A	48
si**gner**	*signé*	1er	A	58
se si**gner**	*signé*	1er	Ê	58/55
signif**ier**	*signifié*	1er	A	52
sillonn**er**	*sillonné*	1er	A	48
simplif**ier**	*simplifié*	1er	A	52
simul**er**	*simulé*	1er	A	48
sin**ger**	*singé*	1er	A	62
se singularis**er**	*singularisé*	1er	Ê	55

A = se conjugue avec l'auxiliaire **avoir**
Ê = se conjugue avec l'auxiliaire **être**

Verbe	Participe passé	Groupe	Auxiliaire	Page du modèle
siroter	*siroté*	1er	A	48
situer	*situé*	1er	A	66
skier	*skié*	1er	A	52
smasher	*smashé*	1er	A	48
soigner	*soigné*	1er	A	58
solder	*soldé*	1er	A	48
se solidariser	*solidarisé*	1er	Ê	55
se solidifier	*solidifié*	1er	Ê	52/55
solliciter	*sollicité*	1er	A	48
sombrer	*sombré*	1er	A	48
sommeiller	*sommeillé*	1er	A	69
sommer	*sommé*	1er	A	48
somnoler	*somnolé*	1er	A	48
sonder	*sondé*	1er	A	48
songer	*songé*	1er	A	62
sonner	*sonné*	1er	A Ê	48/68
sonoriser	*sonorisé*	1er	A	48
sortir	*sorti*	3e	Ê A	124
se soucier	*soucié*	1er	Ê	52/55
souder	*soudé*	1er	A	48
soudoyer	*soudoyé*	1er	A	54
souffler	*soufflé*	1er	A	48
souffrir	*souffert*	3e	A	125
souhaiter	*souhaité*	1er	A	48
souiller	*souillé*	1er	A	69
soulager	*soulagé*	1er	A	62
soûler	*soûlé*	1er	A	48
se soûler	*soûlé*	1er	Ê	55
soulever	*soulevé*	1er	A	67
souligner	*souligné*	1er	A	58
soumettre	*soumis*	3e	A	102
soupçonner	*soupçonné*	1er	A	48
souper	*soupé*	1er	A	48
soupeser	*soupesé*	1er	A	67
soupirer	*soupiré*	1er	A	48
sourciller	*sourcillé*	1er	A	69
sourire	*souri*	3e	A	120
souscrire	*souscrit*	3e	A	94
sous-estimer	*sous-estimé*	1er	A	48
soustraire	*soustrait*	3e	A	126
soutenir	*soutenu*	3e	A	130
soutirer	*soutiré*	1er	A	48

Verbe	Participe passé	Groupe	Auxiliaire	Page du modèle
se souvenir	*souvenu (de)*	3e	Ê	135/55
spécialiser	*spécialisé*	1er	A	48
se spécialiser	*spécialisé*	1er	Ê	55
spécifier	*spécifié*	1er	A	52
spéculer	*spéculé (sur)*	1er	A	48
spolier	*spolié*	1er	A	52
sponsoriser	*sponsorisé*	1er	A	48
sprinter	*sprinté*	1er	A	48
stabiliser	*stabilisé*	1er	A	48
stagner	*stagné*	1er	A	48
standardiser	*standardisé*	1er	A	48
stationner	*stationné*	1er	A Ê	48/68
statuer	*statué*	1er	A	66
sténographier	*sténographié*	1er	A	52
stériliser	*stérilisé*	1er	A	48
stimuler	*stimulé*	1er	A	48
stipuler	*stipulé*	1er	A	48
stocker	*stocké*	1er	A	48
stopper	*stoppé*	1er	A	48
stupéfier	*stupéfié*	1er	A	52
subdiviser	*subdivisé*	1er	A	48
subir	*subi*	2e	A	70
subjuguer	*subjugué*	1er	A	50
submerger	*submergé*	1er	A	62
subodorer	*subodoré*	1er	A	48
subordonner	*subordonné*	1er	A	48
subsister	*subsisté*	1er	A	48
substituer	*substitué*	1er	A	66
subtiliser	*subtilisé*	1er	A	48
subvenir	*subvenu (à)*	3e	A	135
subventionner	*subventionné*	1er	A	48
succéder	*succédé*	1er	A	47
succomber	*succombé (à)*	1er	A	48
sucer	*sucé*	1er	A	49
sucrer	*sucré*	1er	A	48
suer	*sué*	1er	A	66
suffire	*suffi (de, à)*	3e	A	127
suffoquer	*suffoqué*	1er	A	48
suggérer	*suggéré*	1er	A	47
se suicider	*suicidé*	1er	Ê	55
suinter	*suinté*	1er	A	48
suivre	*suivi*	3e	A	128

= verbe modèle
DÉF = verbe défectif **IMP** = verbe impersonnel

Verbe	Participe passé	Groupe	Auxiliaire	Page du modèle
superpos**er**	*superposé*	1er	A	48
supervis**er**	*supervisé*	1er	A	48
supplant**er**	*supplanté*	1er	A	48
suppl**éer**	*suppléé*	1er	A	51
suppl**ier**	*supplié*	1er	A	52
support**er**	*supporté*	1er	A	48
suppos**er**	*supposé*	1er	A	48
supprim**er**	*supprimé*	1er	A	48
suppur**er**	*suppuré*	1er	A	48
supput**er**	*supputé*	1er	A	48
surchar**ger**	*surchargé*	1er	A	62
surchauff**er**	*surchauffé*	1er	A	48
surclass**er**	*surclassé*	1er	A	48
surél**ever**	*surélevé*	1er	A	67
surestim**er**	*surestimé*	1er	A	48
surg**eler**	*surgelé*	1er	A	59
surg**ir**	*surgi*	2e	A	70
surli**gner**	*surligné*	1er	A	58
surm**ener**	*surmené*	1er	A	67
surmont**er**	*surmonté*	1er	A	48
surna**ger**	*surnagé*	1er	A	62
surnomm**er**	*surnommé*	1er	A	48
surpass**er**	*surpassé*	1er	A	48
surplomb**er**	*surplombé*	1er	A	48
sur**prendre**	*surpris*	3e	A	115
sursaut**er**	*sursauté*	1er	A	48
surve**iller**	*surveillé*	1er	A	69
sur**venir**	*survenu*	3e	Ê	135
sur**vivre**	*survécu*	3e	A	137
survol**er**	*survolé*	1er	A	48
suscit**er**	*suscité*	1er	A	48
suspect**er**	*suspecté*	1er	A	48
susp**endre**	*suspendu*	3e	A	134
susurr**er**	*susurré*	1er	A	48
symbolis**er**	*symbolisé*	1er	A	48
sympathis**er**	*sympathisé*	1er	A	48
synchronis**er**	*synchronisé*	1er	A	48
se syndiqu**er**	*syndiqué*	1er	Ê	55

Verbe	Participe passé	Groupe	Auxiliaire	Page du modèle
T				
tabl**er**	*tablé (sur)*	1er	A	48
tach**er**	*taché*	1er	A	48
tâch**er**	*tâché (de)*	1er	A	48
ta**guer**	*tagué*	1er	A	50
taillad**er**	*tailladé*	1er	A	48
ta**iller**	*taillé*	1er	A	69
se taire	*tu*	3e	Ê	129
talonn**er**	*talonné*	1er	A	48
talqu**er**	*talqué*	1er	A	48
tambourin**er**	*tambouriné*	1er	A	48
tamis**er**	*tamisé*	1er	A	48
tamponn**er**	*tamponné*	1er	A	48
tan**guer**	*tangué*	1er	A	50
tann**er**	*tanné*	1er	A	48
tap**er**	*tapé*	1er	A	48
se tap**ir**	*tapi*	2e	Ê	70/55
tapiss**er**	*tapissé*	1er	A	48
tapot**er**	*tapoté*	1er	A	48
taquin**er**	*taquiné*	1er	A	48
tarabust**er**	*tarabusté*	1er	A	48
tard**er**	*tardé (à)*	1er	A	48
se tar**guer**	*targué (de)*	1er	Ê	50/55
tar**ir**	*tari*	2e	A	70
tartin**er**	*tartiné*	1er	A	48
tass**er**	*tassé*	1er	A	48
tât**er**	*tâté*	1er	A	48
tâtonn**er**	*tâtonné*	1er	A	48
tato**uer**	*tatoué*	1er	A	66
tax**er**	*taxé*	1er	A	48
teindre	*teint*	3e	A	111
teint**er**	*teinté*	1er	A	48
télécommand**er**	*télécommandé*	1er	A	48
télécop**ier**	*télécopié*	1er	A	52
télégraph**ier**	*télégraphié*	1er	A	52
téléguid**er**	*téléguidé*	1er	A	48
téléphon**er**	*téléphoné*	1er	A	48
télescop**er**	*télescopé*	1er	A	48
se télescop**er**	*télescopé*	1er	Ê	55
témoi**gner**	*témoigné*	1er	A	58
temp**érer**	*tempéré*	1er	A	47
temporis**er**	*temporisé*	1er	A	48

A = se conjugue avec l'auxiliaire **avoir**
Ê = se conjugue avec l'auxiliaire **être**

Verbe	Participe passé	Groupe	Auxiliaire	Page du modèle
tena**iller**	*tenaillé*	1er	A	69
t**endre**	*tendu*	3e	A	134
tenir	*tenu*	3e	A	130
se tenir	*tenu*	3e	Ê	130/55
tent**er**	*tenté*	1er	A	48
tergivers**er**	*tergiversé*	1er	A	48
termin**er**	*terminé*	1er	A	48
tern**ir**	*terni*	2e	A	70
terrass**er**	*terrassé*	1er	A	48
se terr**er**	*terré*	1er	Ê	55
terri**fier**	*terrifié*	1er	A	52
terroris**er**	*terrorisé*	1er	A	48
test**er**	*testé*	1er	A	48
téter	*tété*	1er	A	47
tiéd**ir**	*tiédi*	2e	A	70
timbr**er**	*timbré*	1er	A	48
tint**er**	*tinté*	1er	A	48
tira**iller**	*tiraillé*	1er	A	69
tir**er**	*tiré*	1er	A	48
tiss**er**	*tissé*	1er	A	48
titr**er**	*titré*	1er	A	48
titub**er**	*titubé*	1er	A	48
titularis**er**	*titularisé*	1er	A	48
toilett**er**	*toiletté*	1er	A	48
tois**er**	*toisé*	1er	A	48
tol**érer**	*toléré*	1er	A	47
tomb**er**	*tombé*	1er	Ê	68
t**ondre**	*tondu*	3e	A	131
toni**fier**	*tonifié*	1er	A	52
tonn**er**	*tonné*	IMP	A	147
t**ordre**	*tordu*	3e	A	103
torp**iller**	*torpillé*	1er	A	69
torré**fier**	*torréfié*	1er	A	52
tort**iller**	*tortillé*	1er	A	69
tortur**er**	*torturé*	1er	A	48
totalis**er**	*totalisé*	1er	A	48
touch**er**	*touché*	1er	A	48
tourbillonn**er**	*tourbillonné*	1er	A	48
tourment**er**	*tourmenté*	1er	A	48
tourn**er**	*tourné*	1er	A Ê	48/68
tourn**oyer**	*tournoyé*	1er	A	54
touss**er**	*toussé*	1er	A	48

Verbe	Participe passé	Groupe	Auxiliaire	Page du modèle
toussot**er**	*toussoté*	1er	A	48
tracass**er**	*tracassé*	1er	A	48
tra**cer**	*tracé*	1er	A	49
tract**er**	*tracté*	1er	A	48
trad**uire**	*traduit*	3e	A	80
trafiqu**er**	*trafiqué*	1er	A	48
trah**ir**	*trahi*	2e	A	70
traîn**er**	*traîné*	1er	A	48
t**raire**	*trait*	3e	A	126
trait**er**	*traité*	1er	A	48
tram**er**	*tramé*	1er	A	48
tranch**er**	*tranché*	1er	A	48
tranquillis**er**	*tranquillisé*	1er	A	48
transbord**er**	*transbordé*	1er	A	48
transc**rire**	*transcrit*	3e	A	94
transf**érer**	*transféré*	1er	A	47
transfigur**er**	*transfiguré*	1er	A	48
transform**er**	*transformé*	1er	A	48
transfus**er**	*transfusé*	1er	A	48
transgress**er**	*transgressé*	1er	A	48
transi**ger**	*transigé (avec, sur)*	1er	A	62
trans**mettre**	*transmis*	3e	A	102
transpar**aître**	*transparu*	3e	A	81
transper**cer**	*transpercé*	1er	A	49
transpir**er**	*transpiré*	1er	A	48
transplant**er**	*transplanté*	1er	A	48
transport**er**	*transporté*	1er	A	48
transvas**er**	*transvasé*	1er	A	48
traqu**er**	*traqué*	1er	A	48
traumatis**er**	*traumatisé*	1er	A	48
trava**iller**	*travaillé*	1er	A	69
travers**er**	*traversé*	1er	A	48
se travest**ir**	*travesti*	2e	Ê	70/55
trébuch**er**	*trébuché*	1er	A	48
trembl**er**	*tremblé*	1er	A	48
tremblot**er**	*trembloté*	1er	A	48
se trémouss**er**	*trémoussé*	1er	Ê	55
tremp**er**	*trempé*	1er	A	48
trépass**er**	*trépassé*	1er	A Ê	48/68
trépi**gner**	*trépigné*	1er	A	58
tressaut**er**	*tressauté*	1er	A	48
tress**er**	*tressé*	1er	A	48

= verbe modèle
DÉF = verbe défectif **IMP** = verbe impersonnel

Verbe	Participe passé	Groupe	Auxiliaire	Page du modèle
trich**er**	*triché*	1er	A	48
tricot**er**	*tricoté*	1er	A	48
tr**ier**	*trié*	1er	A	52
trimbal**er**	*trimbalé*	1er	A	48
trim**er**	*trimé*	1er	A	48
trinqu**er**	*trinqué*	1er	A	48
triomph**er**	*triomphé (de)*	1er	A	48
tripl**er**	*triplé*	1er	A	48
tripot**er**	*tripoté*	1er	A	48
tritur**er**	*trituré*	1er	A	48
tromp**er**	*trompé*	1er	A	48
tronçonn**er**	*tronçonné*	1er	A	48
trôn**er**	*trôné*	1er	A	48
tronqu**er**	*tronqué*	1er	A	48
troqu**er**	*troqué*	1er	A	48
trott**er**	*trotté*	1er	A	48
trottin**er**	*trottiné*	1er	A	48
troubl**er**	*troublé*	1er	A	48
tro**uer**	*troué*	1er	A	66
trouv**er**	*trouvé*	1er	A	48
se trouv**er**	*trouvé*	1er	Ê	55
truqu**er**	*truqué*	1er	A	48
t**uer**	*tué*	1er	A	66
se t**uer**	*tué*	1er	Ê	66/55
tut**oyer**	*tutoyé*	1er	A	54
tyrannis**er**	*tyrannisé*	1er	A	48
U				
ulc**érer**	*ulcéré*	1er	A	47
ulul**er**	*ululé*	1er	A	48
unif**ier**	*unifié*	1er	A	52
uniformis**er**	*uniformisé*	1er	A	48
un**ir**	*uni*	2e	A	70
urin**er**	*uriné*	1er	A	48
us**er**	*usé*	1er	A	48
usin**er**	*usiné*	1er	A	48
usurp**er**	*usurpé*	1er	A	48
utilis**er**	*utilisé*	1er	A	48

Verbe	Participe passé	Groupe	Auxiliaire	Page du modèle
V				
vaccin**er**	*vacciné*	1er	A	48
va**ciller**	*vacillé*	1er	A	69
vagabond**er**	*vagabondé*	1er	A	48
vag**ir**	*vagi*	2e	A	70
vaincre	*vaincu*	3e	A	132
valid**er**	*validé*	1er	A	48
valoir	*valu*	3e	A	133
valoris**er**	*valorisé*	1er	A	48
vals**er**	*valsé*	1er	A	48
vant**er**	*vanté*	1er	A	48
vaporis**er**	*vaporisé*	1er	A	48
vaqu**er**	*vaqué (à)*	1er	A	48
var**ier**	*varié*	1er	A	52
se vautr**er**	*vautré*	1er	Ê	55
vég**éter**	*végété*	1er	A	47
véhicul**er**	*véhiculé*	1er	A	48
ve**iller**	*veillé*	1er	A	69
vêl**er**	*vêlé*	1er	A	48
vendan**ger**	*vendangé*	1er	A	62
vendre	*vendu*	3e	A	134
vén**érer**	*vénéré*	1er	A	47
ven**ger**	*vengé*	1er	A	62
se ven**ger**	*vengé (de)*	1er	Ê	62/55
venir	*venu*	3e	Ê	135
venter	*venté*	IMP	A	147
ventil**er**	*ventilé*	1er	A	48
verbalis**er**	*verbalisé*	1er	A	48
verd**ir**	*verdi*	2e	A	70
vérif**ier**	*vérifié*	1er	A	52
vern**ir**	*verni*	2e	A	70
verro**uiller**	*verrouillé*	1er	A	69
vers**er**	*versé*	1er	A	48
vêtir	*vêtu*	3e	A	136
vex**er**	*vexé*	1er	A	48
vibr**er**	*vibré*	1er	A	48
vidan**ger**	*vidangé*	1er	A	62
vid**er**	*vidé*	1er	A	48
vieill**ir**	*vieilli*	2e	A Ê	70
viol**er**	*violé*	1er	A	48
vir**er**	*viré*	1er	A	48
virevolt**er**	*virevolté*	1er	A	48

A = se conjugue avec l'auxiliaire **avoir**
Ê = se conjugue avec l'auxiliaire **être**

Verbe	Participe passé	Groupe	Auxiliaire	Page du modèle
vis**er**	*visé*	1er	A	48
visionn**er**	*visionné*	1er	A	48
visit**er**	*visité*	1er	A	48
viss**er**	*vissé*	1er	A	48
vitr**er**	*vitré*	1er	A	48
vitrif**ier**	*vitrifié*	1er	A	52
vivot**er**	*vivoté*	1er	A	48
vivre	*vécu*	3e	A	137
vocif**érer**	*vociféré*	1er	A	47
vo**guer**	*vogué*	1er	A	50
voil**er**	*voilé*	1er	A	48
se voil**er**	*voilé*	1er	Ê	55
voir	*vu*	3e	A	138
se volatilis**er**	*volatilisé*	1er	Ê	55
vol**er**	*volé*	1er	A	48
vol**eter**	*voleté*	1er	A	61
volti**ger**	*voltigé*	1er	A	62
vom**ir**	*vomi*	2e	A	70
vot**er**	*voté*	1er	A	48
vo**uer**	*voué*	1er	A	66
se vo**uer**	*voué (à)*	1er	Ê	66/55
vouloir	*voulu*	3e	A	139
vouv**oyer**	*vouvoyé*	1er	A	54
voya**ger**	*voyagé*	1er	A	62
vromb**ir**	*vrombi*	2e	A	70
vulgaris**er**	*vulgarisé*	1er	A	48
Z				
zapp**er**	*zappé*	1er	A	48
z**é**br**er**	*zébré*	1er	A	47
zéz**ayer**	*zézayé*	1er	A	63
zigza**guer**	*zigzagué*	1er	A	50
zoom**er**	*zoomé*	1er	A	48
zozot**er**	*zozoté*	1er	A	48

INDEX

N° éditeur : 10034046-(I)-66- (CBSG) 90° - CGI - D.L. Août 1996
Imprimé en France par I.M.E. - 25110 Baume-les-Dames - N° imprimeur : 10951